essor

Danièle Bourdais ✎ Teresa Huntley ✎ Malcolm Hope ✎ Clive Thorpe

avec Marie-Thérèse Bougard et Elspeth Broady

• OXFORD UNIVERSITY PRESS •

Oxford University Press, Great Clarendon Street, Oxford OX2 6DP

Oxford New York
Athens Auckland Bangkok Bogota Bombay
Buenos Aires Calcutta Cape Town Dar es Salaam Delhi
Florence Hong Kong Istanbul Karachi
Kuala Lumpur Madras Madrid Melbourne
Mexico City Nairobi Paris Singapore
Taipei Tokyo Toronto Warsaw

and associated companies in
Berlin Ibadan

Oxford is a trademark of Oxford University Press

© Oxford University Press 1997

First published 1997
ISBN 0 19 912225 3

Acknowledgements
The publishers and authors are grateful to the following:
Elspeth Broady, Language Centre, University of Sussex,
Brighton, for resourcing, editing, and providing written support
for the video component; Ian Spalding, of Media Services,
University of Sussex for studio production of the video;
Marie-Thérèse Bougard for her contribution to the teaching
notes and repromasters; Jenny Gwynne and Sara McKenna for
their assiduous editing.

We are grateful to the following for permission to reproduce
copyright material in this book: Les Clés de l'Actualité; Le
calendrier de Reims 1996; Le Dauphiné; Le Nouvel Observateur;
Phosphore; L'Atlas de l'Environnement; Projet Urbain
d'Agglomération Centre-ville et Quartier Clairmarais (town
planning map); Le Tabloïd/Okapi; Danielle Mitterand (En toutes
libertés); La Libération; Greenpeace France pamphlet.

Line illustrations are by Kessia Beverley-Smith

Typeset and designed by Mike Brain, Cumnor, Oxford

Printed in Great Britain

Contents

Summary of unit contents

Unit, Topics	Language	Grammar	Pronunciation and Skills focus
Introduction *Les vedettes* Stars, TV and radio games	Telephoning (p11) Expressing your feelings (p12) Persuading someone (p15)	*Numbers (p9)* *Comparative and superlative (p10)* *Object pronouns (p11)* *Definite, indefinite, partitive articles* (p16)	Vowel sounds (p10) Making the best use of a text (p8) Learning vocabulary (p13) Managing your studies (p14) Writing an outline (p15)
Unité 1 *Bien manger, bien vivre* Sport, food, health	Saying what you'd like to do (pp17, 21) Complaining, dealing with complaints (p27)	*The conditional (1) (p20)* *Pronouns with the imperative (p21)* *Agreement of the past participle* (p27)	The letter *r* (p23) Using a dictionary (1) (p24) Reading a difficult text (p26)
	Expressing likes and dislikes (p19)			
Unité 2 *Apprendre au lycée* Education	Asking questions (p30) Expressing a different point of view (p32) Expressing your opinions (p34) Expressing your intentions (p38)	*The present subjunctive (1) (p35)* *The future tense (p36)* The past historic (1) (p40)	Stress and intonation (1) (p31) Using a text as a source of ideas and phrases (p33) Writing a paragraph (p35)
Unité 3 *Les pays de France* The French regions	Comparing and contrasting (p46) Making plans dependent on the weather (p47)	*Adjectives (p43)* *The passive (1) (p51)*	Liaisons and *enchaînements* (p47) Taking part in a debate (1) (p45) Listening for detail (p47) Writing a brochure (p49)
Unité 4 *Au volant* Private and public transport	Planning a journey (p56) Asking for and giving information (p65)	*Relative pronouns qui, que (p59)* *The present subjunctive (2) (p60)* *The perfect and imperfect tense* (p64)	Knowing how to pronounce new words (p63) Interpreting (p62) Reading phonetic transcriptions (p63) (Verbal) reporting (p65)
Unité 5 *Nos amis les humains* Animal rights, intensive farming, bullfighting	Expressing agreement and disagreement (pp67, 71, 76) Recommending a course of action (p73)	*Ce qui, ce que (p68)* *The passive (2) (p72)*	Words beginning with *in-* (p73) (Formal) letter-writing (p78) Taking part in a debate (2) (pp74, 76)
Unité 6 *Le monde des médias* Advertising, the press, journalism	Analysing adverts (pp80–82) Planning a publicity campaign (p83)	*Negatives (p81)* *The relative pronoun dont (p84)* *The pluperfect tense (p87)* Verb–subject inversion (p89)	Semi-vowels (p86) Writing a newspaper report (pp85, etc.) Scanning for details (p88) Recognizing register(1) (p89)
Unité 7 *La pollution :* *les déchets nucléaires,* *le bruit* Pollution: nuclear power, noise pollution	Discussing steps to be taken (p94) Supporting an argument (p100) Summarizing arguments (p102)	The future perfect tense (p100) The past conditional (p104)	Intonation (2) Writing an essay (pp94, 99, 102) Making notes on a text (pp96, 97)

*AS-Level students are required to have covered the italicized grammatical items at some point in their course. See note on p9 of Introduction.

Unit, Topics	Language	Grammar	Pronunciation and Skills focus
Unité 8 **L'art et l'architecture** Art and architecture	Describing paintings and buildings (pp107, 109) Expressing your opinion (p109) Expressing abstract ideas (p107, etc.)	*The past historic (2) (p112)* *Pronouns y and en (p112)*	Open and closed *o* (p106) Creative writing (p110) Checking your written work (p110)
Unité 9 **La France agricole** Agriculture in France	Comparing past and present (p120) Expressing discontent (p124)	*Concessional clauses (p120)* *Relative pronouns lequel, laquelle, etc. (p121)*	Summarizing texts (pp119, etc.) Using quotations in writing (p123) Translation into English (p128)
Unité 10 **La science propose...** New technology, medical research	Discussing multimedia uses and the Internet (pp132–5) Exploring ethical issues (pp138, 139)	*The demonstrative pronoun celui (p133)* *Celui-ci, celui-là, etc. (p133)*	Expressive intonation (1) (p141) Quoting statistics and examples (p137) Using a dictionary (2) (p139)
Unité 11 **Tous égaux !** Racism and other forms of inequality	Discussing an aspect of human rights (immigration) (pp146, 147) Attacking prejudice (racism) (pp148, 149)	*Possessive pronouns (p147)*	Writing a well-structured essay (p153)
Unité 12 **Solidarité bien ordonnée** Humanitarian aid	Analysing problems and difficulties (p157) Suggesting a course of action (p159) Encouraging support (p159)	*Contrasting constructions (p160)*	Colloquial pronunciation (p162) Designing a poster/leaflet (p161) Recognizing and understanding colloquial French (p162)
Unité 13 **Evadez-vous...** Leisure: cinema, theatre, reading	Talking about your activities (p170) Describing a film or a book (p171, etc.) Writing a film or book review (p171, etc.) Persuading someone to see or read something (p173)	*Prepositions (p177)*	Recognizing register (2) (p173) Preparing and giving a presentation (p179)
Unité 14 **Le terrorisme** Terrorism in France	Negotiating and persuading (pp184, 186) Playing down the drama of a situation (p189)	*The conditional (2) (p182)* *The infinitive (p185)*	Adapting a text (p187) Exam preparation (1) (p192)
Unité 15 **La décolonisation** Decolonization – France and her former empire	Arguing a case (p201)	*The present subjunctive (3)* Other tenses of the subjunctive (p197)	Expressive intonation (2) (p201) Exam preparation (2) (p202)

Introduction

The course

Welcome to **Essor**!

Essor is the second part of a stimulating four-year French programme for students who have achieved well at GCSE or Standard Grade and wish to follow an A/AS level, Higher Grade or other advanced level course. A nationwide survey identified a real need for continuity of materials across the 14–18 age range to ensure that students develop the necessary skills and knowledge to achieve the higher grades at GCSE or Standard Grade credit and to transfer smoothly to further study post-16. The result of this research is **Envol** (14–16) and this, its partner book, **Essor** (16–18).

Essor is suitable for all students studying French at post-intermediate level, either to A/AS level or Higher Grade, as the course addresses both the SCAA subject core criteria and the Higher Grade requirements for study at this level.

Rationale

The aims of **Essor** are:
- to build confidence through a carefully structured approach, thus providing students with the skills, strategies and language they need, initially to bridge the gap between GCSE/Standard Grade and study post-16, and then to continue to achieve well at a higher level
- to present language in meaningful and interesting contexts with wide-ranging and mature topics, appropriate for students following a post-16 course
- to maximize the use of French as the means of communication in the classroom
- to promote greater control of the elements of the French language, including pronunciation (*Ça se dit comme ça*), grammar patterns (*Zoom sur ...*), etc.
- to encourage a sensitivity to register, and where appropriate to integrate the skills of listening, speaking, reading and writing in the development of linguistic competence
- to broaden students' awareness of life and culture in French-speaking countries
- to develop, through the *Compétences* activities, specific learning strategies; for example, dictionary skills, independent study, vocabulary building, revision skills, etc.
- to enable students to take control of their learning by means of learning strategies, reference and revision (*Survol*) sections and study skills, and opportunities for independent study
- to encourage success, by providing clear objectives, and in the *Survols*, regular revision and assessed assignments.

The components of Essor

Students' Book

The Students' Book is the complete handbook for advanced level studies, providing a comprehensive and integrated programme of teaching, practice, revision and reference for students. A 240-page book in full colour, it contains the following sections:

Unité d'introduction
This initial unit introduces students to the type of activities and layout of **Essor**. It also provides essential revision of key language and grammar, providing a bridge between GCSE/Standard Grade and the early stages of a post-16 course.

Unités 1–15
There are 15 twelve-page units on different topics, covering a wide range of subjects. Each unit has been planned to be interesting and motivating, as well as developing relevant strategies and skills for independent study and preparation for examinations. An outline of the content of each unit is given on Teacher's Book pages 4–5. The key features and symbols used in an **Essor** unit are given on page 8.

Survol
After every three units, there is a range of revision activities, aimed at providing further practice and consolidation of the language of the preceding units. Students are guided to the relevant page(s) to revise in each case; they could work on the activities in class or as homework. These are followed by longer, group-work assignments, providing opportunities for students to show achievement using a range of skills and strategies in a variety of contexts.

Grammaire
A more detailed reference section which complements the explanations given within the body of the book. All grammatical explanations in the units are given in French to provide target language continuity throughout **Essor** and to support teachers wishing to conduct as much of their teaching as possible in the target language. The grammar reference section at the end of the book is in English to ensure that students can use it independently.

Vocabulaire
A French–English glossary containing many of the words in the book.

Teacher's Book

Detailed teaching notes for each unit are provided. These notes include:

– suggestions for using the material in the Students' Book
– background information on the topics covered in the Students' Book
– solutions for many activities
– suggestions for further activities (including IT) to reinforce and widen the range of content in the Students' Book
– information about the *Feuilles à photocopier*, including answers, where appropriate, for each unit
– transcripts for all recorded material
– notes on the *Survol* and revision activities
– scripts for **Essor vidéo**.
– a *Feuilles à photocopier* section.

The *Feuilles à photocopier* are an integral part of **Essor** and there are cross-references to them throughout the Teacher's Book. There are three for each unit, providing opportunities for further practice and extension of the language of the unit, including grammar practice and support for speaking activities; for example, debates and role play cards.

Prose translation repromasters

There are also seven passages for translation from English into French (*feuilles* 46–52), linked to units 9–15, together with suggested French translations. These will be of particular relevance to A2 students.

Prose translation is most useful when it is an integrated part of a sequence of teaching. It should give students the opportunity to recall and regenerate language items (vocabulary, collocations, structures, morphology, word order, discourse, etc.) which have recently been encountered, practised and used in other texts and contexts. Also, it is important that the language contained in proses which are used to support learning is not a lottery; students who have paid close attention to the language taught in the unit should be rewarded by being able to do well in the prose. For this reason, the items offered for translation from English to French are derived mainly from the language of the unit in which they occur.

However, the range of language from which the proses are drawn becomes wider with each unit: the teaching notes for each prose up to unit 12 indicate the sections which students could usefully revise in order to tackle the prose well; the final three proses can be done at any point after unit 12.

Marking proses:

• aim to underline errors of spelling and form and have students work out the corrections
• consider using a code for your annotations in the margins, having explained it to students (the same code could, of course, be used for productive writing other than prose); for example, *o* = orthographe; *t* = temps; *f* = forme du verbe; *v* = vocabulaire; *sig* = la signification n'est pas claire; *odm* = ordre des mots; *exp* = votre idée ne s'exprime pas ainsi en français.
• whether you convert performance to marks and grades is your decision
• as an alternative to marks and grades, you could use the photocopiable assessment grid on p151.

Cassettes

The cassettes provide the listening material to accompany the Students' Book, worksheets and assessment material. The scripted material was recorded by native French speakers. This is complemented by some extracts taken from French radio and a series of vox pop recordings and longer interviews recorded on location in Reims. All cassettes may be copied within the purchasing institution for use by teachers and students. It will be appropriate for some activities in the Students' Book for students to have an individual copy of the cassette, perhaps for study at home.

Contents:

Cassette 1 side 1: Introduction, Unités 1, 2 (part)
Cassette 1 side 2: Unités 2 (cont.), 3
Cassette 2 side 1: Unités 4, 5
Cassette 2 side 2: Unités 6, 7
Cassette 3 side 1: Unités 8, 9 (part)
Cassette 3 side 2: Unités 9 (cont.), 10
Cassette 4 side 1: Unités 11, 12
Cassette 4 side 2: Unités 13, 14, 15

Video

Essor vidéo contains 11 extracts linked to work in the Students' Book. Most are from French national and regional television, but two are from independent organizations. The extracts, each with a brief studio presentation, bring aspects of French society vividly to life, and include interviews with *lycéens*, a farmer's son, an Air France stewardess, an artist, an extract from a games show, topical news items, and promotional material from *Futuroscope* and *Médecins Sans Frontières*.

More information on the video, including details of the content, is given on pp12–14 of the introduction. Transcripts and additional teaching notes are included as they occur, within the main body of teaching notes for relevant units. (Suggestions for the recording and exploitation of TV advertisements are included in the notes for unit 6.)

The features of a unit

Unit objectives
Each unit begins with a 'menu' of topics for the unit.

The first page of each unit is usually some sort of brainstorming activity, to provide students with an opportunity to discover what language they already know about the topic and to generate new vocabulary. It also provides some general background information on the main topic. The topic is then developed through a wide variety of mixed-skill presentation and practice to engage the interest and involvement of students with activities to ensure language development from supported/guided to more open-ended tasks.

The following symbols are used:

	listening material on cassette
	material on video
	suggestions for IT use in the Teacher's Book
	activities which are suitable for summative assessment.

Zoom sur ...
Grammar is included as a central part of each unit, as students need not only to understand the way the language works in order to manipulate it successfully in other topics but also to extend and develop their deeper understanding of French. Students are exposed to examples that occur naturally in context in the units and are then encouraged to reflect on these and deduce the rules. Grammatical explanations are given in French. The grammar is then practised in the unit, but further grammar practice is also provided on the *Feuilles à photocopier* and the *Survol* pages.

 This arrow refers the student to a fuller grammatical explanation provided in English at the back of the Students' Book.

Expression-clés
Many units contain lists of key phrases to help students to practise, learn and revise the language that arises from the topic and tasks. In some units, students have opportunities to draw up their own list of *Expression-clés* based on what they have read or listened to, thus developing their ability to use the input material as a source for vocabulary building and independent learning.

Compétences
Each unit focuses on one or more specific study or language skill areas (for example, writing a paragraph, verbal reporting, planning an essay in response to a specific question, taking part in a debate).

Interlude
Most units contain a brief reading item for enjoyment and added interest, providing an insight into French culture. The notes in the Teachers' Book often suggest activities to accompany these items.

Ça se dit comme ça!
A regular feature encouraging students to focus on improving their pronunciation and intonation and building on the good practice introduced in **Envol**. As at GCSE/Standard Grade, good pronunciation is essential for higher marks in public examinations. In unit 4, students are introduced to the phonetic transcription used in dictionaries, further developing their ability to work and to learn independently. The pronunciation activities are included on cassette, so that students can work on these sections at home.

Vie active
A feature set in the world of work, many of which are directly linked to the interviews recorded on location in Reims, with people who work in specific areas of interest connected with the topic of the unit.

Bilan
A checklist, focusing on the language, grammar and skills content, is provided to help students review what they have learnt in each unit. These should be used as an opportunity for students to reflect on what they have learnt and to highlight areas for further revision and practice.

Survol
The double-page revision spreads have two sections. The first contains a series of revision activities that are suitable for individual study and homework. Some re-use texts and recorded material from the units, with new activities. Others offer straightforward grammar practice. Students are guided to the relevant pages to revise before attempting each task.
The second section contains a longer assignment, generally a group project. Each assignment is set out, step-by-step, in the Students' Book. The notes in the Teacher's Book contain additional support for preparation of the assignments and follow up work. Suggestions on assessing the assignments is given on pp 10–12.

Essor and the new AS and A2 level syllabuses

The changes to advanced and advanced supplementary level syllabuses introduced in the mid-1990s are largely designed to produce continuity with those already implemented at Key Stage 4. In planning and writing **Essor**, we have taken care to ensure that the course takes full account of recent reforms, and the impact these will have on revised AS and A-level examination syllabuses.

Content

There is now a common content between Key Stages 4 and 5, based on five areas of experience. These are described in examination syllabuses under the broad theme "Aspects of French/Francophone society" or similar. With AS-level examinations compulsory for all candidates, whether stopping at this level or continuing to A-level, the content has been sequenced to provide topics broadly suitable for AS-level study in the earlier units (1–9).

The second level of study, A2, leading to the A-level examination, requires coverage at *greater depth, using more complex language and maturity of expression.*

Topics which encourage a more sophisticated level of understanding and an analytical approach are in the second half of the book, running from unit 7 onwards.

Grammar

In addition, there is now a requirement (SCAA subject core criteria) for certain grammar and structures to be covered by AS and A2 candidates respectively. Grammar points specific to AS level are indicated on the grid in the Teacher's Book (pp4–5). A2 requires full coverage of all the grammatical points that occur in the *Zoom sur ...* sections, plus one or two selected items from the reference section; for example, the past anterior.

Knowledge, understanding, and skills

The SCAA core criteria also lay down a basis for knowledge, understanding and skills. For example, AS requires transfer of meaning from French into English, and there is a special focus on this in unit 9. A2 requires transfer of meaning from English into French and there are practice prose translation passages in the *Feuilles à photocopier* section (*feuilles* 46–52).

The table provides examples of how these requirements are met in **Essor**.

SCAA specifications	Examples from Essor (unit numbers in brackets)
Increase knowledge & understanding of contemporary society	All 15 units focus on aspects of contemporary society, with progression in analysis, etc. from early to later units
Read and respond to a variety of literature from authentic sources	Numerous texts throughout, especially in the *Interlude* sections
Develop skills in number and IT	Focus on number in unit 10; IT suggestions in teaching notes
Transfer meaning from French into English (AS)	Special skills focus in unit 9, with examples elsewhere
Transfer meaning from English into French (A2)	Practice passages for units 9–15 in repromaster section
Increase understanding of spiritual, cultural and moral issues	Spiritual issues esp. in art and architecture (8), and scientific progress (10). Cultural and moral values in education (2), animal rights (5), the role of advertising (6), equality (11), and decolonisation (15)
Use appropriate registers in speech and writing	Special skills focus in units 6 and 13
Understand and apply the grammatical system	*Zoom sur ...* features throughout the course. Also, an extensive reference section that includes <u>all</u> prescribed grammar for A2 and AS.
Use a dictionary	Special skills focus in units 1, 6 and 13

Selection to fit exam board topics

Essor is a structured course intended for use over, typically, one or two years' study. To the extent that it may be seen as desirable to home in on topics selected from a chosen exam board syllabus, **Essor** may also be used as a flexible resource. Less topically "central" units can be "unhooked" from the whole, whilst still allowing for progression, both linguistically and in terms of maturity of content, from the early to the later stages of the course. Where units are cut, though, care must be taken to ensure that key grammatical and skills development items are not lost in the process. These are listed in the Contents grid on pp4–5, and also exemplified in the table on p9.

Overview of topic areas covered in Envol and Essor

Topic	Envol unit	Essor unit
Media	12	6
Advertising	12	6
The arts	Lectures	8, 13, Interludes
Daily life	2, 6, etc.	4, 6
Food & drink	8	1
Sports & pastimes	9, 10	1, 13
Travel, transport & holidays	11, 13	4
World of work	5, 16, Entreprise video	Vie active sections
Social issues		11, 12, 14
The environment	15	5, 7, 9
Education	4, 16	2
Law & order		11, 14
Politics		11, 15
Technology		10
Human interest	1, 2	Introduction, Interludes
French regions	15	3
France & former empire		15

* Envol, although intended primarily as a course for first examinations, contains material that may well be considered suitable for preparatory work post-16.

Assessment

Assessment of progress and attainment in AS and A2-level work is clearly necessary as a means of enabling the students and the teacher to establish whether achievement is at a level and pace appropriate to each individual. Assessment should ensure that performance is recorded, and should enable the students to:
– know how well they are doing
– identify precisely which aspects need improvement
– know how to improve on their past performance
– set targets for future attainment.

The *Survol* revision sections, which follow every third unit of the course, provide a major vehicle for enabling knowledge and competence to be assessed. These comprise two pages of revision and assessment opportunities which:
■ enable students to focus their revision on defined items
■ give focused feedback on the extent to which students have mastered the defined knowledge and skills

■ offer simulation/extended role play/assignment activities which enable students to see the extent to which they are able to group together the knowledge and skill gained over the course of three units by putting these to the test in summative performance activities.

In **Essor**, assessment is not separated from learning; it is integrated within it. In addition to the *Survol* sections, each unit offers frequent opportunities for checks on understanding of text and feedback to ensure that new teaching points have been understood and mastered. These activities may be regarded as formative assessment; they offer guidance about correct manipulation, processing and application of vocabulary and structures introduced through the texts.

Listening and reading with understanding are not formally assessed in **Essor**, although a great many activities offer feedback on them, through a battery of techniques such as phrase completion, paraphrase, summary, the matching of elements, etc. This is deliberate; it enables listening and reading to be primarily used as formative learning activities rather than testing activities. Most of the listening and reading activities are designed to enable students to access the text, de-code the meaning of key vocabulary and appreciate the use of morphology and syntax in contexts. If students can be encouraged to focus on the speaking and writing outcomes towards which they are working in each unit, then to a very large extent, listening and reading development will take care of themselves. Listening and reading are therefore not used primarily as tests of attainment. However, performance in such categories should be regularly monitored by teachers, to prevent students slipping into a casual approach in this part of their work, which they can easily do if left to their own devices.

While the skills of listening and reading are often unhelpfully described as "passive" (we have tried to provide activities which encourage active engagement), they are contributory to observable speaking and writing outcomes. It is the latter which can be more easily and more usefully measured. To do this, some productive activities within each unit are ear-marked in the Teacher's Book as summative assessment activities, indicated in the notes by a symbol which represents the sample assessment grid shown below (a photocopiable master of the grid is included at the start of the *Feuilles à photocopier* section).

These summative assessments are confined to the productive skills of speaking and writing.

The assessment grid

This is a multi-purpose grid which can be applied to any of the speaking/writing activities marked with the grid symbol in the notes. From the photocopiable master on p151, a sheet is prepared for each activity done by each student. At the outset, the students could be given a copy of a sample completed grid to show them how it works. Some explanations: the checklist of attributes separates out the different aspects which make up the

performance qualities of a speaking or writing activity, and each of these is related to a place on a seven point scale. (There is nothing particularly scientific about the number of points on the scale, except that the teacher could mentally relate them to "target" performance for each of the A-level grades from U (ungraded) through to A, though these should not be seen as absolutes, but rather related to the stage of the course). In other words, the requirements for an *excellent* performance and an *insuffisant* performance should be judged against the expectations for the point reached in the course, not by absolute end-of-course standards. Do not neglect to use the whole of the scale; guard against overuse of the mid-point.

Contenu (connaissances) relates to the amount and quality of the factual/evaluative information (with illustration, example and quotation where appropriate) contained in the performance; the extent to which what is written or said addresses the set task.

Contenu (développement) refers to the level of organization and structure which the student has brought to the activity: the way he/she has marshalled the information.

Facilité d'expression is concerned with fluency and conviction. For speaking tasks this will include eye contact with the audience, the extent to which the text is mastered or needs to be read, the appropriateness of support (activities which, in real life, would be undertaken without notes should be tackled, if possible, without notes), and the success with which the student gives the listener clues about the structure of the argument, for example, *comme je vais vous signaler dans un instant ...* etc. For written tasks it summarizes the overall link between intention to make meanings and the meanings effectively conveyed to the reader; it is thus associated with discourse competence (for example, the extent to which the student "signposts" the structure of the text for the reader with helpful *expressions charnières* such as *primo ...., ceci dit*, etc. as props).

Exactitude concerns grammatical accuracy, divided up into its morphological and syntagmatic components.

Vocabulaire evaluates the appropriateness of vocabulary and could include notions of register use (colloquialism/formality where fitting, width of vocabulary, appropriate degrees of technicality of terms, etc.).

Orthographe, prononciation and *intonation* will be self-evident.

The grid is easy to administer, avoids giving marks, letters or grades while providing a clear indication of

Nom: John Thorpe	FICHE DE CONTRôLE						
Activité: Unit 7, p100, activité 3	insuffisant						excellent
Date: 02.04.1998	*	*	*	*	*	*	*
Contenu: connaissances *(idées appropriées, faits, exemples)*					*		
Contenu: développement *(structures, organisation du contenu)*				*			
Facilité d'expression: *(conviction)*			*				
Exactitude de morphologie: *(temps, formes de verbes, accords)*				*		*	
syntaxe: *(ordre de mots, complexité)*							
Vocabulaire:							*
Orthographe *(travail écrit)*:						*	
Prononciation *(travail oral)*:							
Intonation:							
Autres remarques:							

Photocopiable assessment grids are on p151

attainment and progress for each discrete aspect of performance. It ensures a good combination of validity (it measures what it sets out to measure) and reliability (results over time are comparable). It enables students to evaluate past performance and offers precise targets for future focus.

For "live" oral performances, whether set up as group or individual presentations, the teacher puts in the asterisks on the spot; videoed performances allow the teacher more time to reflect (and students can evaluate their own performance on reviewing, with the aid of the completed grid). For written tasks, the grid can be clipped to the work (a version on disk would enable the teacher to have a copy).

The collection of completed grid sheets will provide a wealth of evidence on which to base reports and profiles.

Target language

Students embarking on **Essor** should be familiar with target language instructions and rubrics from their work on **Envol** or another coursebook. The opening unit of **Essor** gives students the opportunity to familiarize themselves with recurring rubrics (*lisez, écrivez, écoutez, à votre avis, qu'en pensez-vous*, etc.)

One of the aims of **Essor** is to encourage students to use target language with greater fluency and confidence. The following suggestions will encourage students to practise and extend their use of French:

■ Play *Comment dit-on ...?* at the start or end of a lesson. Two students come to the front and have to answer the teacher's question; for example, *"Comment dit-on 'I haven't got a partner' en français?"* as quickly as possible. The winner is the first one to answer correctly. Another student then comes to challenge the winner. Who can stay at the front the longest? As students become more confident, greater emphasis can be placed on correct pronunciation and intonation. Students will enjoy assuming the role of the teacher, too.

■ Record the students on cassette or video, as they work on opinion/debate activities. This will be a useful record of the students' work and progress, but could also be used by the students to consider ways of improving their spoken work.

■ Students could draw up their own list of 10 target language phrases that they aim to use in the week. As they use each one, they tick it off! A great motivator, especially if students have to change at least five of the phrases each week.

■ Students could be encouraged to be more 'dramatic' in their role plays, by adopting a character (for example,

bad tempered, impatient, excited). Drama often has a liberating effect on students as they move from playing themselves to playing someone else. For some students, this is also an invaluable opportunity to work on which style/register of language is most appropriate for the character.

■ Students study a picture or photograph (for example, pages 6, 30, 62, 64, 72, etc.) and assume the persona of one of the characters. Students can then act out a short scene based on the picture.

■ Play "Just a Minute" where a student is asked to talk on a topic (for example, unit 2, *Mon lycée*, unit 3, *Ma région*, etc.) for one minute without hesitation, deviation or repetition. This is a good activity for encouraging fluency and confidence. If students are anxious to start with, the topic could be given the previous lesson to allow students time to prepare.

■ Students are given five objects to incorporate into a short drama. Students enjoy this type of activity with each group coming up with a different end product.

Essor vidéo

The video contains extracts from various authentic sources. The majority of the sequences come from French national television, but three extracts originate from a local video association (*Télé-Millevaches*: see unit 3 notes for more information), while two are videos produced for independent organisations (*Futuroscope* and *Médecins Sans Frontières*).

Essor vidéo thus offers a variety of video genres. Topics have been selected to complement and extend work of the **Essor** course book units. Not all units contain a video activity. The table opposite shows the contents of the video.

Why use video?

Video can bring to life the themes and topics covered in the **Essor** units.

For example, seeing how and where nuclear waste is treated and stored can help students understand the issues involved and provide them with a more concrete framework for their discussion. Video brings out the personalities of speakers and shows the context in which they live and work. In this way, it offers a particularly motivating resource (see unit 6 notes for suggestions on recording and exploiting TV ads, if available).

Using the video

However, authentic video can be difficult to follow. For this reason, each extract has a brief studio presentation, lasting around a minute. This summarizes the main points and introduces key vocabulary, which is highlighted on screen. You may choose not to use the

Unit	Title	Description	Source	Duration
Intro	Les gagnants et les perdants	**Game show**	*Le juste prix,* TF1	2'24"
2.1	A nos profs bien-aimés	**Documentary** Interviews with *lycéens*	France 2	1'43"
2.2		French literature class Interview with French teacher		5'14"
3.1	Etre jeune à Millevaches	**Documentary** Farmer's son at work Interviews with him and his cousin	Télé-Millevaches	2'44"
3.2		Young people at a disco Interviews with young people		3'29"
4	Les transports aériens	**Documentary** Day in the life of an Air France stewardess	*Capital,* M6	4'42"
7	Les déchets nucléaires l'écran	**Documentary** Nuclear waste site Interviews	*Ecolo 6,* M6	6'05"
8.1	Que pensez-vous de l'art contemporain?	**Documentary** Park and Art Centre	Télé-Millevaches	2"15"
8.2		Interviews with visitors		1'24"
8.3		Interview with artist		2'40"
9	L'agro-tourisme à l'écran	**Studio discussion**	Télé-Millevaches	2'31"
10	Le Futuroscope	**Promotional video** Voice-over	Le Futuroscope	4'26"
12	Médecins Sans Frontières	**Educational video** Work of Logistics Department Voice-over with interviews	Médecins Sans Frontières	5'45"
14	Corsica Viva	**News item**	*Télé-Matin,* France 2	1'49"
15	Alain Juppé, premier ministre, en visite	**News item**	*Télé-Matin,* France 2	1'25"

presentation; a couple of seconds of blue screen precede the authentic extract so that you can cue up your video.

On the videotape, each presentation is identified by the title which appears in the Students' Book (for example, *A nos profs bien-aimés*). The authentic extracts are identified by the unit number. Some longer extracts have been divided into two or more sections. These sections are indicated on the video tape (for example, 2.1, 2.2)

Task sequence

Most video activities in the **Essor** Students' Book have a similar format:

1 *Preparation for comprehension*

Students may be asked to predict answers to questions raised in the video. Alternatively, they may be asked to watch the video without the sound and predict the information they are likely to hear. This preparation work can be conducted as group work, where students discuss their hypotheses before presenting them to the rest of the class. Predictions can then be written up on the board/OHP as a focus for the first viewing of the video. At this stage, you may want to pre-teach any key vocabulary your students might find difficult.

2 *Viewing comprehension*

Students focus either on checking their predictions or on finding answers to specific questions provided in the Students' Book. These will often be true-false questions. Encourage students to read through the questions carefully before watching the video and check any vocabulary difficulties.

3 *Language work*

Work on detailed vocabulary is best left until students have a reasonable grasp of what the video extract is about. Vocabulary exercises typically focus on particular expressions, which students are then invited to fit into a partial transcript. The video can then be played again for students to check their answers.

4 *Extension activities*

In most cases, the Students' Book provides some form of extension activity involving either written or oral production. Students may be asked to discuss the issues raised in the video extract more fully or to produce a related text.

Using the transcription

If students are going to follow a transcription right from the start, there is little point in using video. Work with the transcription at the end of a task sequence, however, can be useful in confirming aural comprehension and reinforcing the written form of the language. The easiest option is simply to play the video at the end of the task sequence and have students follow the transcription. More active alternatives include:

- Jumbled paragraphs: present the sections of the transcription in random order and invite students to re-order them.
- Mutual dictation: divide transcription into sections, give alternate sections to student A and student B. Working in pairs, students dictate the missing sections to each other. Work with the transcription is particularly suitable for videos with a voiced over commentary. Transcriptions of spontaneous speech, on the other hand, can be difficult to follow.

The 'onion' principle

There is no hard and fast rule for how many times a video extract should be played. This depends on your students and your objectives. However, students will probably grasp only a very general idea of the video after a first viewing.

Comprehension is like an onion – made up of various layers of meaning! Motivate your students by encouraging them to focus on what they have understood or what they can guess. They can then use subsequent viewings to check whether their understanding is accurate or not.

Information technology

Suggestions for IT activities are given in the notes for each unit and close collaboration with the IT co-ordinator will lead to useful joint foreign language/IT activities. However, the following summary of the main activity types might be a useful starting point.

Text manipulation: IT allows text to be presented in a variety of forms which can be easily edited and manipulated. A word, phrase, sentence or paragraph can be moved, changed, copied or highlighted. Any activity involving text manipulation will emphasize understanding and enhance language production. Examples:
- constructing a paragraph – Unité 2 p35 ex. 7
- replacing nouns with verbs – Unité 2 p36 ex. 3
- preparing an oral exposé – Unité 4 p65 ex. 7
- writing a formal letter – Unité 5 p78 ex. 3.

Databases: Information gathered by students, possibly during a class survey, can be entered into a database. The results, presented graphically or numerically, offer an ideal opportunity for further language work. Comparison and discussion of results can provide a new context for language manipulation.
Example:
- Class views on contemporary art – Unité 8 p110 ex. 4.

Graphics: Graphics are easy to manipulate with IT and are not hard to produce. Students can add a picture to text in DTP, create or edit existing graphics with an art or draw package, or scan and digitize images to include in their own work.

Examples:

– Producing a regional brochure – Unité 3 p49
– Designing an advertisement – Unité 6 p83 ex. 6.

E-mail: Electronic mail can often be used to enhance and develop the work of the unit, especially where a class has a link with a French-speaking class. Information can easily be exchanged, acting as a motivating source of additional material.

Examples:

– Students exchange information about school life in regions – *Survol* p54
– Students could use Télétel to obtain up-to-date information about regional news in France – *Survol* p92 ex. 1.

Essor—Teaching notes

Unité d'introduction Les vedettes

Unit objectives

Topic
- Stars, TV and radio games

Language
- Telephoning (p11)
- Expressing your feelings (p12)
- Persuading someone (p15)

Grammar
- Numbers (p9)
- Comparative and superlative (p10)
- Object pronouns (p11)
- Definite, indefinite, partitive articles (p16)

Pronunciation
- Vowel sounds (p10)

Skills
- Making the best use of a text (p8)
- Learning vocabulary (p13)
- Managing your studies (p14)
- Writing an outline (p15)

Video
- TV game show (p12)

PAGE 6
Les vedettes

Objective
- To introduce the main themes of the unit and revise key language

1 Have a brainstorming session on vocabulary related to stars, TV and radio games before moving on to the activities.
Answers aD, bB, cC, dA

● Extension activities
- In groups of three or four: one of the group goes out of the room while the others think of a star. The 'excluded' member comes in and questions the others in order to identify the star chosen.
- In groups, students prepare a similarly styled page of their own by cutting out pictures of current stars and completing, in French, the appropriate details on their personal lives.

A more authentic-looking page could be made up on a DTP program, with each member of the group taking on a particular role (keying in the texts, scanning the pictures, designing the page, for example).

PAGE 7
Les jeux à la radio et à la télé

Objectives
- To express positive and negative opinions
- To interpret statistics

1 **Answers** aV, bF, c. V, dV, eF, fV, gV

2 Micro-trottoir
 This is the first of 20 unscripted interviews, recorded in Reims. Encourage students to listen for the gist of what is being said and to write down key words and phrases as they listen. Discuss differences between scripted and unscripted material.
Answers a 1 positive, 4 negative; **b** d, f, b, j;
c positive: a, b, c, f, h, i, k, l; negative: d, e, g, j

Transcript Page 7 – Activity 2
1 – Est-ce que vous voulez bien répondre à des questions?
 – Oui.
 – J'aimerais savoir si vous regardez les jeux à la télévision ou si vous écoutez des jeux à la radio.
 – Heu, quels genres de jeux?
 – Heu, des jeux comme *Le jeu des mille francs*, pour la radio …
 – D'accord oui … non, pas tellement, non …
 – Y a-t-il une raison particulière?
 – Pas spécialement, non je ne suis pas spécialement attiré par ça. Ça ne m'intéresse pas beaucoup …
 – Et est-ce que, malgré tout, vous connaissez certains animateurs de ces jeux?
 – Oui, oui, tout à fait, oui. Par exemple, si je regarde par exemple … Julien Lepers *Questions pour un champion*, hein? C'est ce que je regarde le plus quoi, autrement, le reste, non, non …
 – Et qu'est-ce que vous pensez de cet animateur en particulier?
 – Ben le jeu est très bien, l'animateur, je l'apprécie pas spécialement … Bon, ma foi, le jeu en lui-même, j'aime bien quoi, c'est vrai, mais bon lui en tant qu'animateur, je trouve pas génial, quoi.
 – Merci beaucoup!

2 – Est-ce que vous regardez les jeux à la télévision ou est-ce que vous écoutez des jeux radiophoniques?
 – Oui, ça m'arrive …
 – Lesquels par exemple?
 – Heu je regarde, bon je sais pas si vous connaissez, *Pyramide*, entre midi et deux sur France 2. Et puis ma foi, comme j'ai un métier où je roule beaucoup, ma foi, dans la voiture j'écoute souvent les jeux d'RTL, oui.
 – Et que pensez-vous des animateurs de ces jeux?
 – Oui, ben dans l'ensemble je les trouve relativement sympathiques, heu mais … bon, c'est vrai que ça change pas mal, mais moi je trouve relativement sympathiques Nagui, Patrice Laffont, des gens comme ça, oui.
 – Bien, merci beaucoup.

3 – Bonjour monsieur, est-ce que vous regardez les jeux à la télévision?
 – Les jeux, non.
 – Pourquoi?
 – Mais parce que je suis pas passionné de jeux.
 – D'accord, merci.

4 – Par contre, est-ce que vous regardez les jeux télévisés?
 – Non, jamais.

– Pourquoi?
– Parce que c'est une perte de temps pour pas grand-chose.
– Merci.
– ... Y'a aucun intérêt ...
– Et qu'est-ce que vous pensez des présentateurs de ces jeux?
– Rien de plus ...
– Merci beaucoup.
– Je crois qu'ils sont à l'image des jeux.

5 – Est-ce que vous regardez des jeux à la télévision?
– Non.
– Pourquoi?
– Parce que je trouve que c'est ennuyant.
– Et est-ce que vous pouvez quand même citer quelques jeux?
– Ben oui, *La roue de la fortune, Le juste prix, Questions pour un champion* ...
– Et qu'est-ce que vous pensez des présentateurs de ces jeux?
– Ils sont idiots!
– Pourquoi?
– Parce qu'ils sont superficiels, ils sourient tout le temps, et on a l'impression qu'ils se moquent du monde.
– Merci beaucoup.

● **Extension activities**

Ask students to research UK viewing figures for game shows and favourite programmes as per the Francoscopie extract. They then prepare a similar article, based on UK figures.

 All the data and text could then be put together on a DTP program in the form of a magazine article.

Having learnt the list of positive and negative phrases for homework and extended it as appropriate, students could carry out their own *micro-trottoir* within the group and draw a pie- or bar-chart showing the results of their survey. They could then prepare a report on the pros and cons of TV and radio game shows.

PAGE 8

Stop ou encore

Objectives
■ To exploit a sample radio game show
■ To learn strategies for dealing with reading texts

● **Background information**

Stop ou encore is a programme which takes place on Saturday and Sunday mornings on RTL: its presenter is Julien Lepers. An artist is chosen and five of his or her tracks will be played if 50% or more of listeners vote *encore* by telephone. If the number of *encore* votes falls below 50% then the artist is changed. Interspersed with *stop ou encore* is the *valise* feature, whereby a listener (phoned at random), is invited to guess how much money is contained in the case; if he/she guesses correctly, they win that sum of money. If a phone call is unanswered, or the listener cannot quote the correct amount, then more money is added to the case.

These extracts provide good practice for distinguishing numbers spoken quickly and also for the introduction of phone etiquette, which is taken up again on page 11. Remind students that a 10-digit phone system exists in France and that French phone numbers are usually given in sets of two digits (see *Zoom*, page 9). Phone numbers begin with a 0 and are then followed by 1–5, depending on geographical location.

Encourage students to listen regularly to French radio, which can be picked up in most parts of the country on long wave (234 – RTL; 186 – Europe 1; 162 – France-Inter). A good starting point for them would be to listen to news and weather reports on the hour: remind them that today's news is often tomorrow's listening exam!

1 Answers
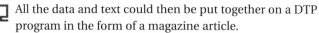 **a** vrai, **b** faux, **c** vrai, **d** vrai, **e** vrai, **f** faux

Transcript Page 8 – Activity 1

– Elimination, hélas, de François Valéry. Ça aussi, c'est une grosse surprise. 43% d'encore, ça fait donc 57% de stop. Majorité de stop, c'est fini pour François Valéry dès la première chanson. Dans un instant, Eddy Mitchell ... Eddy Mitchell et "La couleur menthe à l'eau" ... La valise a 73 856 francs plus 392 francs, 74 248 francs. 74 248 francs dans la valise. 74 248 francs ... Ça sonne. Le sud de la France ... Les Alpes Maritimes.
– Oui?
– Monsieur Juliani?
– Oui?
– Bonjour, monsieur, j'espère que je ne vous dérange pas?
– Ben, un peu, mais enfin, bon, qui est à l'appareil?
– Ben écoutez, je vais faire très vite, c'est Julien Lepers au téléphone, et nous sommes en direct sur RTL dans l'émission ...
– Ah, Monsieur Lepers, oui! *Questions pour un champion!*
– Exactement.
– Eh ben!
– Nous sommes en direct sur RTL, dans l'émission *Stop ou encore*. Je vous appelle tout simplement, Monsieur Juliani, pour essayer de vous faire gagner la valise RTL.
– Quelle valise?
– C'est une valise qui existe, bon, c'est un jeu qui existe depuis longtemps sur RTL, je vous donne le ... enfin, je donne !e montant de la valise, si vous me répétez le montant de la valise, elle est à vous. Mais là vous ne nous écoutiez pas, visiblement?
– Ah, ben, non, non.
– La famille Juliani, de Gattières?
– Oui, oui.
– Gattières, dans les Alpes Maritimes?
– C'est ça.
– Ça, c'est pas loin de Nice?
– Non, pas loin, non, 25 kilomètres.
– Voilà, exactement, c'est l'arrière-pays?
– Un peu, oui, le moyen-pays.
– Le moyen-pays, oui.
– Eh bien, nous avions 74 248 francs pour Monsieur Juliani.
– Bon, ben, là, attendez, je vous le répète maintenant!
– Ah ben voyons ... Il perd pas le nord, hein? Non, c'est trop tard, évidemment. 74 248 francs, et voilà ce que vous auriez pu gagner en nous écoutant, RTL Nice.
– Ben, je vais vous dire, ici à Nice on prend difficilement RTL.
– Pas du tout. Nous avons une fréquence, alors notez-la bien, vous avez un papier-crayon là?
– Euh oui.

– Je vous donne la fréquence RTL Nice. Au contraire, vous nous
recevez 5 sur 5, j'ai déjà essayé, hein?
– Ah bon?
– 97.4, voilà, 97.4 RTL Nice, et là vous nous écoutez vraiment 5
sur 5, confortablement.
– Ah bon. Ben ça c'est un comble, alors, hein!
– Allez, bon dimanche, Monsieur Juliani.
– Merci, à vous de même, et bravo pour vos émissions!
– C'est sympa, merci.
– Allez, au revoir.
– Au revoir.

2 Answers

a 87%; **b** 74 284, 379, 74 627; **c** regarder la télé
d sa famille et ses amis; **e** 20 20

Transcript Page 8 – Activity 2

– Enregistré aux Francofolies, Michel Fugain, Trio Esperanza,
"Les sudaméricaines". 87% d'encore. Et la valise RTL, très
grosse valise, oh là là là! 74 248 francs, plus 379 francs, total
74 627 francs. Allons-y, 74 5627 francs.
– Allô.
– Oui, Monsieur Martinez?
– Oui?
– Bonjour, monsieur, pardon de vous déranger. Julien Lepers de
RTL, pour la valise. Connaissez-vous le montant exact de la
valise? Si oui, vous la gagnez, c'est simple, hein?
– Ah, je suis désolé, non ...
– Pas du tout?
– Non, pas du tout.
– Dommage. Personne autour de vous?
– Non, on est en train de regarder la télé, on n'écoutait ... non.
– Bon, c'est dommage, on avait 74 627 francs, Monsieur
Martinez. Vincent Martinez?
– Oui.
– Rosheim?
– Oui.
– Rosheim, c'est dans le Bas-Rhin?
– Oui. A côté d'Obernai.
– Voilà, Obernai, oui, c'est ça. Et RTL Strasbourg, notre
fréquence là-bas, chez vous, 105.7. Bon dimanche, Monsieur
Martinez.
– Je pourrais passer un petit bonjour?
– Allez-y, vite fait.
– Ben, à ma famille des Ardennes, et à tous mes amis que je
connais.
– Vincent Martinez, Rosheim, dans le Bas-Rhin, salut, Vincent!
– Merci, au revoir.
– Alain Barrière, ah oui, écoutez, moi je l'entends plus, Alain
Barrière. Je ne sais pas, où est-ce qu'on peut écouter Alain
Barrière à part sur RTL dans les Stop ou encore? Alain
Barrière avec "Elle était si jolie". 01 42 90 10 10 pour voter
encore. Vous aimez Alain Barrière? Vous jugez qu'il vous
manque aujourd'hui? 10 10 pour dire encore. Pour le stopper,
20 20.

3 Answers

a Les auditeurs
b encore: 01 42 90 10 10; stop: 01 42 90 20 20

Transcript Page 8 – Activity 3

– Ah? Ah? Tiens, tiens! Nilda Fernandez. Ah c'est bien! Dites-
moi ce que vous en pensez. C'est vous qui êtes important
dans cette émission. Mes yeux dans ton regard, Nilda
Fernandez. 01 42 90 10 10 pour les fans, pour ceux qui
l'aiment, pour celles qui l'aiment. Ou pour les stoppeurs, ils
ont aussi le droit de s'exprimer, je crois que c'est la moindre
des choses. 01 42 90 20 20. Choisissez bien votre camp. Nilda
Fernandez. Stop ou encore?

Compétences: Que faire de tous ces textes qu'on vous donne à lire?

Students are given advice on how to cope with, and make
best use of, reading texts. Stress that they don't have to
understand every single word and that gist
comprehension is often sufficient. Explain the difference
between skimming and scanning texts and reading them
in greater depth; encourage students to become
accustomed to glancing through French magazines and
pick out articles which interest them.
With reference to the Julien Lepers text, work through the
recommended steps with the group, inviting students to
add to the examples given at each stage. Discuss with
them the main points of the text.

● **Extension activity**
Students choose their own celebrity and write a similar
account.

PAGE 9

Zoom sur les nombres (révision)

Grammar
■ Numbers

Revision of problematic numbers. The associated
activities can be done in pairs to add interest.
Additional practice sources include reading out statistics,
exchanging information about family trees, reading out
geographical details (area, size of population, etc.).

PAGE 10

Zoom sur le comparatif et le superlatif (révision)

Grammar
■ Comparative and superlative forms

● **Preparation**
Refer students also to *Grammaire* 7 (SB page 211).

1 Once students have completed the 10 sentences
required, they could create their own character, write a
brief summary in role before reading it out to the group
and comparing themselves with one another.

Ça se dit comme ça!

Objective
■ To pronounce vowel sounds

Transcript Ça se dit comme ça! – Page 10

[I]	Il y a huit mille six cent dix francs dans la valise.
[a]	Natacha a un chalet à la montagne.
[u]	Julien a reçu plus de huit tubes!
[e/eu]	Je ne veux pas plus de jeux que le monsieur.
[an]	Vincent a quarante ans et un grand appartement.
[on]	On a consommé onze millions d'émissions de télévision.
[in]	Au moins, Julien est au Parc des Princes le 15 juin prochain.

PAGE 11
Parler au téléphone

Objective
■ To become familiar with telephone etiquette

1 Listening comprehension.

Transcript Page 11 – Activity 1
– CLM, bonjour.
– Bonjour. Je voudrais parler à Joël Claverie, s'il vous plaît.
– Ne quittez pas, je vous le passe.

– Allô? Oui?
– Allô. Bonjour. Est-ce que je pourrais parler à Joël Claverie, s'il vous plaît?
– Vous avez dit J ... Joël Claverie? Je suis désolée. Vous n'avez pas le bon numéro.
– C'est bien le service des relations publiques?
– Ah, non, madame. Ici, c'est le service de comptabilité. La standardiste a dû se tromper de numéro. Je vais vous repasser le standard.

– CLM, bonjour.
– Allô. Je voudrais le service des relations publiques, s'il vous plaît.
– Oui, ne quittez pas, je vous le passe.

– Allô?
– Allô, bonjour. Je voudrais parler à Joël Claverie, s'il vous plaît.
– Joël Claverie. Ah, je regrette, madame. Joël Claverie a quitté notre service le mois dernier, mais ... c'est de la part de qui?
– Je m'appelle Fabienne Jamin. Je suis journaliste, et j'aurais voulu lui poser quelques questions concernant ...
– Je peux vous donner ses nouvelles coordonnées, si vous voulez.
– Je veux bien. Ce serait très gentil.
– Alors ... vous pouvez le contacter au 01 49 44 37 72.
– 01 49 44 37 72. Je vous remercie.

– Allô, Société Labranche. Bonjour.
– Allô, bonjour. Je voudrais parler à Joël Claverie, s'il vous plaît. Est-ce qu'il est là?
– C'est de la part de qui?
– De Fabienne Jamin.
– Ne quittez pas, je vous le passe.

– Allô? Ici Joël Claverie, j'écoute.
– Bonjour. Je m'appelle Fabienne Jamin, je suis journaliste et j'aimerais vous poser quelques questions concernant ...

2 Students choose the appropriate language from the *Expressions-clés*. Swap students around so that they work with as many different partners as possible. As they become more proficient, impose a time limit so that students become used to working at speed. Set up alternative scenarios, for example: enthusiastic boy/girl phones up less enthusiastic boy/girl.

3 Students make up their own *Stop ou encore* to practise phone language and numbers. If you have a language lab then this activity can be done in groups. Students can add their own suggestions for pop groups and singers and make up different responses to Julien's proposals.

Zoom sur les pronoms personnels d'objet (révision)

Grammar
■ Direct and indirect object pronouns

● **Preparation**
Give different articles to students and invite others to describe what has happened using pronouns. Refer them also to *Grammaire* 10b, e (SB pages 213, 214)

4 Students compare their lists of direct and indirect objects.

5 Students could do this as a **homework** activity.

6 This could also be done as a **homework** activity.

● **Extension activity**
Students make up their own sentences.

PAGES 12–13
Les gagnants et les perdants

Objectives
■ To learn how to express feelings
■ To acquire strategies for learning vocabulary

● **Preparation**
For general notes on the use of video see page 12 of the *Introduction*.
If you have satellite TV, encourage students to bring in their own video cassettes, have *Le Juste Prix* recorded, then watch it at home. The programme follows a standard format and students can quickly acquire new ways of asking for and giving personal information. As with listening to news on the radio, watching television enables students to build up passive language competence. Ask them to reflect on how they acquired their own first language!

Video transcript Page 12 – Les gagnants et les perdants
– *Le juste prix – the price is right!* Vous connaissez certainement ce jeu. Depuis plusieurs années, c'est l'un des plus populaires à la télévision française. Et qu'est-ce qui fait la popularité d'un jeu? Sans doute la personnalité de son animateur et l'ambiance conviviale qu'il sait créer. Philippe Risoli, l'animateur du *Juste Prix*, est un vrai professionnel. Regardez cet extrait – les trois premières minutes du jeu, où Philippe Risoli rappelle les cadeaux à gagner à la finale et présente les concurrents: Joel, Elzira, Francine et Giovanni.

– Joël Mestais, Elzira Zuclic, Francine Baranger et Giovanni Ripoli, vous allez maintenant pouvoir jouer au *Juste Prix* qui vous est présenté par Philippe Risoli.

– Merci. Bonjour à tous. Bienvenu sur le plateau du *Juste Prix*. Nous avons entamé ensemble une nouvelle semaine. Laurence, par exemple, est déjà qualifiée. En vue d'une participation pour la finale qui aura lieu dimanche avec une vitrine superbe que nous avons intitulée "Grand reporter". On a déjà découvert, hier, une voiture, premier volet, et je vous ai déjà annoncé que demain il y aura un caméscope, plus des cassettes. Si je vous en parle déjà c'est parce que vous pouvez remporter ce caméscope par Minitel ou par téléphone. On en reparle également en fin d'émission, moment au cours duquel nous découvrirons un deuxième volet de la vitrine. Il y a aujourd'hui Joël, il y a Eliza – ah non, Elzira – Elzira, Francine et Giovanni. Bonjour, Joël ...
– Bonjour.
– Ça va?
– Ça va.
– Vous arrivez, Joël, de ... ?
– Reims.
– De Reims. Et vous faites quoi à Reims?
– Je suis technicien.
– Technicien dans quoi? En quelle branche?
– Dans l'industrie pharmaceutique.
– D'accord. Je te souhaite bonne chance, Joël.
– Merci.

– Elzira. Joli prénom, Elzira!
– Merci.
– Vous arrivez, Elzira, de ...?
– Sochaux.
– De Sochaux? Belle équipe de foot!
– Voilà.
– Qu'est-ce que vous faites dans Sochaux?
– Ben, en fait, j'habite Sochaux, mais je fais mes études à Besançon. Je fais un BTS commercial.
– Pas mal, dis donc. Je te souhaite bonne chance, chère Elzira.
– Merci.

– Francine, bonjour.
– Bonjour.
– Vous venez, Francine, de ...?
– De Thouarcé, dans le Maine-et-Loire.
– Comment s'appelle la ville, Francine?
– Thouarcé.
– Thouarcé? C'est ça? Maine-et-Loire
– A côté du Layon, pour le vin.
– C'est près d'Angers, c'est ça, non?
– C'est près d'Angers, c'est ça. C'est juste en dessous d'Angers.
– D'accord.
– Trente kilomètres en dessous d'Angers.
– OK. Vous faites quoi, Francine?
– Secrétaire.
– Très bien. Bonne chance.

– Reste à vous présenter Giovanni. Bonjour.
– Bonjour.
– Vous allez bien?
– Ça va, oui.
– Vous arrivez, Giovanni de ...?
– Je suis de tout près, je suis à ... au Plessis-Trévise.
– C'est près d'où nous sommes aujourd'hui, hein? C'est ça? Parce qu'aujourd'hui nous sommes à ...?
– A ... la télé!
– A la télé! C'est-à-dire, nous sommes à Bry-sur-Marne. Et vous êtes en plus au Plessis-Trévise, à la télé. Vous faites quoi, Giovanni?
– Je suis commerçant.
– En quoi?
– Dans le prêt-à-porter.
– Très bien. Bonne chance, Giovanni. Un cadeau de sélection ...

2 Build up a description of Philippe Risoli, asking students to say what the important qualities of a TV presenter

should be. Compare TV and radio presenters in general with students before asking them to prepare a more detailed comparison of Philippe Risoli and Julien Lepers.

3 Having discussed how the competitors might be feeling, encourage students to suggest why they might be feeling that way.

4 Students match up pictures with the most appropriate adjective.

● **Extension activity**
Ask students to bring in pictures of famous personalities showing various emotions; for example, an angry footballer, someone winning an Oscar, etc. Students prepare captions for the pictures and form a display.

5 Once the vocabulary has been assimilated, students could ask one another how they would feel in different situations and write up some of their findings.

6 Students could also prepare a series of adverts for the game and a description of the presenter, drawing together all the threads of the unit. The game could be played with younger groups of students, with A-Level students asking the questions.

Compétences: Comment apprendre le vocabulaire?

Encourage students also to look up vocabulary which will enable them to describe in more detail their own interests and hobbies. Stress that it is better to learn a little vocabulary every day rather than try to absorb large chunks.

PAGE 14

Compétences: Comment réussir vos études supérieures de français

Objective
■ To acquire useful study techniques

● **Preparation**
It is worth taking time to go through this with students. Stress that people acquire language in different ways and that some techniques will suit them better than others. Now is the time for them to establish which ways are most efficient for them!

PAGE 15

A vous de jouer ... et d'inventer!

Objectives
■ To exploit a TV game show
■ To practise persuading someone

1 Answers

Correct order is: c, b, g, a, d, f, e

 2 Listening comprehension.

Transcript Page 15 – Activity 2

– Et si on inventait un jeu radiophonique?
– Oui, mais qu'est-ce qu'on pourrait bien inventer comme jeu?
– Imagine une émission où les gens devraient téléphoner. Comme ça, tout le monde peut participer!
– Oui, je suis tout à fait d'accord avec toi.
– Donc … les auditeurs téléphonent pour deviner quelque chose …
– Oui, c'est une idée, mais pour deviner quoi?
– Je ne sais pas, moi … Un objet mystérieux par exemple.
– Hmmm … Ce n'est pas très original …
– Mais si! Pourquoi?
– Parce que je suis sûre que ça existe déjà comme jeu! Tu ne crois pas?
– Oui, tu as probablement raison! Ah … j'ai une autre idée. Ça pourrait être une phrase … une phrase d'une chanson!
– Et alors?
– Eh bien, il faudrait deviner de quelle chanson il s'agit! Qu'est-ce que tu en penses?
– Oui, c'est une bonne idée … Je trouve que c'est mieux que l'idée de l'objet mystérieux …
– On pourrait varier le genre de chanson!
– Oui, quelquefois ce serait une chanson du moment. Et de temps en temps, on choisirait une chanson plus ancienne!
– Exactement!
– Donc … les auditeurs appellent la station de radio, et ils proposent leur solution … Ça me plaît, ça, comme idée … Très bien! Et comme prix? Qu'est-ce qu'on propose?
– Le CD de la chanson en question?
– Ce n'est pas très généreux! Ça ne va pas motiver beaucoup de gens!
– Alors on propose un autre prix plus important mais plus difficile à gagner. La première personne qui téléphone avec la bonne réponse passe tout de suite à la manche suivante. On lui donne une autre phrase, et si elle connaît la chanson, elle gagne une grosse somme d'argent.
– Une grosse somme d'argent, ce n'est pas très original! Tu ne penses pas que les gens préféreraient un beau voyage, par exemple?
– Oui, mais … tout le monde a besoin d'argent. Et puis si les gagnants veulent partir en voyage, ben … ils peuvent se le payer avec l'argent. C'est mieux comme ça, tu ne crois pas?
– Peut-être …
– Mais, si!
– En tout cas, pour le jeu, je trouve que c'est génial comme idée! Téléphonons à RTL pour leur proposer ça.
– D'accord.

 3 Listening comprehension.

Transcript Page 15 – Activity 3

– Allô, RTL bonjour.
– Bonjour. Nous sommes deux lycéens qui habitons Paris et nous voudrions vous proposer une nouvelle idée de jeu.
– Ne quittez pas, je vous passe le service qui s'occupe des jeux.
– Merci.

– Allô, oui?
– Bonjour, madame. Voilà … Nous voudrions vous proposer une idée de jeu radiophonique.
– Ah … Mon chef de service est en congé cette semaine. Moi, je suis sa secrétaire, mais … je sais qu'elle ne recherche pas de nouvelles idées en ce moment.
– Ah, c'est dommage. Parce que je crois qu'on avait une idée assez géniale …

– Ce que vous pourriez faire, c'est mettre les grandes lignes de votre idée sur papier, et nous les envoyer. On ne sait jamais …
– D'accord! Donc j'envoie ça à qui?
– A Madame Zola. Sabine Zola.
– Sabine Zola. Ben, je vous remercie. Au revoir.
– Au revoir, et bonne chance!

5 Once students have prepared an outline for their own gameshow, they could try to "sell" their show to another pair.

● **Extension activity**

 Students produce adverts for their show (some of these could be produced on DTP). TV listings for the show could also be produced.

PAGE 16

Interlude: Julien Lepers au piano …

Like all the *Interlude* texts, this one can be read for pleasure.

● **Suggested activities**

If you wish to exploit the text, students could write an account of "A day in the life of Julien Lepers/Philippe Risoli". They could also compare and contrast Risoli and Lepers with their UK counterparts.

Zoom sur les articles définis, indéfinis et partiels (révision)

Grammar

■ To revise definite, indefinite and partitive articles

Revision of the different forms the article. Refer students also to *Grammaire* 2a, b, c (SB page 208).

Bilan

As with every unit of **Essor**, it is worth going through the *Bilan* with students, encouraging them assess their level of understanding and competence on each point.

Unité 1 Bien manger, bien vivre

Unit objectives

Topic
■ Sport, food, health

Language
■ Expressing likes and dislikes (p19)
■ Saying what you'd like to do (p17, p21)
■ Complaining, dealing with complaints (p27)

Grammar
■ The conditional (1) (p20)
■ Pronouns with the imperative (p21)
■ Agreement of the past participle (p27)

Pronunciation
■ The letter 'r' (p23)

Skills
■ Using a dictionary (1) (p24)
■ Reading a difficult text (p26)

Vie active
■ Jobs in sport (pp72–73)

Feuilles à photocopier
■ Feuille 1 (after p23)
■ Feuille 2 (after p25)
■ Feuille 3 (after p27)

PAGE 17

Bien manger, bien vivre

Objectives
■ To introduce the main themes of the unit
■ To talk about what you would like to do

1 Encourage students to use the *Expressions-clés* when discussing what sports and activities they would like to do. In groups, students could then question one another about their lifestyles and report back on any general patterns.

● **Extension activity**
If you have access to satellite TV, students could watch some food adverts and discuss the effectiveness (or otherwise) of any "healthy eating" aspects.

PAGES 18–19

Où en est la bonne cuisine française?

Objectives
■ To learn how French eating habits have evolved
■ To talk about what you don't like

● **Preparation**
1 The activities help students to identify patterns in verb endings and adjectival agreements. Encourage them to look for cognates and to be careful of *faux amis*.

● **Extension activity**
Students give the infinitives of verbs listed and the masculine/feminine singular form of adjectives.

2 **Answers**
a90, b80, c50–60, d70, e80, f90, g50–70, h70

3 **a** Summaries could be written up in the form of short articles as per the stimulus material. Students from other countries could also add their own perspective.
 b Students discuss their own eating habits in groups before reporting back to the whole class and drawing together any common strands.

● **Extension activity**
Students prepare posters to promote healthy eating.

● **Background information**
Jean-Pierre Coffe is well-known in France as a commentator on the French way of life and in particular on French cooking. He is very much the "people's champion". This extract is taken from a slot he has on RTL once a week called *"Le bon vivre"*.

4 **Answers**
 a 1 la vue; 2 l'odorat; 3 l'ouïe; 4 le toucher; 5 le goût
 b 4, 5

5 **Answers**
 a 1 de plus en plus élevés; 2 l'acide ascorbique ... de la vitamine C; 3 de panification
 b Un vrai boulanger fait son propre pain tandis que les chaînes de boulanger ne font que le revendre.

Tapescript Page 19 – Activities 4, 5
– RTL. *Le vendredi*, dialogue avec Jean-Pierre Coffe. Jean-Pierre, bonjour.
– Bonjour, Jean-Jacques.
– Jean-Pierre, ce matin, notre boutique, si je puis dire, s'appelle "Au bon pain". Je vous vois grimacer, Jean-Pierre?
– Ben, oui.
– Mais du bon pain, on en trouve toujours?
– Vous êtes bien optimiste. Dieu merci, y en a encore: malheureusement, ça se fait rare, ça se fait trop rare, le bon pain. D'abord ...
– C'est quoi, du bon pain?
– Ah, voilà une bonne question. Le bon pain, ça doit satisfaire les cinq sens, mon cher Jean-Jacques. D'abord, la vue. Le pain doit se regarder. Alors la croûte doit être dorée. On doit voir une signature, c'est-à-dire un coup de lame, la signature du boulanger qui doit se donner avec souplesse, donc qui doit pas trop écarter. On voit également si le pain a été cuit sur filet ou sur la sole, la sole, vous savez, c'est cette pierre réfractaire sur laquelle on doit mettre le pain, on le met dans des filets, on le met dans des moules et alors là on peut voir comment le pain a été cuit. Donc, y a pas de quadrillage, si vous voulez, c'est lisse et puis à la coupe, également, on peut voir la mie, une belle mie crémeuse, longue, irrégulière. Alors là, on voit.

Maintenant, on sent. L'odorat. Deuxième sens. On sent le froment du pain. Ça se sent au nez. La levure, l'odeur de la levure doit être légère, très discrète et puis on entend le pain. Ça doit satisfaire l'ouïe car le pain doit sonner. La base, quand on tape dessus avec l'index, ça doit résonner comme si on tapait sur un tambour.
Et puis vous avez également le toucher. Le pain se touche, se caresse. Alors la croûte doit légèrement craquer comme ça sous la pression du doigt, mais pas trop.
Et puis le goût, ça c'est très important qui doit être ni fade ni salé, avec une légère odeur de froment, et avec ça on a du bon pain et on se régale!

– Alors, pourquoi y a-t-il du mauvais pain?
– Alors là, mon cher, c'est toute une longue cascade qui démarre à l'agriculteur qui ensuite passe par le minotier et ensuite par le boulanger. Alors, l'agriculteur, eh ben, l'agriculteur c'est le premier maillon de la chaîne, il a des rendements de plus en plus élevés. Imaginez qu'en 1960 on obtenait 30 à 60 quintaux à l'hectare, or ...
– Quintaux de blé, oui?
– De blé. Et cette année on en a fait jusqu'à 100, même 110 dans certaines régions de la Beauce. On fait la course au rendement. Alors là, on y va fort. Engrais, produits phytosanitaires et puis on augmente les surfaces. Bon pain, mon cher, bon blé. N'oubliez jamais ça.
– Bon pain, bon blé, bon agriculteur. Bon pain, bon meunier.
– Ah, alors, oui. Mais le meunier maintenant il est obligé de faire des farines en fonction des techniques modernes de la boulangerie et actuellement 90% des farines qui sont vendues par les moulins sont des farines qui contiennent de la fève. On ajoute de l'acide ascorbique et de la vitamine C pour doper la pâte en quelque sorte. Voilà ce que fait actuellement le meunier. Et puis vous avez le boulanger.
– Oui. Bon pain, bon boulanger.
– Ah ben oui, évident. Mais alors le boulanger, ben il s'est mécanisé à outrance. En plus de ça, il veut rester le moins de temps possible dans son fournil. Alors, il utilise des levures de panification qui ont remplacé les levures de bière, donc ça va permettre ... on met des levures rapides, si vous voulez, qui suppriment la première fermentation. Parce qu'avant, il y avait toujours au moins deux fermentations. On laisse plus lever. C'est-à-dire on ne laisse plus pousser. On pétrit et on enfourne, et l'art de la fermentation disparaît. Et bon pain, bonne fermentation.
– Et puis il y a les boulangeries industrielles ...
– Alors ça ...
– Et les boulangers qui vendent du pain acheté dans une boulangerie ailleurs?
– Alors là, vous savez, je crois que les pouvoirs publics, il faut le dire, sont responsables, car je crois que ne devrait pas s'appeler boulanger l'homme qui se borne strictement à mettre des bâtons surgelés dans un four pour le livrer tel quel à sa clientèle. Le boulanger, c'est un homme qui fait son pain, alors que maintenant, c'est vrai, on voit des chaînes de boulangers. On voit des boulangers qui revendent simplement et ça, c'est inadmissible.
– Jean-Pierre, le bon pain se conserve?
– Le bon pain se conserve. Alors que tous ces pains ...
– Quand on les achète, deux heures après, ils sont secs.
– Mais oui. Mais parce que les gens n'aiment pas les pains cuits maintenant. Le pain, ça doit être cuit, croustillant. Il faut que ça craque, il faut que ça croque.
– Jean-Pierre Coffe, merci. Lundi, Jean-Marie Pelt ...

6 Encourage students to use the *Expressions-clés* and to vary their tone of voice in order to convey different emotions. They could listen again to Jean-Pierre Coffe, noting his use of intonation to emphasise a particular point.

PAGES 20–21
Les nouveaux sports d'hiver
Objective
■ To practise reading skills

1 Answers
a skwal, **b** surf, **c** surf, **d** surf, **e** monoski, **f** skwal, **g** monoski, **h** skwal

Zoom sur le conditionnel (révision)
Grammar
■ The conditional tense

1 Revise formation of regular endings, and refer students to *Grammaire* 19 (SB page 221).

3 Students could extend the discussion to other sports and activities.

Zoom sur les pronoms avec l'impératif
Grammar
■ Pronouns and the imperative

1, 2 These activities practise the use of pronouns with positive and negative commands. Give students some commands of your own before asking them to make up other examples. Refer them also to *Grammaire* 10f (SB page 214).

PAGES 22–23
Les métiers du sport
Objective
■ To exploit reading materials based on sports professions

● **Preparation**
Test gist comprehension of the texts by making a series of statements about each, with students deciding whether they are *vrai* or *faux*. Alternatively, write up key points for each text on the board/OHP in the wrong sequence; students then rearrange them in the correct order.

2 Answers
a Institut national du sport et de l'éducation physique.
b Neuf cent cinquante.
c Toutes les disciplines sont représentées.
d La gymnastique.
e Il entraîne un groupe de gymnastes.
f Six jours sur sept.
g La patience, la rigueur et la passion.
h Il faut devenir professeur d'éducation physique, ou obtenir le brevet d'Etat dispensé.

3 This writing activity could be preceded by class discussion on the differences and similarities between the two jobs.

● **Extension activity**

Students produce a trade journal advert (using DTP software, if available) for either of these two positions. In groups, students could prepare a mock interview for one of the posts, with one student playing the part of the interviewee and the others making up the panel.

● **Feuille 1**

This is based on a report of a skiing accident and could be used at this point

1 Answers

a du surf; **b** 7 ans; **c** mars de l'année dernière; **d** créer des pistes spéciales pour surfers; **e** à Morzine (sur une terre plate à la sortie d'une piste verte); **f** une remontée mécanique; **g** projetée en l'air; **h** les pistes n'étaient pas bien signalées

Transcript Feuille 1 – Activity 1
– Il est 13 heures 20.
– Il faisait du surf sur une piste à Morzine. Il a tué accidentellement une enfant de sept ans. Et cet après-midi, première audience au tribunal correctionnel d'Albertville, procès d'un Italien de 23 ans. En mars l'année dernière, il a percuté Hélène Lecreff, petite fille de sept ans.
   La mort de cette petite fille avait surpris tout le monde du ski. A tel point que certaines stations ont décidé depuis de créer des pistes spéciales pour surfers ou même supprimer les forfaits des skieurs se comportant mal, car il faut dire que cet accident est sans doute caractéristique d'un nouveau comportement qui se développe malheureusement sur les pistes.
   Hélène Lecreff, âgée de sept ans, ne se trouvait pourtant pas dans un endroit dangereux, mais sur une terre plate à la sortie d'une piste verte où elle attendait tranquillement avec ses parents de reprendre une remontée mécanique. C'est là qu'a brutalement déboulé un surfer à pleine vitesse. Il venait de descendre une piste rouge et n'a pu s'arrêter lorsqu'il a vu le petit groupe de skieurs. Le choc a été inévitable et d'une violence épouvantable. L'enfant, après avoir été projetée en l'air, est retombée lourdement sur la neige. Transportée aussitôt à l'hôpital, elle devait décéder de multiples contusions. Tout à l'heure, le jeune skieur italien, de 23 ans, devra s'expliquer sur son comportement. Mis en examen pour homicide involontaire, il plaidera, on le sait déjà, la mauvaise signalisation des pistes.

2 Brainstorm key words and expressions from the text with students and write them up on the board/OHP. Help them to put the expressions in some sort of order before they prepare their own written account of the accident.

3 a To help students prepare the list of dangerous sports, check *Télé 7 Jours* and other television magazines to see if there are any programmes which might provide suitable inspiration. If you have access to satellite TV, *Eurosport* (French version) sometimes has programmes dedicated to dangerous sports. You could also record TF1's *Ushuaïa – magazine de l'extrême* also, or try to obtain past copies from TF1.

b Encourage students to recycle expressions of emotion met in the introductory unit when discussing the pros and cons of such activities.

Ça se dit comme ça!

Objective

■ Pronunciation practice of the French 'r'

Transcript Ça se dit comme ça! – Page 23
– Le son "r".
– Patrick Mermet travaille à Paris comme entraîneur sportif.
– Le centre où il travaille permet aux jeunes sportifs de s'entraîner sérieusement.
– Il doit vraiment être très présent pour leur remonter le moral.
– Il prépare un programme d'entraînement pour les faire progresser régulièrement.
– Il faut bien sûr faire preuve de rigueur et de recul.
– Un professeur de sport peut devenir entraîneur sportif.
– Les fédérations sportives délivrent sûrement des brevets.

PAGE 24

Compétences: Servez-vous de vos dictionnaires!

Objective

■ To practise dictionary skills

● **Preparation**

Work through the suggestions with students, stressing the importance of investing in both a bilingual and a monolingual dictionary. Make sure also that students understand the different grammatical abbreviations used in dictionary entries before starting the activities.

PAGE 25

La santé – rêve ou réalité?

Objective

■ To exploit listening/reading texts based on healthy lifestyles

1, 2 The listening text is taken from an RTL broadcast and is at times quite difficult to grasp. Students could listen to the text straight through once and have a brainstorming session on what they have heard, before reading the activities through and listening again, this time with pauses.

1 Answers

a 10–18 ans; **b** en banlieue; **c** 10 questions; **d** une douche; **e** c'est le déjeuner; **f** c'est de l'argent gaspillé; **g** ils peuvent poser une question difficile

Transcript Page 25 – Activities 1, 2
– Les adolescents de 10 à 18 ans habitant les banlieues peuvent, pour certains, tester leur capacités physiques et évaluer leur bonne santé. Cela grâce à ce que l'on appelle des points Info-santé. Eric Raoult et Guy Drut en ont visité un hier dans les Yvelines. Myriam Lai les a accompagnés ...

– Pause santé entre deux activités sportives. Les jeunes se déchauffent, assis en tailleur, ils jouent au malade et au docteur. Denis leur tend une drôle d'ordonnance.

– C'est un jeu qui est sous forme de vrai/faux. Ce sont dix questions, et je prends un exemple, on a une question qui est: "Est-ce que je suis propre lorsque je prends une douche par semaine?" On s'aperçoit qu'il y a plein d'enfants qui disent "Ben, oui" parce qu'encore, dans certaines familles, dans certaines pratiques, il y a une douche rituelle par semaine. Donc ce sont des conseils très simples, qu'on veut très utiles, très pratiques, en disant ben, non. Pourquoi on n'est pas propre? Parce qu'on transpire, parce qu'on fait du sport.

– L'alimentation est aussi bien souvent déséquilibrée. Dans leur sac de pique-nique bon nombre de jeunes n'emportent pour leur repas qu'un paquet de chips et une bouteille de soda. Rééduquer, donc, mais pas seulement; à la pause santé on parle aussi prévention.

– L'alcool est dangereux pour ma santé et ma sécurité? Euh c'est faux? Vrai, vrai, vrai, vrai. Déjà, l'alcool, si on en boit beaucoup trop on devient soûl, et on fait n'importe quoi, et ça abîme le foie.

– La cigarette n'est pas nocive pour un jeune?

– Complètement faux, et en plus c'est de l'argent gaspillé, hein?

– Qu'est-ce que vous avez appris, en fait, ici à propos du sida?

– Il faut pas prendre les seringues par terre.

– Je crois qu'il y a une relation de confiance qui s'établit avec les enfants, et à ce moment-là ils n'hésitent pas à venir à d'autres moments de la journée, individuellement, peut-être quand ils ont une question plus difficile pour eux à poser.

– Est-ce que si je l'embrasse je peux attraper l'hépatite avec la salive, parce que je ne suis pas vacciné?

– Maux du corps, cris du cœur. Vivement la pause.

3 Answers
a ont été menées; **b** une association caritative; **c** des personnes interrogées; **d** se passaient de; **e** certes; **f** dû à

4 Answers
a acheter des conserves; **b** fruits et légumes, poisson, viande; **c** sucré: boissons gazeuses, gâteaux, confiserie – des problèmes d'argent; un manque d'envie de cuisiner; la déprime et la solitude.

5 In this activity students use the information and ideas gleaned from the listening and reading texts in order to produce their own survey. The information could be typed up and laid out as a magazine article on a DTP program. If you have access to a camcorder, the interviews could be filmed and edited to form a news report.

● **Feuille 2**
This is based on the theme of healthy eating and could be used at this point.

PAGE 26
Compétences: Que faire quand on lit un texte assez difficile ...?
Objective
■ To learn how to deal with more complex reading texts

● **Preparation**
Give students additional examples of words from the various categories, and clues on how to break down French words into smaller segments – recurring prefixes and suffixes, for example. Remind them to think also of the "target audience" of the text and the register of language used when making informed guesses as to meaning.

PAGE 27
Un centre de remise en forme?
Objective
■ To learn how to write a letter of complaint

3 Students should take it in turns to play the part of an angry Mme Hubert.

Zoom sur l'accord du participe passé
Grammar
■ Past participle agreement

● **Preparation**
Refer students also to *Grammaire* 16c (SB page 218). Many students will not have encountered this complex area of grammar at GCSE, so clear explanations and extensive practice will be required. Classroom equipment can be exchanged to provide basic examples which can then be written on the board/OHP and discussed.

● **Feuille 3**
This provides practice sentences for the conditional and past participle agreement.

1 Answers
a seraient; **b** aurait; **c** pourrait; **d** devrions; **e** resteraient; **f** pourrions; **g** coûteraient; **h** prêterait; **i** ferais; **j** serait

2 Answers
a je les ai laissés; **b** je l'ai vue; **c** je l'ai acheté; **d** je les ai déjà mis; **e** je l'ai donnée; **f** je l'ai mis; **g** je les ai placés; **h** je les ai mises; **i** je l'ai trouvée; **j** je l'ai envoyée

3 Answers
a on est partis; **b** nous nous sommes rendus compte; **c** on s'est levés; **d** Christophe s'est fait mal; **e** elle s'est tordu; **f** nous sommes tombés

PAGE 28
Interlude: La Galérie des glaces
● **Suggested activities**
Some students might be able to role play Jean-Pierre Coffe giving his thoughts on the matter. You could also discuss the pros and cons of eating in smart restaurants.

Unité 2 Apprendre au lycée

Unit objectives

Topic
- Education

Language
- Asking questions (p30)
- Expressing a different point of view (p32)
- Expressing your opinions (p34)
- Saying what you intend to do (p38)

Grammar
- The subjunctive (1) (p35)
- The future tense (p36)
- The past historic (1) (p40)

Pronunciation
- Stress – *accent tonique* (p31)
- Intonation of simple sentences (p31)

Skills
- Using a text as a source of ideas and phrases (p33)
- Writing a paragraph (p35)

Video
- TV programme featuring a French teacher (p33)

Vie active
- Education: *professeur-médiateur* (p36)

Feuilles à photocopier
- Feuille 4 (after p31)
- Feuille 5 (after p35)
- Feuille 6 (after p36)

PAGE 29
Apprendre au lycée

Objectives
- To provide stimulus material for the main themes of the unit:
  - the way we learn, what we learn from,
  - what students think they learn or should learn at school,
  - potential improvements to the present school system,
  - the labyrinth of *orientation* and choices for the future.

● Preparation
Ask students to give their own answers to the survey questions, and their reactions to the points presented; compare them among the class.

PAGE 30
Petit guide pour grosses têtes

Objectives
- To learn about and practise effective strategies for good learning
- To revise *en* + present participle
- To practise asking questions

1 Answers 1d, 2c, 3b, 4f, 5a, 6e
Have a question-and-answer session about study techniques students already use:
A quelle heure est-ce que vous vous couchez?
Est-ce que vous arrivez à vous détendre? etc.

3 The home-based practice should be done over a week; tell students to make notes as they try out the tips, as they will have to answer their partner's questions. Ask them to use a variety of question types and to practise doing this throughout the unit. The questioning could equally be done in groups.

● Extension activity
Activity 3 can lead to further discussion. Each pair/group could share other tips for good learning and present them to the rest of the class in an "interesting" manner (for example, by asking the class questions such as:
Est-ce que vous savez … ?; Avez-vous déjà essayé de …?).

PAGE 31
Apprendre, oui, mais quoi?

Objective
- To understand a discussion on the role of the school in education

● Preparation
As **homework**, before starting on this page, put the two questions from the introduction to students, and ask them to think about them and jot down some answers. Suggest they look at page 29 for ideas and vocabulary.

1 For once, the text of the recording is printed on the page, to act as clear input of the new language. Students should listen first and then read, or do both together.

Transcript Page 31 – Activity 1
- Katia.
- Je ne pense pas que le lycée soit très utile. Moi, j'ai l'impression que j'apprends plus de choses vraiment utiles en regardant les feuilletons ou les documentaires à la télé, en lisant les magazines pour les jeunes ou en discutant avec les gens autour de moi.

- Cyril.
- Je pense que c'est très important pour notre développement personnel d'étudier le plus possible, même si tout ne nous intéresse pas. C'est ça l'éducation! Et je suis persuadé que le lycée est le meilleur endroit pour ça … même si je n'arrête pas de critiquer les cours et les profs!

– Michel.
– On passe tout notre temps à préparer le bac. Au lycée, on est obsédés par ça, les profs ne parlent que de ça, mais c'est un but complètement artificiel! Après, on oublie tout! Personnellement, j'estime qu'on devrait travailler dans un autre but, pas seulement celui de réussir l'oral et l'écrit! Vous ne croyez pas?

– Jamila.
– Je crois que les matières qu'on étudie au lycée sont utiles et nécessaires pour notre avenir. Mais je trouve qu'on devrait apprendre d'une façon plus active, apprendre par exemple à avoir de vraies responsabilités, à réfléchir, à prendre des décisions, comme plus tard, dans la société.

– Charles.
– L'enseignement qu'on reçoit n'est pas concret, je ne sais pas pourquoi j'apprends toutes ces matières, ni ce que je vais en faire plus tard. C'est pas très motivant! A mon avis, on devrait tous apprendre les bases d'un métier au lycée, et pas seulement dans les sections techniques.

2 Answers

a Michel; **b** Charles; **c** Cyril; **d** Jamila; **e** Katia

Activities 2 and 3 provide practice in using texts as a source for writing, and paragraph-writing (the skills focuses for this unit). They will help students learn how to lift elements, ideas and lexical items straight out of the texts and manipulate them. Students are made aware of some of the strategies to acquire and apply this skill on page 33.

Ça se dit comme ça!

Objective
■ Stress and intonation practice (1)

Excerpts from Michel, Cyril and Jamila's statements are re-recorded here to allow students to practise imitating their intonation. Help them by pointing out which words should be grouped together and where it is possible to stop for breath.

They will need more practice at imitating French intonation; there are other features on this in units 7, 10 and 15, but make a quick regular activity out of listening and imitating.

Transcript Page 31 – Ça se dit comme ça!
– Accent tonique: impor<u>tant</u>, développe<u>ment</u>
– L'intonation d'une phrase courte:
– On passe tout notre temps à préparer le bac.
– Une phrase longue, se découpant en groupes de mots:
– Je pense que c'est très important pour notre développement personnel d'étudier le plus possible, même si tout ne nous intéresse pas.
– Une énumération:
– On devrait apprendre à avoir de vraies responsabilités, à réfléchir, à prendre des décisions, comme plus tard, dans la société.
– Une question:
– Vous ne croyez pas?

● Feuille 4
This could be used at this point. It extends the theme on pages 29 and 31 of talking about school and the purposes of education; it also offers practice at asking questions.

1 Answers

1 ils étaient 37% à considérer que l'enseignement fonctionnait bien en 1984, ils sont aujourd'hui 52%!
2 Mais ces trois groupes ne sont pas toujours d'accord ... à "accéder au monde du travail".

PAGE 32

Lycée: l'état des lieux

Objective
■ To practise expressing different points of view

● Preparation
Before reading the material, brainstorm on vocabulary related to school life: *le personnel (professeur, proviseur, etc.), les bâtiments (le foyer, la cantine, ...),* etc.

If students are building a database for new vocabulary, get them to add any new items they come across in this spread.

2 This offers further practice in extracting ideas from a text and aids comprehension by highlighting the main themes.

3 Provides an opportunity for students to manipulate language encountered in the texts.

Ask students to carry out a class/school survey and record their results on a database.

4 Keep the "debate" very simple, focusing on how to respect other people's opinion and introduce your own, using the language given in the *expressions-clés*. Give a time limit and discuss beforehand how to ensure that everyone participates. (This is developed in unit 3 on page 45; and debating skills are extended in unit 5 with key language on page 76.)

● Extension activity
Ask students (individually as **homework**, or in pairs/groups) to write a short text recapping the discussion about their school, either to send to a partner-class in France or for publication in a school newsletter.

PAGE 33

Compétences: Trouver des idées et des moyens d'expression dans des textes

Objective
■ To show students how they can use texts as a source of ideas and language for their own writing

📷 A nos profs bien-aimés!

Objective

■ To learn language associated with good teacher–student relationships

1 Answers

  a (Example) ouverte, sympa, gentille, chaleureuse, souriante, heureuse, très proche des élèves

  b le français/la littérature française

2 Answers

  b, d, e, f, h appear among the comments

3 Answers

  a correct; **b** un lycée du nord de la France/à Douai; **c** correct; **d** correct; **e** correct; **f** correct

4 Answers

  a la courbe du chômage; la mélodie des alexandrins; **b** s'étaient moqués de; **c** blessaient; **d** le mépris; c'est de ma faute; **e** être en échec; **f** une générosité

Video transcript Page 33 – A nos profs bien aimés!

– Vous allez voir maintenant un extrait d'un documentaire intitulé *A nos profs bien-aimés*. Les sujets de ce documentaire sont des profs du secondaire qui sont particulièrement appréciés de leurs élèves.

– Nous partons à Douai dans le Nord de la France où Madame Francine Contier réussit à faire partager sa passion pour la littérature française, même par ses élèves des sections technologiques. Il faut dire que les sections technologiques ont la réputation de ne pas trop s'intéresser aux subtilités des grands romans classiques ... Mais Madame Contier arrive à les motiver et à les encourager ... Ecoutez ses élèves:

– Si on est nul, ben, elle nous encourage, et les bons, eh ben, elle leur dit de continuer. Elle fait pas de différences entre les élèves et euh ...

– Elle nous accepte comme on est, quoi.

– Oui.

– Quand un professeur me dit euh ... oui t'es pas bonne, ben moi, voyez, je ... enfin je me laisse aller, puis c'est fini, tandis que Madame Contier, ben, elle ne m'a rien dit. Elle m'a dit, au contraire, vas-y, fais des efforts, et j'ai bien augmenté parce que de un et demi, je passe à huit quand même, donc ... j'étais contente.

– C'est vrai qu'elle est très personnelle avec les élèves. Elle nous prend pas pour des numéros, quoi.

– (C'est) par la force de me parler me ... je me suis intéressée au cours et puis ça a été mieux. Mais c'est grâce à elle, parce que d'habitude, ben, le français, ben tant pis ... de toutes façons, je me disais nulle pour nulle, bon maintenant ce n'est même plus la peine, et puis elle m'a fait travailler mieux.

– C'est la meilleure prof que j'ai eue pour l'instant, peut-être que j'en aurai de mieux mais pour l'instant, c'est elle.

– J'ai l'impression qu'elle a quelque chose en commun avec les auteurs qu'elle nous enseigne.

– On a l'impression qu'elle irait boire un verre au café avec eux, c'est terrible!

– Juste en lisant le texte, elle arrive à nous prendre, et puis tous tout d'un coup on se tait, on écoute parce que ça ça nous fait totalement ... on réfléchit, on est dans le texte, on est totalement pris, juste par sa lecture ... elle aime son métier, et puis elle a vraiment de la passion. Elle a ça dans la peau.

– Et on l'adore ...

– Les élèves de Francine Contier se croyaient nuls en français. Francine elle-même a fait de brillantes études à "Normale-Sup" – l'Ecole normale supérieure – une grande école très sélective qui forme les meilleurs professeurs de France. Au début de sa carrière, elle a été choquée par les copies de ses élèves, il y avait tant de fautes – mais elle a refusé la réaction du mépris, et cherche plutôt à comprendre ses élèves, à les rassurer. Elle partage avec eux leurs difficultés et cherche à les inspirer, comme vous allez le voir dans sa classe où elle parle de ce roman, le célèbre *"Education sentimentale"* de Flaubert.

– Après sa préparation à Normale-Sup, Francine la Parisienne rêvait de transmettre sa passion pour les trésors et les subtilités de la littérature française. Et elle se retrouve nommée dans un lycée du nord de la France, face à des sections technologiques nettement plus concernées par la courbe du chômage que par la mélodie des alexandrins.

– Alors c'est ça qui compte là ... que vous sentez la présence de ce Flaubert qui a pris la peine quand même de vous raconter une histoire et je vous assure qu'il a pris plaisir à l'écrire. Ça, c'est évident. Il n'aurait pas écrit autant, quand même, si ça l'avait ennuyé. Il s'essaie de petits vers. Alors celui-là est absolument délicieux. Ça fait penser à la danse des petits pains de Charlot ... ces petits vers qui dansent tout seuls ... ils se versaient, mais qu'est-ce qui les verse? Alors en principe on devrait en principe avoir un acteur ... Alors là, là la suite, il faut absolument que je vous lise ça parce que c'est trop extraordinaire ... Vous êtes tout ouïe ... *Il se déclama des vers mélancoliques. Il marchait sur le pont à pas rapides. Il s'avança jusqu'au bout, du côté de la cloche. Et dans un cercle de passagers et de matelots, il vit un monsieur qui contait des galanteries à une paysanne, tout en lui maniant la croix d'or qu'elle portait sur la poitrine.*

– Après tout quand on est professeur, on a quand même fait des études – il faut le dire – brillantes, bon après ça, on oublie un peu et puis heureusement qu'on oublie, on n'a pas toujours à ramener ses études en disant "je suis la meilleure", bon, et puis tout d'un coup on se trouve devant des élèves qui n'en ont rien à faire, qui ne reconnaissent pas du tout ce que les professeurs ont reconnu en nous.
Les premières copies que j'ai corrigées, elles m'ont fait aussi un curieux effet et j'ai cru que les élèves s'étaient moqués de moi. Devant le niveau de la langue écrite, je me suis dit mais comment ça se fait? Immédiatement, je me suis sentie coupable, parce que ça doit être mon tempérament, je me suis dit ils se moquent de moi parce que parce qu'ils n'aiment pas ce que je leur fais faire, ils m'aiment pas, bon ... C'est une cabale, il y a quelque chose ... J'ai corrigé sérieusement les devoirs, je les leur ai rendus et puis et puis j'ai vu qu'en fait les notes catastrophiques que j'avais mises les blessaient profondément parce qu'ils avaient travaillé beaucoup.

– Ah là, je n'aime pas cette faute-là. Nous pouvons ... ?

– S'appuyer?

– Ben non, puisque c'est un verbe réfléchi, tu vas mettre le même sujet! Nous pouvons ...?

– Nous?

– Nous. Voilà.

– Ah oui. D'accord.

– Ç'au ... ç'aurait pu être une tentation que le mépris. Ça n'en a jamais été une ... ça n'en a jamais été une personnellement parce que je je crois que dès le début, je me suis dit si ça ne va pas, c'est de ma faute! Donc euh, j'ai repris, c'est moi, j'ai changé, de toute façon, partant du principe qu'on ne peut pas changer les élèves ...

Tu sais bien que la vie personnelle ça n'est jamais ni complètement non, ni complètement oui – c'est toujours un p'tit peu entre les deux ... puisque l'autre n'est pas un imbécile, donc si l'autre pense autrement que moi, c'est qu'il doit avoir un tout p'tit peu raison et moi je dois avoir un tout p'tit peu tort.

Mon maître en pédagogie, c'est Gilbert Bécaud qui dit je ne sais plus dans quelle chanson "La fille à Mathurin, quand on lui cause elle comprend rien: cause-lui de près dans le cou, c'est un miracle, elle comprend tout". Donc je m'approche du cou de tous mes élèves les uns après les autres et et je leur susurre des mots doux ...

– Vous êtes en train de lire *L'Education sentimentale* de Flaubert à 17, 18 ans. D'après vous, qu'est-ce qui va en rester pour vous ...
– Plus tard?
– Plus tard.

– Mais je crois il y a ce ce besoin d'être d'être rassuré ... c'est affreux d'être en échec tout le temps, c'est affreux d'être toujours celui qui qui ne comprend rien. Moi, je je les crois en grande souffrance vraiment ... et je ne fais pas semblant ... je ne fais pas semblant d'aller au devant d'eux. En fait, je les aime beaucoup, je crois qu'ils ont éveillé en moi ce que je n'avais peut-être pas, une une ... allez, n'ayons pas peur des mots, ne soyons pas modestes ... une générosité qui ... que je n'avais pas. J'ai choisi ce métier, on pourrait croire que je l'avais choisi par générosité: pas vraiment, c'est intellectuel. Et c'est vrai que j'ai appris à aimer des gens avec qui à première vue je n'avais rien à partager ... et puis on partage ... on partage beaucoup, beaucoup.

– Moi, c'est la grammaire qui m'intéresse. Je sais bien que je vous ennuie ...
– Elle est en train de se répondre ...
– Bon ... voilà ... Très bien.

PAGES 34–35
Apprendre la vie

Objectives
■ To understand and exploit linguistically two reading texts
■ To practise expressing an opinion

● Background information
La basket entreprise est une opération menée par la Région des Pays de la Loire et le Rectorat de Nantes. Elle se déroule sur une année scolaire. Voici quelques exemples de basket entreprises: conception et réalisation de documents publicitaires, création et vente de tee-shirts personnalisés, mise en page de journaux d'entreprise, confection de coussins, tour operator. La basket entreprise n'est pas incluse dans les cours mais est une activité pilotée par une équipe: élèves volontaires, professeurs, parrain motivé ("sponsor"). Chaque équipe reçoit divers soutiens: conseils techniques de l'Agence nationale pour la Création et le Développement des Entreprises, un séminaire de formation pour les professeurs, le soutien technique de parrains (partenaires économiques locaux).

1 Answers
A: le désir d'améliorer = le souci de faciliter; à la fin de = au terme de; terminer = clôturer ; se faire des contacts = tisser un réseau de relations; organisations et associations de la ville = collectivités locales

B: on ne peut pas tout avoir = vous ne pouvez pas avoir le beurre et l'argent du beurre; combattre = lutter contre; enthousiasme soudain = emballement; prendre très vite = foncer sur; rendre plus réaliste = revisser la tête sur les épaules

2 Suggested comprehension questions:
A:
– *Quel est l'objectif de l'opération "basket entreprise"?* [de faciliter l'orientation et l'insertion professionnelle des lycéens]
– *Comment les lycéens peuvent-ils atteindre cet objectif?* [en créant une entreprise et en découvrant son fonctionnement de manière active]
– *Est-ce que les élèves travaillent seuls ou à plusieurs?* [ils constituent une équipe]
– *Qui les aident?* [leurs professeurs]
– *Quelles sont les cinq étapes du projet?* [concevoir le produit ou le service; choisir la forme juridique; définir le système de production; commercialiser le produit; évaluer l'activité]
– *Quel autre aspect de l'activité aide les lycéens dans leur formation?* [ils tissent un réseau de relations avec des partenaires économiques locaux]

B:
– *Le proviseur est-elle d'accord avec l'idée de professionnaliser l'enseignement en lycée?* [non]
– *Pour elle, à quoi le lycée devrait-il servir?* [à donner une formation générale, à préparer aux études supérieures, pas à donner une formation professionnelle]
– *Pourquoi dit-elle qu'il n'est pas possible de faire les deux choses en même temps?* [parce que les années scolaires sont courtes et les programmes sont lourds, et qu'on ne peut pas ajouter des stages en entreprise]
– *Quelle suggestion fait-elle aux lycéens s'ils veulent une expérience professionnelle?* [de faire un job d'été]
– *Quel conseil donne-t-elle aux lycéens?* [de toujours réfléchir à leurs motivations et aptitudes]

3 If possible, allow students to stop/pause the cassette as required.

Answers
a fabriquer et vendre des vêtements et des accessoires de mode
b PDG, conseil d'administration, département commercial (marketing), dépt. production (fabrication), dépt. gestion (finances), dépt. administratif (communication)
c il faut une formation générale avant une formation professionnelle; à 16 ans, c'est trop tôt pour découvrir le monde du travail

d on apprend beaucoup de choses utiles (on découvre le monde du commerce); on se forme à la vraie vie, au monde du travail

e *donner son avis*: personnellement, je crois que, je suis certain, d'après moi, moi je trouve, j'estime; *exprimer son accord*: tout à fait, je suis d'accord avec toi; *exprimer son désaccord*: pas du tout, je pense au contraire que, absolument pas, je ne vois pas ça du tout comme ça.

Students could add to the list of *expressions-clés* these phrases used on previous pages:
– *donner son avis: à mon avis ..., je trouve que ..., j'ai l'impression que ...*
– *quand on est sûr(e): je suis persuadé(e)/convaincu(e) que ...*

Transcript Page 34 – Activity 3
– Bienvenue à "Micro-ondes". Aujourd'hui, nous avons une discussion entre deux lycéens à propos des basket entreprises dont on parle tant en ce moment. Je vous laisse vous présenter.
– Moi, c'est Emilien Maury. J'ai 16 ans. Je suis en première. J'ai participé à l'opération basket entreprise dans mon lycée, le lycée Atlantique à Luçon.
– Et moi, je m'appelle Turiane Gentieux, j'ai 16 ans. Je suis en seconde au lycée Jules Verne à Nantes. Je n'ai pas participé à l'opération basket entreprise.
– Avec une équipe de 15 élèves, on a monté une basket entreprise qu'on a appelée "La Boutique". Pendant six mois, en dehors des heures de cours, on a fabriqué et vendu des vêtements et des accessoires de mode.
– Et c'était vraiment comme une entreprise?
– Oui, oui, on avait un PDG, un conseil d'administration, un département commercial qui s'occupait du marketing, un département production qui était responsable de la fabrication, un département gestion qui s'occupait des finances et un département administratif qui était responsable de la communication avec l'extérieur. C'était comme une vraie entreprise. Mais toi, pourquoi est-ce que tu n'as pas participé à cette expérience?
– Personnellement, je crois qu'il faut d'abord avoir une bonne culture générale avant de penser à se former à une profession. On ne peut pas tout faire en même temps.
– Oui, tout à fait. Je suis d'accord avec toi sur l'importance de la culture générale, mais je suis certain que faire l'expérience d'une mini-entreprise est utile et très positif. J'ai appris beaucoup de choses: euh ... par exemple, à travailler en équipe, à mieux communiquer avec des adultes et bien sûr en plus, j'ai découvert le monde du commerce. Finalement, c'est plus utile que la physique et la chimie, non?
– Ah non, pas du tout. Je pense au contraire que les matières traditionnelles sont plus importantes pour nous pour le moment, même si ça ne nous intéresse pas vraiment. Découvrir le monde du commerce, c'est bien, mais ça peut venir plus tard. Je crois qu'à 16 ans, ce n'est pas le moment, c'est trop tôt, et on n'est pas prêts. Il faut d'abord finir les études générales, tu ne penses pas?
– Absolument pas! Je ne vois pas ça du tout comme ça ... D'après moi, les études générales devraient aussi nous former un minimum à la "vraie" vie, la vie après l'école. Sinon, on n'est pas préparés au monde du travail, voilà. Avec la basket entreprise, j'ai continué mes études générales et en plus, j'ai acquis une certaine expérience professionnelle. C'est l'idéal, moi je trouve.
– J'estime qu'on peut très bien avoir une expérience professionnelle en travaillant l'été ou pendant les vacances ...

– Non, ce n'est pas pareil ... Avec un job d'été, tu gagnes un peu d'argent de poche, mais tu n'apprends pas à prendre des décisions ou de vraies responsabilités. Pour ça, la basket entreprise, c'est bien plus créatif et éducatif ... tu discutes tes idées, tu fais une étude de marché, tu apprends comment fonctionne une entreprise ...

● **Extension activity**
After discussing the pros and cons of a basket entreprise, you could ask students to think of what they would do if they were to set one up in their school. Revise the use of conditional for this: *on pourrait/il y aurait*, etc.

5 Answer d, b, a, c

6 Answers
Points positifs: j'apprends à communiquer avec tout le monde; j'apprends à donner mon avis, à présenter mes arguments; j'ai des contacts avec les profs, le proviseur, le conseiller d'éducation; j'apprends à connaître et à me faire une place dans le monde des adultes.
Points négatifs: ça prend beaucoup de temps; des fois, j'ai l'impression de perdre mon temps (avec les élèves et avec les professeurs).

Transcript Page 35 – Activity 6
– "Micro-ondes" s'est penché sur le rôle du délégué de classe. J'ai interviewé Simon, qui est délégué en première, et comme vous allez le voir, un délégué très enthousiaste!
– Simon, tu as 17 ans et tu es en première L. C'est bien ça, hein?
– Oui, oui, c'est ça,
– Et tu es délégué de classe depuis la rentrée ...
– Oui, et j'étais aussi délégué l'année dernière, en seconde.
– Pourquoi est-ce que tu veux être délégué?
– D'abord, j'estime que c'est important de s'impliquer dans la vie du lycée. C'est facile de critiquer les cours, les profs, la discipline, tout ça ... mais alors il faut faire quelque chose, il faut réagir et agir! Sinon, eh ben, moi je trouve qu'on n'a pas le droit de critiquer!
– Et toi, ta façon d'agir, c'est de devenir délégué?
– Ben oui, parce que c'est le seul moyen qu'on a au niveau de l'école de pouvoir dire ce qu'on pense, de défendre notre point de vue.
– D'après toi, quels sont les bons côtés de la fonction de délégué?
– Euh ... bon, ben, comme je disais tout à l'heure, un délégué est là pour représenter les élèves, pour défendre leurs intérêts, donc euh ... du point de vue personnel, c'est bien: je discute avec tout le monde, j'apprends à communiquer avec tout le monde, c'est sympa. J'apprends aussi à donner mon avis, à présenter mes arguments, euh ... à faire des propositions, tout ça, à discuter quoi! Et puis ben, j'ai des contacts avec les profs, le proviseur, le conseiller d'éducation, des gens comme ça, donc j'apprends un peu à connaître et à me faire une place dans le monde des adultes. C'est toujours utile!
– Et les côtés négatifs, il y en a?
– Oui, ça, bien sûr! D'abord, ça prend beaucoup de temps, il faut aller aux réunions, faire les rapports, tout ça et quand on a beaucoup de devoirs, c'est dur. Mais surtout, c'est que des fois, j'ai vraiment l'impression de perdre mon temps! Aussi bien avec les élèves d'ailleurs, parce que j'ai l'impression que tout leur est égal, et aussi avec les profs et le proviseur, parce qu'on sent qu'ils ne prennent pas les délégués vraiment au sérieux. Ils veulent bien nous écouter mais ils ne tiennent pas compte de ce qu'on dit.

– Tu crois que c'est quand même utile d'avoir des délégués?

– Ah oui, tout à fait. Les élèves ont le droit d'être représentés, de donner leur avis, et il faut le donner. On devrait même être tous encore plus impliqués dans les décisions, dans la vie de l'école, on devrait avoir plus de responsabilités, des vraies! Je crois que les relations profs-élèves seraient meilleures et que nous, on serait plus motivés pour venir en cours! Et puis comme ça, l'école, ben, ça serait une vraie formation à la vie en société. Après tout, si être citoyen, c'est être responsable, alors il faut apprendre dès le lycée à être responsable!

Compétences: Rédiger un paragraphe

The text by Simon P. provides an example for analysis of paragraph structure and highlights the French words and phrases used to create that structure.

Answers

L'introduction: *Nous avons le droit d'exprimer notre opinion et pouvons élire des délégués pour nous représenter et défendre nos intérêts.*

La présentation de la situation: *Mais il y a peu de candidats.*

L'explication: *sans doute parce que cela prend du temps, et aussi parce qu'on trouve que les délégués ne servent à rien.*

La conséquence: *Alors, on se désintéresse.*

L'argument personnel: *J'estime au contraire qu'on devrait s'impliquer plus dans le fonctionnement du lycée, avoir plus de vraies responsabilités. On apprend ainsi à mieux communiquer et à découvrir le monde des adultes.*

La conclusion: *Etre délégué, c'est donc une bonne formation à la citoyenneté.*

indiquer une conséquence: mais, ainsi
introduire un constraste: mais
donner un avis: j'estime
donner une explication: parce que
conclure: donc

 7 Writing activity, suitable for assessment.

● **Feuille 5**

This gives more practice in paragraph-writing.

Answers

1 a para 1; **b** para 3; **c** para 6; **d** para 5; **e** para 2; **f** para 7; **g** para 4

2 *Dans tous les cas*, il s'agit de conduire tous les jeunes, *sans exception* ...

3 b *a* cependant, en revanche, mais plutôt; *b* pas seulement ... mais; *c* certes; *d* en effet; *e* donc, alors.

Zoom sur le subjonctif (1)

Grammar

■ The present subjunctive

This is intended as a gentle introduction to the present subjunctive; unit 4 returns to it and includes practice of

forms and usage. You might wish to encourage students to read the explanations in section 22a of the *Grammaire* (SB page 222).

PAGE 36
Une nouvelle mission

Objectives

■ To exploit linguistically a reading text about a *professeur-médiateur*

■ To write a paragraph recycling language from the reading text

1 Suggested comprehension questions:

– *Dans quel genre d'établissement Françoise Plouviez a-t-elle enseigné? Pendant combien de temps? Quelle matière enseignait-elle?*
[*lycée professionnel, 17 ans, vie sociale et professionnelle*]

– *Pourquoi a-t-elle décidé de se reconvertir?*
[*pour être plus à l'écoute des élèves, pour les comprendre et parler avec eux*]

– *Quelle formation a-t-elle suivie pour sa reconversion?*
[*deux ans à temps complet pour être professeur-médiateur en LP*]

– *Quel est le rôle d'un professeur-médiateur?*
[*le dialogue, le soutien, détecter et aider les élèves en difficulté*]

– *En quoi consiste le travail du professeur-médiateur?*
[*analyser la situation, étudier le dossier scolaire, s'entretenir avec l'élève, examiner l'origine du problème, discuter avec les profs et les parents, proposer une solution*]

– *Quelles sont les solutions possibles pour un élève en difficulté?*
[*poursuite des études, réorientation, insertion professionnelle*]

– *Que va faire Mme Plouviez en plus de son rôle de prof-médiateur?*
[*enseigner sa matière trois heures par semaine et développer des cours de méthodologie*]

2 Answers

le dialogue – dialoguer; le soutien – soutenir; l'analyse – analyser; l'étude – étudier; l'entretien – s'entretenir; l'examen – examiner; la discussion – discuter; la concertation – se concerter; la poursuite – poursuivre; la réorientation – se réorienter; l'insertion – s'insérer

3 Answers

b Le professeur-médiateur étudiera le dossier, s'entretiendra avec l'élève et examinera les causes du problème.

c Pour trouver une solution, le professeur-médiateur discutera avec les responsables scolaires et se concertera avec les parents.

d L'élève poursuivra ses études, se réorientera vers une autre filière ou bien s'insérera dans la vie active.

 4 Paragraph writing, suitable for assessment.

● **Background information**

Comment devenir prof?

Formation: deux ans en IUFM (Instituts universitaires de formation des maîtres) après la licence (bac + 3), admission sur dossier et entretien.

1ère année – préparation du concours de son choix: CAPE, certificat d'aptitude au professorat des écoles (pour le primaire), le CAPES, certificat d'aptitude au professorat de l'enseignement secondaire. Les candidats reçus deviennent professeurs stagiaires.

2ème année – stages rémunérés dans des écoles, cours théoriques et rédaction d'un mémoire de pédagogie. Une commission attribue un poste aux candidats reçus.

● **Extension activities**

– Using the background information, ask your students to rephrase the text above in complete sentences, for example: *Pour faire une formation de prof, il faut aller deux ans dans un IUFM, après la licence. On est admis sur dossier et sur entretien.*

– Ask them to explain the information in English for someone who doesn't understand French.

– Ask them to imagine they are going to train as a teacher in France and explain what they will be doing, using the future tense: *Je vais aller/J'irai deux ans dans un IUFM*, etc.

Zoom sur le futur

Grammar

■ The future tense

Revise the forms of the future tense with students and refer them to *Grammaire* 15a, 15b (SB pages 217, 218).

● **Feuille 6**

 This offers additional listening comprehension material. It builds on the theme of the qualities needed to be a good teacher, introduced in the video on page 33 and extended on page 36.

Answers

1 1g, 2b, 3c, 4a, 5e, 6f, 7h, 8d.

2 optimiste, réaliste, jeune de caractère, aimer les jeunes, compétent en sa matière, passionné par sa matière, avoir les nerfs solides,

3 Il faut être à la fois strict et autoritaire, et compréhensif et indulgent: strict et autoritaire parce qu'il faut savoir s'imposer et imposer une discipline dans une classe de 25 ou 30 personnes, compréhensif et indulgent parce que ces 25 ou 30 personnes n'ont pas vraiment envie d'être là, ont des problèmes et ont besoin qu'on les

comprenne et qu'on les motive. Autre contradiction: il faut être à la fois sérieux et amusant: sérieux parce qu'il faut travailler et enseigner une matière, préparer des élèves à un examen, et amusant parce que si les élèves s'ennuient, ils n'apprendront rien!

Transcript Feuille 6

– Bienvenue sur Radio-Lycée Montaigne. Ici Nathalie Daniel et la rubrique "Vie Active". Aujourd'hui, nous allons parler du métier d'enseignant avec Monsieur Bertin, professeur de français. Bonjour, Monsieur Bertin.

– Bonjour Nathalie et bonjour à tous!

– Pouvez-vous nous dire en quelques mots quelles sont les qualités essentielles pour devenir prof dans un lycée?

– Oui, je vais essayer, mais tout d'abord je voudrais citer le psychanaliste Sigmund Freud, qui disait que le métier d'enseignant est un métier "impossible", parce que les qualités nécessaires pour le faire sont trop contradictoires.

– Contradictoires? C'est-à-dire?

– Eh bien, par exemple, il faut être à la fois strict et autoritaire et compréhensif et indulgent: strict et autoritaire parce qu'il faut savoir s'imposer et imposer une discipline dans une classe de 25 ou 30 personnes, compréhensif et indulgent parce que ces 25 ou 30 personnes n'ont pas vraiment envie d'être là, ont des problèmes et ont besoin qu'on les comprenne et qu'on les motive. Autre contradiction: il faut être à la fois sérieux et amusant: sérieux parce qu'il faut travailler et enseigner une matière, préparer des élèves à un examen, et amusant parce que si les élèves s'ennuient, ils n'apprendront rien! Et puis autre contradiction, il faut savoir être déterminé – voire obstiné – tout en étant flexible: obstiné parce qu'on veut que nos élèves apprennent et réussissent, et flexible parce que tout le monde n'apprend pas ni ne réussit de la même façon, donc il faut aussi être optimiste tout en restant réaliste.

– Donc en fait la qualité principale d'un prof, c'est sa faculté d'adaptation.

– Oui, sans doute … oui, c'est exactement ça, la flexibilité, l'adaptabilité. Bon, il y a autre chose aussi: il faut aimer les jeunes, les contacts avec les jeunes, être soi-même jeune de caractère pour que les rapports avec les jeunes soient bons. Il faut aussi bien sûr être très compétent en sa matière, être passionné même (si on peut) par sa matière. Et puis parce que c'est un métier fatigant, il faut avoir les nerfs solides, il faut être énergique et dynamique. Et puis n'oublions pas, il faut être psychologue, pour comprendre ce qui se passe dans la tête de nos élèves!

– Bref, en un mot, il faut être superman! C'est ça?!

– Ben oui … tout simplement!

– Eh bien, merci beaucoup, Monsieur Bertin.

– Mais je vous en prie. Merci de m'avoir invité.

– Alors, chers auditeurs, le métier de prof vous tente? Vous pensez avoir les qualités nécessaires? Passez voir Madame Gaillard, la conseillère d'éducation du lycée, qui pourra vous donner plus de renseignements sur les formations aux métiers de l'enseignement. Et voilà, "Vie Active" est finie pour aujourd'hui. Nous nous retrouverons demain pour faire le portrait d'un autre métier, celui d'infirmière. Et maintenant, je vais céder l'antenne à Cédric Lejeune pour une nouvelle édition de "Micro-ondes" …

PAGE 37

L'avenir de l'école

Objectives

■ To read and understand a reading text

■ To write a paragraph summarizing the reading text

1 These are pre-reading tasks, which could be done as homework.

    a Have students name as many media forms as they can: télévision, journaux, magazines, livres, radio, CD-Rom, autoroutes de l'information, etc.

    b Ask students to adopt a personal viewpoint on the issue before reading the text, for extra motivation. M. Cavada's view is option 3.

2 Discuss briefly and simply with students whether they agree with M. Cavada and if not, why not. The phrases that express his view are the last five lines of the text.

3 Suggested comprehension questions:

Quel est le premier but/objectif de la chaîne? Et le second?

Quelles sont les autres sources d'apprentissage mentionnées par M. Cavada?

Que pense-t-il des autoroutes de l'information?

Qu'est-ce qu'il est important de faire pour l'avenir?

Que devra-t-on apprendre à faire à l'avenir?

Que font déjà certains enseignants?

Quels sont les obstacles à une bonne utilisation des médias à l'école?

Pourquoi est-il important d'apprendre à utiliser les médias à l'école?

4 This gives further practice in using a text as a source of ideas and language, and in paragraph-writing. Get students to recall what they know of those two skills before starting. Provide support by helping them identify the relevant ideas and phrases in the interview and the documents below.

Students could type out their paragraph on a word processor, exchanging and commenting on each other's texts before redrafting.

● **Extension activity**

Students could discuss and then write on the following topic: *Imaginez l'école dans 50 ans: rêve ou cauchemar?* Ask them to list changes they foresee, for example: *Il n'y aura plus de salle de classe, les élèves resteront à la maison devant un ordinateur.*

Then they list the positive and negative implications, for example: *On n'aura plus de contacts avec les jeunes de notre âge.*

PAGE 38

S'orienter pour aller où?

Objective

■ To understand unscripted listening texts

■ To practise expressing intention

Students will have learned how to express their intentions earlier in their studies; this is a chance to recycle the topic, adding more variety of expression and

listening to the (unscripted, spontaneous) interview with five students in Reims.

● **Background information**

Terms used in the notes at the top right of the page:

bac + 2 = two years study after the baccalauréat

le DEUG = diplôme d'études universitaires générales (university diploma taken after two years' study)

le DEUST = diplôme d'études universitaires scientifiques et techniques

la licence = bachelor's degree (BA, BSc, etc.)

la maîtrise = master's degree (MA, MSc, etc.)

le DESS = diplôme d'études supérieures spécialisées (postgraduate degree taken after *la maîtrise*)

le DEA = diplôme d'études approfondies (postgraduate certificate prior to doctoral thesis)

le doctorat = doctorate, PhD

les classes préparatoires = preparatory classes for entrance to *grandes écoles*

les grandes écoles = (prestigious) higher education institutions with competitive entrance exams

une section de techniciens supérieurs = option/stream for qualified technicians

le BTS = brevet de technicien supérieur (advanced vocational diploma)

un institut universitaire de technologie = university institute of technology

le DUT = diplôme universitaire de technologie (2-year diploma from an IUT)

1 Answers

    a 1 = 3 personnes; 2 = 1 personne; 3 = 1 personne

    b 1 Vincent; 2 Luc; 3 Emilie; 4 Aline

    c 1 EPS; 2 IUFM; 3 CAPES; 4 STAPS

        une école – IUFM; un diplôme – CAPES; une filière universitaire – STAPS; une matière – EPS

    d 1 Emilie; 2 Aline; 3 Annabelle; 4 Luc; 5 Vincent

3 Answers

Aline – une école supérieure spécialisée; Vincent – l'université; Emilie – l'université; Annabelle – on ne sait pas; Luc – les classes préparatoires.

4 Students could record their results on a database.

Transcript Page 38 – Activities 1, 2, 3

– Bonjour.

– Bonjour.

– Comment vous appelez-vous?

– Aline.

– Et quel bac êtes-vous en train de préparer?

– Un bac littéraire.

– Ça consiste en quoi?

– A faire de l'anglais, des langues, de la philo …

– Oui, combien d'heures d'anglais par semaine?

– Six.

– Six heures, parce que vous avez un enseignement de spécialité?

– Oui.

– Vous avez choisi de faire davantage d'anglais.
– Oui.
– D'accord. Et qu'avez-vous l'intention de faire après le lycée?
– J'ai l'intention d'entrer dans une école d'infirmière, pour être infirmière plus tard.
– Et pour entrer dans cette école vous devez passer un concours?
– Oui, un concours d'entrée.
– Immédiatement après le baccalauréat ou après une période de préparation?
– Immédiatement, on doit le préparer juste avant le bac et on passe le concours avant le bac.
– Oui. Et c'est un peu surprenant de choisir les études d'infirmière quand on a fait un bac littéraire. Pourquoi avez-vous choisi ce métier?
– Parce que ce que je souhaite faire c'est être dans les actions humanitaires, et il me faut un bagage d'anglais pour pouvoir voyager dans les pays.
– Ah, je comprends! Donc vous aurez besoin de votre anglais pour votre métier.
– Oui.
– Et pourquoi ces actions humanitaires? Qu'est-ce qui vous intéresse là-dedans?
– L'aide qu'on apporte aux gens et se sentir, sentir que l'on sert à quelque chose.
– Donc vous voudriez aller dans les pays étrangers ou en France avec ... auprès des gens démunis ...
– Auprès des gens démunis, oui.
– Plutôt en France?
– L'étranger m'attire beaucoup.
– Oui.

– Bonjour.
– Bonjour.
– Comment vous appelez-vous?
– Vincent.
– Quel bac êtes-vous en train de préparer?
– Ben, je prépare un bac économique qui me permet d'avoir de bonnes bases en sociologie et en économie.
– Vous avez combien d'heures d'économie?
– J'ai cinq heures par semaine. Il y a quatre heures de cours et une heure de travaux dirigés.
– Oui, vous faites des langues aussi?
– Oui, je fais allemand, première langue, j'ai trois heures par semaine et anglais première langue, trois heures par semaine ... anglais deuxième langue, pardon.
– Anglais deuxième langue. Et qu'avez-vous l'intention de faire après le lycée?
– Professorat d'EPS, donc euh ...
– Professeur d'éducation physique?
– Professeur d'éducation physique, donc là ça va consister à devenir professeur, mais les matières sont réparties en six modules. Il y a de la sociologie, de l'anatomie et pas mal de sport.
– Et pour faire ce métier, il faut que vous alliez où?
– Il faut que j'aille en faculté d'EPS, appelée l'Istaps.
– Pour des études qui vont durer combien de temps?
– Ça dure de quatre, quatre à six ans à peu près.
– De longues études ...
– Ouais.
– Est-ce que vous avez une sélection à l'entrée?
– Normalement oui, une sélection soit par dossier, soit par concours, concours mais uniquement sportif.
– Et qu'est-ce qui vous a donné l'envie de devenir professeur d'éducation physique?
– Ben je fais beaucoup de sport en dehors du lycée.
– Quels genres de sports?
– Athlétisme, triathlon, natation, et depuis la sixième j'ai envie de devenir professeur d'EPS.
– Très bien, merci.

– Bonjour.
– Bonjour.
– Comment vous appelez-vous?
– Emilie.
– Emilie, quel bac êtes-vous en train de préparer?
– Economique.
– Bac économique, ça consiste en quoi?
– Et ben on étudie l'économie, la sociologie, tout ce qui a un rapport avec ...
– Avec l'économie ... Combien d'heures d'économie par semaine?
– Quatre heures.
– Et vous avez aussi forcément des mathématiques?
– Oui.
– Beaucoup de mathématiques?
– J'ai six heures de mathématiques.
– Six heures de mathématiques par semaine, il faut aimer les mathématiques!
– Oui.
– Vous avez des langues aussi?
– Oui, deux langues. J'ai allemand, première langue et anglais deuxième langue que j'étudie trois heures par semaine chacune.
– D'accord et qu'avez-vous l'intention de faire après le lycée?
– Professeur de sport ou d'histoire.
– Ah, professeur de sport ou d'histoire et c'est le professorat qui vous intéresse?
– Oui.
– C'est-à-dire?
– Ben j'aime bien le contact avec les enfants, et voilà.
– C'est pour ça que vous voudriez devenir professeur. Et vous avez toujours voulu faire ça ou ça vous est venu récemment?
– Non, j'ai toujours voulu faire ça.
– Depuis que vous êtes petite?
– Hum.
– Vous êtes heureuse dans votre lycée ... dans ce que vous faites?
– Oui.
– Tout marche ... tout marche bien.
– Oui, tout marche ...
– Et pour faire ce métier de professeur vous devrez faire quoi?
– Eh ben euh ... si je veux être professeur de sport il faut rentrer dans une fac de sport et j'ai trois années jusqu'à la licence, après je peux passer le CAPES et après je peux être prof de sport mais pour être prof d'histoire, il faut faire trois ans de fac d'histoire ou de géographie et après je rentre à l'IUFM pour être prof d'histoire ...
– Institut universitaire de formation des maîtres.
– Eh bien merci!
– De rien!
– Bon courage!

– Bonjour.
– Bonjour.
– Comment vous appelez-vous?
– Annabelle.
– Annabelle, quel bac êtes-vous en train de préparer?
– Je prépare le bac économique.
– Bac économique, vous apprenez quelles matières?
– J'apprends l'anglais, économie, la sociologie, les mathématiques, l'histoire, géographie, j'ai deux langues, l'allemand et l'anglais.
– Combien d'heures d'économie par semaine?
– J'ai cinq heures de ... d'anglais – d'économie par semaine.
– D'accord. Et qu'avez-vous l'intention de faire après le lycée?
– Après le lycée, j'aimerais devenir, j'aimerais pratiquer un métier dans la musique.
– Ah, un métier dans la musique?
– Oui.
– Expliquez-moi un peu ça.
– Ben, je joue du trombone et je fais de la formation musicale et j'aimerais pouvoir faire une initiation aux jeunes enfants

dans les écoles primaires.
- Ah oui, et vous voulez faire cela depuis longtemps ou cette idée vous est venue récemment?
- En fait, je connais ce métier depuis peu mais j'ai toujours voulu être soit institutrice, soit faire de la musique, donc en fait ça regrouperait les deux et …
- Cela vous permettrait de concilier les deux métiers.
- Voilà, c'est ça.
- Merci.
- De rien, au revoir!
- Au revoir!

- Bonjour.
- Bonjour.
- Comment vous appelez-vous?
- Luc.
- Luc, quel bac êtes-vous en train de préparer?
- Je prépare en ce moment le bac scientifique spécialité maths, donc ce qui me fait huit heures de maths dans la semaine, et également beaucoup de physique-chimie …
- Et des langues …
- Oui, bien sûr les langues et la philosophie également, faut pas oublier …
- Et qu'avez-vous l'intention de faire après le lycée?
- Ben j'aimerais me lancer dans la facture instrumentale.
- La facture instrumentale?
- Oui, donc j'aimerais bien être facteur de piano, facteur accordeur et facteur de guitare aussi. Mais mes parents y voient un inconvénient, donc en attendant j'aimerais bien faire des études scientifiques essentiellement de la physique-chimie, et l'année prochaine je pense faire une classe préparatoire aux grandes écoles.
- Oui, donc vous resteriez dans ce lycée?
- Non, parce que je suis dans un lycée où ils ne font pas de classes préparatoires aux grandes écoles scientifiques.
- Et pour entrer dans ces classes, il faut une sélection, il faut un concours?
- Oui, c'est une sélection sur dossier, en mars–avril.
- Il faut avoir de très bons résultats dans ces matières.
- Oui. Enfin dans les langues aussi.
- En langues aussi … et combien de temps en classes préparatoires?
- Deux ans au mieux, c'est souvent trois ans …
- C'est souvent trois ans, oui, et ensuite vous passez un concours qui vous permet d'entrer dans une très grande école …
- Voilà …
- Très bien. Eh bien merci …
- Y'a pas de quoi!
- Au revoir!
- Au revoir!

PAGE 39
Interlude: Agrippine, Claire Bretécher

Point out and explain the following:
le redoublement – quand on recommence la même classe
– il peut arriver qu'un élève triple la même classe;
J'ai rien foutu = Je n'ai rien fait
beuaa = bof!

● **Suggested activities**
Ask questions to check comprehension:
- *Qu'est-ce que le père d'Agrippine est en train de lire?* [le bulletin d'Agrippine]
- *Quelle orientation propose-t-on à Agrippine?* [redoublement ou réorientation en section technique ou professionnelle]
- *Comment explique-t-elle cette orientation?* [elle n'a pas travaillé]
- *Qu'est-ce que le père veut pour sa fille?* [il veut que sa fille ait son bac]
- *Pourquoi son père est-il aussi choqué?* [il ne veut pas que sa fille aille dans le technique – il voit ça comme un déshonneur]
- *Quelle solution envisage-t-il?* [mettre sa fille dans un couvent – discipline stricte]
- *Pourquoi le père est-il aussi découragé à la fin?* [Agrippine n'a aucun sens des réalités ou bien elle se moque de son père: elle veut faire un BTS de top model!]

PAGE 40
Le bon vieux temps de l'école!

The extract from *Le temps des amours* is meant to be read for pleasure, and then used to present the grammar point, but you may wish to exploit it further with a vocabulary activity: ask students to list vocabulary items under two headings – description positive/description négative de l'école, for example: *une véritable joie/inquiétude, prison.*
You could also ask comprehension questions, for example: *Que sait-on des sentiments de Marcel Pagnol à son entrée en sixième? Que peut-on déduire du texte? [inquiétude, lever la tête pour regarder le nom des rues, prison inconnue, etc.]*
Quelle image veut-il donner de lui-même et que fait-il pour cela?
Students could write a short piece about their memories of previous experiences at school (primary school, first year at secondary school, etc.).

Zoom sur le passé simple (1)

Grammar
■ The past historic

The past historic is introduced here and practised more actively in unit 8. This is also a chance to revise the use of the imperfect.
You could also practise the perfect tense by asking students to read the text replacing all verbs in the past historic with verbs in the perfect.

Unité 3 Les pays de France

Unit objectives

Topic
- The French regions

Language
- Comparing and contrasting (p46)
- Making plans dependent on the weather (p47)

Grammar
- Adjectives (p43)
- The passive (1) (p51)

Pronunciation
- Liaisons and *enchaînements* (p47)

Skills
- Taking part in a debate (1) (p45)
- Listening for detail (p47)
- Writing a brochure (p49)

Video
- Télé Millevaches feature on young people's lives in an agricultural area (pp44–45)

Vie active
- Interview with the PR director of a tourist office (p43)

Feuilles à photocopier
- Feuilles 7 and 8 (after p43)
- Feuille 9 (after p45)

Survol 1, 2, 3
- Revision material for units 1, 2, 3

PAGE 41
Les pays de France

Objectives
- To introduce aspects of the topic covered in the unit:
  - the division of France into regions, including *régions d'outre-mer*;
  - regional diversity (languages, weather);
  - sense of regional identity (languages, press).

● **Preparation**

Ask students to go through the material on the page and find the answers to the following questions, doing further research if necessary. Set the time allowed – for example, five minutes per section – the discuss the various answers.

A and **B** (groups/whole class)

Combien y a-t-il de régions françaises?

Est-ce qu'on parle plusieurs langues en France? (Lesquelles? Où?)

Devinez la signification des phrases dans les langues régionales. (They mean: *Venez en Corse/en Bretagne/dans le Pays basque/ chez nous en Alsace/chez nous aux Antilles.*)

C (pair work)

Présentez le temps typique dans une région de France en janvier et en juillet.

D (pair work)

A votre avis, dans quelle région trouve-t-on ces journaux régionaux? Imaginez des titres de journaux pour d'autres régions.

A votre avis, un journal régional, c'est important? Certaines régions de France veulent leur indépendance. Quelle est votre réaction? Ces mouvements indépendantistes existent-ils aussi dans votre pays? (cf. Cornouailles, pays de Galles, Ecosse, Irlande.)

There is more on the role of regional press in unit 6, and more on independence movements in units 14 (Corsica, Pays basque) and 15 (Polynesia).

Advance warning: for the work on reading and writing brochures on pp48–49, it would be very useful to obtain in advance a variety of current tourist brochures from regional tourist offices. You could do this, or get students to choose a region and write to the Comité Régional du Tourisme in the regional capital (a good opportunity to use a map of France) to ask for brochures for their study of the region.

Also, you might wish to obtain extra material on Limousin – see suggestions for pp44–45.

PAGES 42–43
Ma région

Objective
- To find out about different regions of France through the exploitation of reading and listening texts

1 A pre-reading activity which could be done as preparatory homework. Ask students to write down what they know about those regions, or to make sensible guesses. They could compare notes with each other and then go on to read the texts.

2 You might want to precede this activity by a vocabulary game: "Spot the French equivalent". Students are in two teams, each with something to act as a buzzer. A list of English words is on the board/OHP. Read out the text slowly; students either follow in their books or simply listen. The first student to ring the buzzer to give the French equivalent to a word on the list is the winner, as long as the answer is correct. Examples of words to use: to attract [*attirer*]; welcoming [*accueillante*]; mining [*minier*]; high-tech industry [*industrie de pointe*]. Follow this with some comprehension questions on the texts, then ask students to compare what they had said about the region in activity 1 and what the French teenagers say.

3, 4 A quick activity for gist comprehension is followed by one involving listening for more details.

Answers

3 Il aime sa région pour la nature. Ce qu'il n'aime pas, c'est qu'il n'y a rien à faire pour les jeunes (travail/distractions).

4 b montagneux, très vert, bois, collines, pâturages, moutons, vaches; **c** paysages et sites sauvages, tourisme vert, randonnées à pied, cheval, âne, sports – pêche, golf, voile; **d** festival (des francophonies); **e** très froid l'hiver, chaud l'été; **f** élevage, peu d'industries (porcelaine)

Transcript Page 43 – Activities 3, 4

– Bonjour, Michel. Parle-nous un peu de ta région d'origine.
– Eh bien, je suis de Meymac, en Corrèze, dans le Limousin. L'image que les gens ont du Limousin, c'est celle d'une région rurale, isolée, et c'est tout à fait ça! C'est une région isolée dans le Massif Central. Son climat est donc un climat de montagne, c'est-à-dire assez froid l'hiver ...
– Oh là là. Et l'été?
– C'est agréable, il fait beau, très chaud même des fois.
– Alors, c'est comment exactement, le Limousin?
– Ben, ici, c'est vraiment la nature comme on se l'imagine. Tout est vert, il y a des bois, des collines, des pâturages, c'est plein de moutons et de vaches. C'est une région d'élevage. Pour le côté nature, ici, c'est super!
– Alors, tu aimes ta région?
– Mmm, oui et non. Oui, parce que je suis né ici et j'aime le contact avec la nature et non, parce qu'il n'y a pas grand-chose à faire.
– A quel point de vue?
– Bon, ben du point de vue économique, par exemple. C'est pauvre, il n'y a presque pas d'industries, à part quelques-unes à Limoges, qui est la capitale, célèbre pour sa porcelaine, bien sûr, mais à part ça ... pff. Alors les gens partent, la région se dépeuple. La région a vraiment connu l'exode rural, et ça continue. Pour les jeunes du pays, c'est dur ... C'est ça que je n'aime pas, ici.
– Et ... et pourquoi est-ce que c'est dur pour les jeunes particulièrement?
– Ben, y a pas beaucoup de distractions ni d'activités culturelles. L'été encore, ça va, il y a un peu de tourisme, mais moins que dans les autres régions du massif, comme l'Auvergne. Les paysages et les sites du Limousin sont moins spectaculaires sans doute, ils sont plus sauvages.
– Wow, c'est bien pour le tourisme vert!
– Oui, le tourisme rural se développe, les gens sont attirés par la nature.
– Qu'est-ce qu'il y a pour le touriste ici?
– Ben ... des randonnées à pied, à vélo, à cheval ou à dos d'âne, même! On peut pêcher, jouer au golf, faire de la voile sur les lacs ... Il y a des manifestations culturelles, comme le Festival des francophonies à Limoges, en septembre. Mais bon, tout ça, c'est saisonnier. L'hiver, c'est mort, il ne se passe rien!
– Est-ce qu'il y a des initiatives pour développer un peu la région?
– Oui, bien sûr, bon, ben, essentiellement dans le domaine du tourisme, hein, et aussi des associations, par exemple des activités pour les jeunes. Mais comme on est loin les uns des autres, et qu'on n'a pas de moyens de transport en général, ce n'est pas évident d'organiser quelque chose.
– Tu voudrais rester vivre et travailler dans ta région?
– Ben ... pff ... Non, je ne crois pas, il n'y a pas assez de débouchés. Je voudrais aller soit dans la région parisienne ou alors à Toulouse. Je reviendrai en Corrèze en vacances, l'été!

Zoom sur les adjectifs qualificatifs

Grammar

■ Adjectives

We suggest you use the tasks in the *Zoom* as starting points for more extensive revision, covering, as you think appropriate, formation of adjectives; agreement – endings, irregularities and exceptions, invariable adjectives; position before and after the noun. Refer students to *Grammaire 3* (SB page 209).

Answers

La formation:
– d'un substantif: triste, culturel(le), dynamique, historique, théâtral(e), pluvieux/se, traditionnel(le), lillois(e), marseillais(e), breton(ne)
– d'un participe présent: vivant(e)
– d'un participe passé: classé(e), renfermé(e), arriéré(e), développé(e), tourné(e)

Les accords:
– réguliers: noir, accueillant, industriel, froid, culturel, excellent, classé, vivant, développé, traditionnel, arriéré, breton, grand
– triste = singulier du masculin et du féminin; mauvais = singulier et pluriel au masculin
– formes féminines: ancienne, pluvieuse, fausse, belle, vieille, traditionnelle, bretonne, première, productrice, active
– invariables: super, sympa

La position:
– avant le nom = mauvais, excellents, belles, anciennes, vieilles, premières, grands, toutes
– avant le nom pour emphase = excellents
– changent de sens = ancien, grand

5 Having worked through the *Zoom* on adjectives before asking students to tackle this task, tell students also to revise the *Compétences* sections on pages 33 and 35 (unit 2) to help them.

The task could also be done alone as **homework**. It shouldn't require much research, as students should write from personal knowledge and feelings about the region. More structured research work will come later.

Students could use a word processor for this activity; they could then draft and redraft before finalising the text and printing it out.

● **Extension activity**

After activity 5, ask students to interview each other about the region they have described, recycling questions from unit 2. Questions should concentrate on the six aspects in activity 1.

Alternatively, you could do this after activity 8, turning it into a competition: who would be the best tourist officer? Who advertises their region in the most appealing manner?

6, 7 These activities are based on an extract from an interview recorded in Reims with the *directeur de la communication* (= public relations director) of the tourist office. This first extract focuses on M. Jacquemin's job and a general introduction to the city and region; a second extract, containing more on recent events in Reims, provides the recording for *feuille* 7 (see below). Activity 7 is intended to help students gain some knowledge of the region of Champagne-Ardenne, from the recording and a map of France.

Answers

6 phrases entendues: b, c, e

7 a Champagne-Ardenne; **b** Epernay (sa ville natale); **c** le champagne; **d** Ardennes (08) – Charleville-Mézières, Aube (10) – Troyes, Marne (51) – Châlons-sur-Marne, Haute-Marne (52) – Chaumont

Transcript Page 43 – Activity 6

– Bonjour, monsieur.
– Bonjour, madame.
– Pourriez-vous vous présenter, s'il vous plaît?
– Je m'appelle Gérard Jacquemin, je suis directeur de la communication de l'Office de Tourisme de Reims et à ce titre, je suis chargé de faire la promotion de la ville de Reims.
– Monsieur Jacquemin, comment devient-on directeur de la communication de la ville de Reims?
– Eh bien, tout d'abord, je suis champenois, je ne suis pas né à Reims, mais à Epernay et je suis né dans le vignoble pratiquement, ensuite j'ai un parcours de journaliste et d'homme de radio, j'ai tout d'abord fait de la radio très jeune dès l'âge de 23 ans, à la radio nationale, c'est-à-dire à France-Inter, et puis j'ai poursuivi dans une voie un petit peu parallèle qui a été mon plaisir c'est-à-dire que je me suis fait plaisir je suis devenu journaliste gastronomique. Alors, j'ai écrit dans différentes revues, j'ai continué à faire de la radio et ici, je suis à l'origine, à Reims, de trois radios privées où j'ai continué à faire de la gastronomie et à former des journalistes et des animateurs de radio. Puis ensuite, Monsieur Falala, maire de Reims, m'a demandé de venir travailler avec lui, il y a sept ans.
– Et quel genre de campagne publicitaire faites-vous?
– Les journaux, bien entendu, des journaux étrangers, nous avons la chance d'être un phare culturel et gastronomique et nous recevons énormément de journalistes et c'est moi qui les reçois, et là je leur parle, si je puis dire, de Reims, du champagne, de la Champagne, ne soyons pas chauvins, on ne parle pas uniquement que de Reims, mais on parle aussi de la Champagne. Et les structures sont ainsi faites que vous savez nous avons, mais là je ne vais pas entrer dans le détail, nous avons ici, comme partout en France, un certain nombre de structures touristiques qui sont des structures départementales et régionales, vous le savez, c'est-à-dire un comité départemental du tourisme et un comité régional du tourisme qui dépendent, pour l'un du département, comme son nom l'indique, et pour l'autre de la région Champagne-Ardenne.
– Merci beaucoup.

● **Feuille 7**

Use this to build on the work on tourism in the Reims area, after activities 6–8 on page 43, and as preparation for the skill of listening for detail on page 47; or alternatively, use it for practice of that skill focus after the work on page 47.

1 Answers

a des Anglais, des gens des pays du Nord, des Allemands, des Italiens; b2; c2, d2; e2; f la cathédrale, le champagne

2 Answers

«Dans la région, Reims est connue. On a cessé de faire la promotion de Reims aux portes de Reims, mais nous essayons de faire en sorte que les Français viennent plus nombreux, plus longtemps surtout, qu'ils restent plus longtemps qu'une journée, une journée et demie, qu'ils prennent le temps d'apprécier la gastronomie, de visiter des caves de champagne, de voir nos monuments. L'idéal serait pour nous que les touristes restent deux nuits.»

3 Answers

L'année 96, ce fut l'année du 15ème centenaire du baptême de Clovis qui est un acte fondateur pour la France. Nous avons également reçu le Pape à Reims. Et puisque je suis ancien journaliste, j'ai reçu à peu près 1100 journalistes ici, là où nous sommes, c'est-à-dire dans le Centre des Congrès de la ville de Reims. Et ces journalistes sont restés toute une journée, et il a fallu les nourrir, leur faire boire du champagne, leur donner des documents, leur parler de Reims. Ils ont été très réceptifs et ils ont été enchantés, bien entendu.

4 Answers

les colloques, les sons et lumière; la Basilique Saint-Remi, la cathédrale

Transcript Feuille 7

– Reims est une ville très fréquentée par les touristes, quels sont exactement vos objectifs, quels genres de touristes essayez-vous de cibler, surtout des Français, surtout des étrangers ou les deux?
– Ben, nous essayons de cibler à la fois les étrangers mais aussi les Français, puisqu'aussi bien notre ... la grande majorité des touristes qui viennent à Reims sont des Anglais, euh des gens des pays du Nord, des Allemands, des Italiens, autant dire des gens qui sont immédiatement à nos frontières.
– Et est-ce que ce sont des touristes plutôt jeunes, plutôt âgés, des retraités?
– Ce sont des touristes, qui ont en général, lorsqu'ils sont individuels, qui ont la quarantaine, qui sont des gens d'âge mûr, qui viennent parce que Reims est une ville culturelle, vous savez que nous avons un patrimoine mondial classé par l'UNESCO qui est important. Evidemment le fleuron de ce patrimoine, c'est la Cathédrale, donc essentiellement des gens qui viennent pour ... par attrait culturel et ensuite ils viennent pour le champagne, tout de suite après ... Dans la région, Reims est connue, on a cessé de faire la promotion de Reims aux portes de Reims. Mais nous essayons de faire en sorte que les Français viennent plus nombreux, plus longtemps surtout, qu'ils restent plus longtemps qu'une journée, qu'une journée et demie, qu'ils prennent le temps d'apprécier la gastronomie, de visiter les caves de champagne, de voir nos monuments ... l'idéal serait pour nous que les touristes restent deux nuits.
– L'année 96 a été une année importante pour Reims. Pourriez-vous nous expliquer pourquoi?
– L'année 96, ce fut l'année du 15ème centenaire du baptême de Clovis qui est un acte fondateur pour la France. Nous avons également reçu le Pape à Reims et puisque je suis un ancien journaliste, j'ai reçu à peu près 1100 journalistes ici, là

où nous sommes, c'est-à-dire, dans le Centre des congrès de la ville de Reims et ces journalistes sont restés toute une journée et il a fallu les nourrir, leur faire boire du champagne, leur donner des documents, leur parler de Reims, ils ont été très réceptifs et ils ont été enchantés, bien entendu. Cette année Clovis a plusieurs aspects, l'aspect culturel avec la mise en valeur de notre patrimoine et notamment de la Cathédrale et de la basilique Saint-Remi avec des éclairages, des mises en lumière, des son et lumière, des colloques, c'est-à-dire qu'il y a eu des conférences avec des autorités et des sommités mondiales qui sont venues parler du rôle de la religion dans l'Histoire de France. Je crois que le monde entier connaît mieux Reims maintenant.

– Merci beaucoup, Monsieur Jacquemin.

● **Feuille 8**

Reading and writing activities, based on a brochure listing events in Reims and relating to what M. Jacquemin talks about in the recordings for page 43 and *feuille* 7.

PAGES 44–45

📷 Etre jeune à Millevaches

Objectives
■ To introduce students to the concept of *la télévision de proximité*
■ To practise debating skills

● **Preparation**

Give students some background information and let them read the material on page 44 before watching the video.

● **Background information**

La télévision de proximité: a new concept of very local TV based in a *quartier, banlieue, ville, région*, i.e. even more local than *télévision régionale*.

Télé-Millevaches is based at Faux-la-Montagne, in the département of la Creuse. They produce a monthly video magazine of 1–2 hours, with various features of local interest, news, features, debates on topical issues, etc.; the videos are distributed to subscribers, particularly in public places such as libraries, youth clubs, town halls. Students should already have an idea of what the Limousin region is like (remind them what Michel said about it on page 43). They will learn more about the region in unit 5 (pages 68–69), and there are further video extracts from Télé-Millevaches in unit 8 (page 110) and unit 9 (page 126).

You could provide them with further information from the regional tourist office: Comité Régional de Tourisme, 27, bvd de la Corderie, 87 031 Limoges Cedex.

1 Discuss the importance of local news and communication networks. You could return to this discussion after viewing the video and extend the theme; for example, what would students do if involved in a *télévision de proximité* for their locality? They could prepare a video for a partner school or as a tie-in to the assignment in *Survol 1, 2, 3* on page 54.

2 A pre-viewing activity to familiarize students with the content and language of the video sequence. You might want to supply other vocabulary items, such as *l'ensilage* and place names: Pigerolles, Aubusson, La Galère, Faux-la-Montagne.
Answers 1b, 2a, 3a

3 Answers

a Il aide ses parents aux travaux des champs; **b** L'agriculture peut-être mais avec le tourisme (diversification) pour Jouany, reprendre la ferme de ses parents pour Fabrice; **c** Il parle de la ville; **d** A cause de son environnement naturel; **e** se retrouver entre copains, en groupes, les sorties, au café, en ville, on s'ennuie; **f** une boîte de nuit (et une piscine); **g** lieu de rencontre, de liberté et de défoulement

Video transcript Pages 44–45 –
Etre jeune à Millevaches

– On nous parle beaucoup de la dépopulation des régions agricoles en France. Souvent les enfants des agriculteurs ne veulent pas reprendre l'exploitation de leurs parents; ils préfèrent la ville à la campagne. Mais à quel point cette image correspond-elle à la réalité? Pour en savoir plus, regardez ce reportage sur des jeunes qui habitent le plateau de Millevaches en Limousin. Vous allez d'abord faire la connaissance de Jouany, 16 ans et de son cousin Fabrice. Tous les deux sont fils d'agriculteurs. Comme vous allez voir, ils participent aux travaux de la ferme – surtout Jouany qui adore conduire le tracteur – mais est-ce qu'ils veulent rester à la campagne plus tard?

– Jouany, 16 ans, est fils d'agriculteurs. Ses parents ont ouvert une ferme auberge à Pigerolles. Pour lui, avoir 16 ans sur le plateau, c'est aussi comme pour beaucoup de jeunes de son âge aider spontanément tout au long de l'année ses parents aux travaux des champs.
Jouany est aussi lycéen à Aubusson. Son truc à lui? Rassembler le foin lors de l'ensilage, andainer.
– Qu'est-ce qui te plaît dans le travail d'andainage?
– Je sais pas, aucune idée ... conduire?

– Au volant de son tracteur en ce bel après-midi de la fin du mois d'août, Jouany, cheveux au vent et le sourire aux lèvres, s'absorbe à la tâche. Le travail est long, répétitif.
Au bout du champ, Danièle, la mère. Elle a pensé apporter avec elle une boisson. Fabrice, le cousin, ne tarde pas à arriver dans le champ sur sa Suzuki. Devant la caméra de Télé-Millevaches, un dialogue à trois s'amorce. Ville ou campagne? Jouany n'envisage pas de reprendre plus tard l'exploitation des parents. Comme eux, il raisonne déjà en termes d'agriculture et de tourisme.
– J'ai pas trop envie de ... faire tout ça quoi. Je sais pas ... si je trouve pas de métier, peut-être que je reprendrai?
– Oui, c'est pas définitif?
– ... mais je diversifie.. diversifierais là je ferais de la diversifi ... merde j'arrive jamais ... diversification.
– Tu trouves qu'il n'y a pas que l'agriculture? On peut faire ...?
– Non, non. On peut faire autre chose à côté.
– Le tourisme.
– Oui.
– C'est surtout le tourisme qui marche bien ... les chevaux ... les randonnées ... tout ça ...
– Fabrice, lui, souhaite être agriculteur.
– Ben oui, moi, je veux m'installer plus tard, reprendre la ferme de mes parents.
– Vous resterez dans la région?

– Oui, oui ... à la campagne aussi. Moi, j'aime pas la ville, non.
– Quel ... le choix entre vivre, vivre à la ville ou vivre à la campagne?
– A la campagne.
– Parce que ...?
– C'est mieux. La ville c'est morne, c'est ... on s'y ennuie, quoi. Même si on est plus proche des cinémas, de plein de trucs. Je préfère la campagne quand même. Moi, je me sens privilégié ...

– La pause touche à sa fin. Une poignée de main au cousin et Jouany, l'adolescent de la campagne, reprend le travail. Pas de doute, Jouany aime conduire le tracteur.

– Avoir 16 ans, c'est l'âge où l'on aime se retrouver entre copains. On flâne au café ou en ville. Et le soir surtout, on aime bien sortir en boîte de nuit. On peut y danser, faire des connaissances, peut-être draguer. En tout cas, c'est mieux qu'une boum qu'on organise chez soi ... Le problème pour les jeunes du plateau de Millevaches, c'est qu'il n'y a qu'une seule boîte à proximité, *La Galère*. Comme vous allez voir, on s'amuse bien à *La Galère* le samedi soir, mais les jeunes aimeraient aussi avoir plus de possibilités.

– Avoir 16 ans, c'est aussi l'âge où l'on aime se retrouver entre copains, en groupe. C'est l'âge des sorties, loin de l'atmosphère parentale et du quotidien scolaire contraignant. On flâne au café, ou en ville et le plus souvent on s'ennuie. Ce qu'il faudrait faire ici sur le plateau pour ne pas s'ennuyer? La réponse revient comme un leitmotiv à chacune de nos rencontres.

– Une boîte, par exemple.
– Une boîte de nuit, une piscine.
– Il y a des choses qui vous sont interdites?
– Moi, "La Galère", j'sais pas, aller en boîte, c'est tout.
– "La Galère", c'est cette discothèque près de Faux-la-Montagne dans la Creuse. C'est là que l'on aime se retrouver chaque samedi soir. On arrive en groupe avec la voiture du copain plus âgé.
  Et c'est parti pour toute la nuit – une nuit bien agitée car on vient en boîte pour danser, mais pas seulement.

– Moi, je viens, il n'y a rien d'autre à faire ici parce que bon ici c'est la campagne, enfin il n'y a pas beaucoup de choses quoi, alors quand on a une discothèque, on peut faire des connaissances et puis c'est bien quoi.
– Enfin, il n'y a rien il n'y a rien d'autre à faire, j'ai pas j'ai pas envie de rester chez moi et dormir, je viens là.
– Ce que je veux faire, c'est danser.

– Une discothèque, c'est avant tout une ambiance, de la musique, des sons à fond la caisse qui vous envahissent tout entier. Cet espace criblé de spots lumineux vibrant au rythme de la danse ... car en boîte on n'a pas vraiment besoin de savoir danser. On se trémousse, on remue les bras et la tête et tout le corps dans une danse qui ressemble parfois à un véritable défoulement. La discothèque, quand on a 16 ans, c'est mieux qu'une boum.
– De toute façon une boum, c'est plus de mon âge, quoi, à 17 ans je crois qu'on n'a plus besoin de boums quoi. Les boums, c'est quand on a 13, 14 ans et puis qu'on a envie de fêter son anniversaire, c'est tout quoi. Je trouve que c'est des trucs de gamin quoi.

– Dans cet espace confiné que remplissent l'obscurité et le bruit, on aime discuter, boire et puis surtout faire cool.

– Des fois quand j'ai deux petits verres dans la tête, eh ben moi, je commence, je commence à aller voir un peu tout le monde. Alors là, alors là je drague!
– Alors tu trouves qu'on vient en boîte pour draguer?
– Ben oui on a plus de chances quoi ...
– Plus que ...

– Plus de chances de trouver une fille quoi ... que dans la rue quoi.
– Et les parents dans tout ça?
– Ben eux ils m'ont bien dit ... "C'est pas sérieux, demain t'es à l'école" "C'est pas grave, j'ai déjà fait mes devoirs avant" ... ah oui, bon ben, ça, ils s'en fichent un peu, ils sont cool, ils sont cool.
– Si on y va, c'est parce qu'on a le droit d'y aller, parce que moi, ça m'amuserait pas de sortir en cachette. Quand quand tes parents ils sont cool, ils te disent, ben, tu tu peux sortir parce que eux, je suis sûr que quand ils étaient jeunes, ils ont fait beaucoup plus de bêtises que nous, quoi, et ils ont peut-être dû sortir en cachette, nos parents, en plus ... mais dans la société qu'on a actuellement les parents sont vachement plus cool qu'avant quoi, même nos parents nous le disent ...

– Alors la discothèque à 16 ans, c'est le lieu de rencontre par excellence, un lieu de liberté et de défoulement. Alors laissons donc danser jusqu'au matin à "La Galère" Aurore, Jacques, Malika et Rachid.

4, 5 This recording consists of selected extracts from the soundtrack of another Télé-Millevaches programme.

4 Answers 1d, 2c, 3b, 4a, 5f, 6e; pour = a, c, e; contre = b, d, f

5 Answers
Il faudrait faire bouger les jeunes, demander des subventions aux communes, organiser des spectacles; exploiter l'atout de l'environnement/de la nature; développer le tourisme, développer les associations pour redynamiser la vie locale.

Transcript Page 45 – Activities 4, 5
– [...] Un magazine que nous consacrons en grande partie ce soir, à une tranche d'âge, une tranche d'âge qu'on dit absente ou du moins clairsemée, sur le plateau, les 20–30 ans. Alors, comment vit-on ici lorsqu'on a entre 20 et 30 ans, qu'est-ce qu'on entreprend, quelles difficultés on rencontre, quelle vision a-t-on du pays, qu'est-ce qu'on a envie de faire ... C'est autour de ces questions que nous avons réuni quatre invités, qui tous les quatre ont donc entre ...

– Moi, la région ne me déplaît pas, j'aimerais bien rester euh, rester sur Faux, ou les alentours, mais j'aimerais pas partir en ville et travailler dans une grande ville, ou euh ... ça, ça ne me dirait rien du tout. A 20 ans, c'est pas du tout évident de décider ce qu'on veut faire.
– D'un côté, y a des jeunes qui n'ont rien à faire, qui n'ont pas de boulot, du fait que, bon, c'est vrai qu'on n'est pas une région vraiment "entreprise", et d'un autre côté euh, y a quand même pas mal de jeunes, bon, moi je le vois par rapport au travail, hein, y a pas mal de jeunes qui viennent dans la région et qui aimeraient s'installer, qui aimeraient s'intégrer et qui malheureusement par rapport au travail ne le peuvent pas donc euh ... Je reviens toujours au manque de travail, quoi, la campagne, c'est pas euh ...
  Y a beaucoup de jeunes qui aiment leur région et que même s'ils n'ont pas de travail, ils n'en partiront pas ... parce qu'ils y sont attachés, parce qu'ils ont vécu leur enfance ici, parce que, parce que, parce que c'est leur euh, c'est une partie d'eux-mêmes quoi, donc ils n'en partiront pas, même s'ils n'ont pas de travail, ils trouveront toujours une solution ... Moi je euh, tant que je pourrais travailler, tant que je pourrais rester dans la Creuse, j'y resterai, parce que bon, ben c'est vrai que c'est une région ... tout, tout me plaît ici. Moi, j'ai horreur de la ville ... (*Même si ça se vide?*) Même si ça se vide? Disons que c'est différent parce qu'avec le métier que je fais, si ça se vide, ça se videra aussi bien euh, dans les restaurants aussi, donc on ne pourra pas vivre si il n'y a pas de, s'il n'y a

plus de monde, quoi. Donc ça sera différent, je … je ne partirai que vraiment en cas de, de, d'obligation, parce que justement, parce que ça va se vider, on n'aura plus personne au restaurant. (*D'accord.*) Mais on n'en est pas encore là, et puis bon, je pense que, je pense que ça peut peut-être s'améliorer, ça peut peut-être, je sais pas, il peut peut-être y avoir des solutions, c'est à voir.

– Ben, là, ma région je la vois mal, hein, pour l'instant, parce que je trouve qu'il y a pas beaucoup d'animations, qui se …, ils font pas … y a pas assez d'associations, y a pas assez de vie, euh … je trouve ça dommage parce que les jeunes en Corrèze en général s'emmerdent, il faut le dire. Je sais pas, c'est, c'est un peu perdu et au beau milieu de nulle part et il y a beaucoup de jeunes qui ne s'intéressent à rien d'autre qu'à eux-mêmes ou qu'à leur petite vie et je sais pas, je trouve ça inquiétant, moi, je trouve que euh … y a pas assez d'associations. Moi, je trouve qu'on devrait faire des trucs pour les jeunes, euh, essayer de les faire se regrouper, essayer de les faire bouger, euh … demander des subventions à la commune ce qui est pas facile non plus, parce que la commune, les communes sont assez bloquées parce qu'elles n'ont pas assez d'argent, mais c'est vrai qu'on peut, je sais pas, on peut organiser des trucs, euh, bon sans argent c'est un peu difficile, mais on peut essayer, quoi! Faire des spectacles, euh, je sais pas, y a plein de trucs à faire, bon euh, c'est aux gens de se prendre en mains et essayer de faire bouger les choses, quoi, et c'est pas facile, voilà …
[…]

– Moi, je trouve que c'est une région très très attachante, qui est très belle, qu'est très forte, où on puise beaucoup d'énergie, mais c'est vrai que ça fait pas, ça fait pas tout.

– Ben euh, ben euh, moi, en ce qui me concerne, la région, pour moi, c'est euh, il faudrait que le tourisme se développe de plus en plus, donc euh, moi j'essaie de monter un truc euh, touristique, et j'aimerais bien que ça suive derrière, quoi, surtout sur Vassivières.

– Effectivement, il faut pouvoir y vivre, ce qui est pas toujours possible.

– Je crois que la région, euh, déjà on y est né, donc euh, bon, les parents sont arrivés donc où je suis, à Montbouchir et puis bon, comme on se plaît dans cet environnement, c'est la motivation qui fait qu'on y reste quoi, qu'on aime son métier et qu'on reste pour faire vivre le village, quoi. Mais, ça c'est à moduler en fonction de ce qu'on souhaite, on souhaite faire.

– Moi, je trouve que c'est très très différent et c'est vrai que c'est le dilemme de choisir, c'est vrai, ou habiter en ville ou habiter à la campagne, mais c'est vrai que je pense que c'est chacun qui juge selon ses propres désirs, ses propres orientations. C'est vrai que moi j'habite à la campagne et c'est vrai que la ville me manque beaucoup. J'ai envie de partager plus euh, bon tout ce qui est, tout ce qui est culturel, tout ce qui est euh, et c'est vrai que ça manque beaucoup ou de de … de communication avec les gens.

– Camille, dans le reportage, qui travaille justement dans ce secteur là dit qu'il manque d'animation ici, qu'il manque de vie associative et elle a cette belle mais triste formule: "Ici, on est au milieu de nulle part". Alors, est-ce que vous pensez qu'il y a des choses à mettre en place, des choses à faire pour favoriser et aider les gens de votre âge, les gens de votre âge et les autres peut-être, et si oui, quoi?

– Bon, je pense qu' il faut développer les associations, faire des associations de sorte à occuper les jeunes et à leur faire euh, un peu, à leur changer les idées, faire autre chose que ce qu'ils ont l'habitude de faire.

– Moi, je trouve que c'est vraiment le moyen essentiel de dynamiser, de redynamiser vraiment la vie locale, justement de créer des associations, que les gens se retrouvent, se rencontrent, partagent, et peut-être après pouvoir créer des choses et …

– Recréer la convivialité qui euh, enfin, qui disparaît, quoi, je veux dire, voilà, recréer …

– Ceci dit, là on parle euh, on parle de convivialité, c'est vrai que c'est un problème qui peut se poser aussi tout à fait dans les mêmes termes en ville, non?

– Souvent, oui … c'est peut-être même encore plus la jungle, oui!

– En tout cas, à vous écouter, on peut se dire que les 20–30 ans sur le plateau sont, je dirais, déterminés, plutôt optimistes et euh, plutôt pas trop défaitistes, en gros vous avez, vous semblez savoir ce que vous voulez. Alors, merci en tout cas d'être venus nous parler de votre vie de 20–30 ans …

6 Tell students that each group must reach a conclusion within an agreed period of time (5 or 10 minutes, for example) and be prepared to justify that decision to the others.

Compétences: Participer à un débat
Ask students to provide their own strategies and suggest other useful language.

● **Feuille 9**
This is a group role play exercise with students speaking for or against tourist development in the plateau de Millevaches. The strategies and phrases learned in the *Compétences* box on page 45 can be put to use again; as can the familiarity with the region gained from the texts, video and recording on pages 44–45.

PAGE 46
Paris ou province?

Objectives
■ To exploit linguistically a reading text based on the above theme
■ To practise comparing and contrasting within the context of a discussion

1 It might help to break the vocabulary activity into two, looking for items **a**, **b** and **c** after reading the first column of the text, and the remainder after reading the next two columns.
If there are other words students don't know, they could look them up in a monolingual dictionary, write down the definition, then ask their partner which word he/she thinks these definitions refer to.

Answers
a atteint; **b** guéri; **c** je subissais; **d** autant de; **e** profiter de; **f** pressés; **g** méfiants

2 Activity **b** could be done as **homework** or as pair/groupwork, going through pages 44–45 and any other texts you may have on the theme of town vs. country living.

Answers
a *avantages:* nouveau, excitant, culture, choix; *inconvénients:* transports, stress, bruit, pollution, manque d'espace et d'espaces verts, logement petit et cher, embouteillages, gens pressés, stressés, méfiants, anonyme

b *avantages:* par exemple, logement plus grand et moins cher, proche, facile d'accès, nature, sens de la communauté, gens aimables et ouverts; Nantes pas loin, Paris à 3 heures
inconvénients: calme, peu de distractions

3 You may want to give them some clues as to what to look for, by brainstorming ways of comparing and revising comparatives and superlatives (cf. introduction unit, page 10).
You could add the following to the *Expressions-clés*:
adverbes/loc. adv.: de la même manière,
deux expressions en parallèle: de même que – de même; autant – autant; il y a x ans – maintenant
conjonctions/loc. conj.: pendant que, alors que, encore que

● **Extension activity**

Extend practice of the *Expressions-clés* by having the students transform the following and other similar sentences:
– *32% des Français habitent dans une ville, 8% en pleine campagne.*
  [Il y a quatre fois plus de Français qui habitent en ville qu'en pleine campagne.]
– *L'espérance de vie d'une Française est de 81,5 ans en Poitou-Charentes. La moyenne nationale: 80,8 ans.*
  [L'espérance de vie d'une Française est plus élevée en Poitou-Charentes que dans le reste de la France.]
– *Le taux de naissance dans le Limousin est de 9 pour 1000 habitants. La moyenne nationale est de 12,9 pour 1000.*
  [Il y a moins de naissances dans le Limousin que dans le reste de la France.]
– *Pour moi, la vie à la campagne est reposante. La vie à la ville est stressante.*
  [La vie à la campagne est reposante, tandis qu'à la ville, elle est stressante. / … en revanche/par contre, à la ville elle est stressante.]

4 Before they work in pairs, have the whole class suggest ideas and phrases and write them on the board/OHP for visual support. Ask students to invent a conversation and record it on cassette. If students are too shy to perform, ask each pair to listen to another pair's recording and to comment. Tell students to revise also the *Expressions-clés* on page 32 (*Présenter un point de vue différent*).

PAGE 47
Ça dépend du temps!

Objectives
■ To practise listening for detail and explore effective listening strategies

● **Preparation**
Brainstorm on vocabulary relating to weather and weather forecasts (use item C on page 41, for instance, as stimulus, and see *Envol* pages 184–6).

● **Background information**
The weather forecast in activity 1 was specially recorded in studio, while the forecasts in activities 2 and 3 are taken directly from French radio, giving a chance to develop listening comprehension skills through progressively more difficult material.
The activities work towards picking out precise details; you could go through the *Compétences* advice on listening for detail either before starting or between activities 1 and 2.
The group work in activity 3 places the listening in context and practises the key functional language for making plans dependent on the weather.

1 Answers
 a résumé 2; **b** E et F

Transcript Page 47 – Activity 1
– Et maintenant, nous allons écouter les prévisions météo pour aujourd'hui.
– Sur la moitié nord de la région, la matinée sera très ensoleillée mais les nuages feront leur apparition vers midi. Il pleuvra en milieu d'après-midi. Le vent soufflera assez fort sur les côtes et des éclaircies se développeront en fin d'après-midi. Le soleil réapparaîtra en début de soirée et les températures redeviendront agréables.
Pas cette chance pour la moitié sud, où le brouillard matinal se dissipera vers midi mais où le temps restera couvert: on ne verra pas le soleil aujourd'hui sur les côtes sud! Journée maussade donc en perspective, avec des températures assez fraîches pour la saison. Des risques d'averses en milieu d'après-midi et dans la soirée. Le vent dispersera les nuages pendant la nuit, et on peut espérer une belle journée pour demain sur l'ensemble de la région.

2 Answers
 a l'Aquitaine, le Massif central;
b 1 la tramontane, 2 le mistral;
c 1 northern France (from Bretagne to Nord, Ile de France, Alsace, central regions) – cloudy in the morning, sunny in the afternoon; Languedoc-Roussillon – sunny, light wind (tramontane); Provence – sunny, slight wind (mistral) near the Rhône;
2 températures – 25°, 27°, 34°; 3 conseil du week-end – take plenty of water if you're driving, as there will be a heatwave.

Transcript Page 47 – Activity 2
– Valérie Quintin, avec vous, les prévisions météo pour cette journée.
– Bonne nouvelle, le soleil revient – seulement il faudra attendre cet après-midi pour la moitié nord, il y aura encore quelques nuages ce matin de la Bretagne au Nord et à l'Ile de France, ainsi qu'en Alsace et sur les régions du centre.
Plus au sud, dans le Languedoc-Roussillon, c'est le retour du plein soleil, avec une légère tramontane. En Provence, beaucoup de soleil également, avec un petit mistral près du Rhône.

Ce week-end, si vous prenez la route, prévoyez les bouteilles d'eau: une nouvelle vague de chaleur arrivera, sans toutefois atteindre les records des semaines passées.
– Trois températures du jour: 25° à Amiens, où vous pouvez écouter RTL en modulation de fréquence sur 104.3, 27° à Paris, et 34° à Perpignan.

3 Answers

 The group near Bordeaux will have the best weather today, with sunny spells lasting longer into the afternoon. Tomorrow, the group in the east will be better off, since the sun should stay around during the afternoon while the south-west becomes wet and windy. The group in Brittany will have the worst weather, with showers and clouds today, and rain and wind settling in tomorrow morning.

Transcript Page 47 – Activity 3
– La météo, Valérie Quintin?
– Petit à petit le ciel se dévoile, ce qui n'exclut pas du tout quelques petites ondées cet après-midi en Bretagne, en Normandie, dans le nord et dans l'est. Partout ailleurs les nuages feront la course avec les éclaircies: les éclaircies seront largement gagnantes dans le sud-ouest et le midi méditerranéen.
Les températures seront comprises entre 15 et 21° cet après-midi. Il fera 16° à Lille, 17 à Paris, 18 à Lyon et 20° à Bordeaux, Montélimar et Ajaccio.
Demain la dégradation s'imposera dès le matin en Normandie et en Bretagne ainsi que dans les pays de Loire, avec de la pluie, beaucoup de vent sur les côtes. Elle gagnera très rapidement le nord, l'Ile de France et le centre, puis dans l'après-midi, le sud-ouest et surtout l'Aquitaine. Dans le Massif central, dans l'est et le midi méditerranéen, il y aura encore un peu de soleil.

Ça se dit comme ça!

Objective
■ To pronounce liaisons and *enchaînements*

Students could get more practice by reading out loud texts that they are already familiar with, such as the two on page 42.

Transcript Ça se dit comme ça! – Page 47
– Ecoutez et lisez les exemples.
– nous_allons
  très_ensoleillée

– Des liaisons obligatoires:
– C'est très_intéressant.
  Ça m'est_égal.

– Des liaisons facultatives:
– On peut espérer
  ou
  On peut_espérer.
  Je vais y aller
  ou
  Je vais_y aller.

– Il n'y a jamais de liaison avec "et":
– Et on peut_espérer...

– Des enchaînements:
– Mon père habite en France.
  le monde entier

PAGES 48–49

Une région à la loupe

Objectives
■ To find out about one of France's *départements d'outre-mer* (Guadeloupe)
■ To prepare a brochure based on the sample given

1 Limiting the number of words students can look up in a dictionary might encourage them to work out meaning from context.
If time is too short for the dictionary activity, give your students the following definitions to match up with words in the text:
1 *nom de vents subtropicaux [les alizés]*
2 *un état, par rapport à ses colonies [la métropole]*
3 *en diminution [en baisse]*
4 *séparation en plusieurs morceaux [son éclatement]*
5 *la petitesse, le manque d'envergure [l'étroitesse]*
6 *tourbillon de vents très violents [le cyclone]*
7 *d'une valeur incalculable [inestimable]*
8 *le bord de mer [le littoral]*
9 *la dépendance [le rattachement]*
10 *des préjugés [des idées reçues]*

2 Once students have read through and are familiar with the content of the brochure on Guadeloupe, they can play (with books closed) the following adaptation of the TV game *Questions pour un champion*. You or a student can ask the questions; use the ones below or let students devise their own questions.
Start with three teams competing; one is disqualified, leaving two for the second round and one final winning team. Students within a team can consult.
Round 1: *vrai ou faux*. Students raise their hands or use a "buzzer" to answer the questions (1 point for a correct answer).
1 *La Guadeloupe est une île de la mer des Antilles. [vrai]*
2 *La Guadeloupe est une île divisée en deux parties. [vrai]*
3 *La Guadeloupe a deux saisons, le carême et l'hivernage, qui sont très différentes. [faux: peu marquées]*
4 *La principale ressource économique de la Guadeloupe est l'agro-alimentaire. [faux: le tourisme]*
5 *Le zouk est un plat de la gastronomie guadeloupéenne. [faux: une musique]*
6 *Les indépendandistes guadeloupéens sont en minorité et ne font pas pression par la violence. [vrai]*

Tie breaker: *La Guadeloupe se situe au large du Venezuela. [vrai]*

Round 2: offer a choice of five themes; to win, a team must answer all four questions on that theme; if they don't, the other team can answer and win a point. The team with the highest score in round 1 chooses a theme first.

HISTOIRE

1 *Comment s'appelait l'île avant l'arrivée de Christophe Colomb? [Karukera]*

2 *Qui habitaient sur l'île avant l'arrivée des colons européens? [les Caraïbes]*

3 *Quand commence et finit l'esclavage à la Guadeloupe? [17ème siècle/1848]*

4 *Quel est le statut de la Guadeloupe depuis 1946? [département français]*

GEOGRAPHIE

1 *Quelle est la distance France–Guadeloupe en kilomètres? [6 700 km]*

2 *Quels sont les noms des deux parties de l'île? [Basse-Terre et Grande-Terre]*

3 *Quelle sont les mois de la saison sèche? [décembre à mai]*

4 *Quelle est la température moyenne? [25 degrés]*

POPULATION

1 *Combien d'habitants y a-t-il à la Guadeloupe? [400 000]*

2 *Quel est le pourcentage des moins de 20 ans? [37,5%]*

3 *Quelles langues parle-t-on sur l'île? [créole, français]*

4 *Quelle est l'origine du créole? [mélange de vieux français, de langues caraïbe et africaine]*

ECONOMIE

1 *Nommez trois produits typiques de la Guadeloupe. [bananes, rhum et sucre]*

2 *Pour quelle production la Guadeloupe se place-t-elle au deuxième rang mondial? [le sucre]*

3 *Qu'est-ce qui est en train de remplacer la pêche artisanale? [aquaculture]*

4 *Quel est le taux de chômage à la Guadeloupe? [26,9%]*

TOURISME

1 *Combien de touristes visitent la Guadeloupe chaque année? [environ 500 000]*

2 *Où sont concentrés les hôtels à la Guadeloupe? [sur le littoral de Grande-Terre]*

3 *Comment s'appelle le volcan? [la Soufrière]*

4 *Décrivez la gastronomie guadeloupéenne. [mélange de cuisine indienne et africaine]*

Compétences: Ecrire une brochure: la recette

Discuss this with students before attempting activity 3.

3 This activity has been left deliberately open-ended. You could have students work individually, in pairs or in small groups. You could set the task within a context, for example:

– *préparez une brochure sur votre région pour votre classe-partenaire/des touristes francophones*

– *vous représentez une région française et vous préparez une brochure pour (i) donner des informations générales, (ii) attirer les touristes/les groupes scolaires, (iii) inciter des entreprises à venir s'installer dans la région.*

In each case, ask students to work with some actual brochures (supplied by you or requested by students from tourist offices) to analyse content and language and identify information and phrases that they will need for their own brochure:

– *pour les touristes: les sites, les distractions, les hôtels/campings,* etc. + use of descriptive adjectives, comparative/superlatives, imperatives, etc.

– *pour inciter des entreprises à venir s'installer: l'économie/les transports,* etc. + figures, imperatives, questions, comparing and contrasting, etc.

Also refer students to useful vocabulary on page 42 and in the brochure on Guadeloupe, for example: use of phrases to attract tourists: *coin de paradis, ses longues plages de sable blond, véritable festival de couleurs et de senteurs, une variété de sites remarquables sur terre comme en mer.*

Note that the Guadeloupe brochure provides useful material for helping students to improve their written style; it is written mainly with simple sentence structures, so that students could work on any of the paragraphs to link sentences together or add conjunctions, adverbs, time phrases, to make them more "interesting". If this seems to overcomplicate the brochure-writing exercise, leave it until a writing-development session in a later unit (for example, unit 6 pages 88–89, unit 7 essay-writing, unit 8 creative writing) and then return to this text for further exploitation.

Some students could design their brochure on a DTP program.

● **Extension activities**

– Organise a competition: *La région gagnante.* Once students have worked through the material and written their brochure, they present their region orally to the rest of the class (set a time limit, maybe two minutes). The class decides which region they think is the most attractive, based on the presentations.

– Divide the class into tourists and regional promotion officers in stalls at a tourism fair. The tourists visit each of the officers in turn; the officers have two minutes to persuade the tourists to visit "their" region. After the tourists have visited each officer, they must make up their mind and choose a region. (Tourists could be given a profile, for example: *Vous faites partie d'un groupe, vous voulez faire* + types of activities./ *Vous voulez partir en famille avec trois jeunes enfants.*)

– If possible, show students a promotional video about a French region and identify various aspects of the commentary with them (to help them with the above); and/or show extracts without the sound for students to make up the commentary.

– If you have access to the appropriate equipment, students could make a promotional video for their own locality, in French, for potential French-speaking visitors. Your local tourist office might be interested in helping with the project! See also the similar suggestion (TB page 41) for page 44 activity 1, linking with the assignment in *Survol 1, 2, 3*.

PAGES 50–51

Le régionalisme

Objectives

■ To find out about regionalism in France

The texts on this spread may also be used as vehicles to introduce the passive.

Answers

2 d, b, a, c

3 a Il faut avant tout reconstruire la France ravagée par la guerre; **b** Pour équilibrer la toute-puissance de la région parisienne; **c** Parce que le découpage est fait de façon artificielle pour des raisons politiques.

4 You might want to provide some vocabulary or ideas for students to note under the headings *Pour* and *Contre*, for example: le respect du patrimoine local, l'efficacité du centralisme, la défense de la culture régionale, les dangers du traditionalisme.

5 Play the cassette in three sections to help students:

 – for question 1, from the beginning to … *domaine de l'éducation*;
 – for question 2, from *Donc* … to … *et j'en passe … !*;
 – for questions 3 and 4, from *Qu'est-ce qui explique* … to the end.

Answers 1a; 2b; 3 a, d, e, h; 4a

Corrected sentences: **1b** La France est *moins* décentralisée que le Royaume-Uni; **2a** La région *n'est pas* responsable de l'éducation, des programmes scolaires et des professeurs; **3b** Il y a trop de régions; **3c** Elles *n'ont pas de* réalité historique et humaine; **3f** Il y a *trop de* niveaux de collectivités locales; **3g** Les médias *ne font pas assez* de programmes régionaux.

6 Play the cassette again and ask questions to check more detailed comprehension:

 – *Qui a la responsabilité des collèges? Et des lycées? De quoi sont-ils seulement responsables? [les départements/les régions/des bâtiments]*
 – *Qui est responsable de l'enseignement de la culture régionale? [l'état central]*
 – *Combien y a-t-il de régions françaises en tout? [26]*
 – *Combien y a-t-il d'habitants en région parisienne? [12,5 millions]*

– *Quelle région citée repose sur une réalité historique et humaine? [l'Alsace]*
– *Quels sont les problèmes de la Normandie et de la Bretagne? [La Normandie est coupée en deux, la Bretagne n'a pas Nantes]*
– *Quels sont les quatre niveaux de collectivités locales? [commune, département, région, état]*
– *Quelle solution suggère-t-il? [la suppression du département]*
– *Quels genres de programmes les stations régionales de TV et de radio font-elles? [journaux d'information et quelques magazines]*
– *Pourquoi ne font-elles pas plus de productions? [pas de moyens financiers ni l'autonomie nécessaire]*

Transcript Page 51 – Activities 5, 6

– Pouvez-vous nous parler de la régionalisation en France? A votre avis, la France est-il un pays décentralisé?
– Eh bien, je vous le dirai de manière un peu abrupte: non! La France demeure un des Etats les plus centralisés d'Europe Occidentale, beaucoup plus que le Royaume-Uni par exemple, où les comtés disposent de pouvoirs très étendus, notamment dans le domaine de l'éducation.
– Donc, la régionalisation en France reste assez symbolique, c'est ça?
– Ah oui, tout à fait! Pour prendre l'exemple de l'éducation, hein, la loi de 1982 a transféré depuis 1985 la responsabilité des collèges aux départements et celle des lycées aux régions, mais ceci en apparence …! En fait, il s'agit seulement des bâtiments. La région n'a strictement rien à dire sur le contenu des programmes scolaires, ni sur le recrutement et la carrière des professeurs.
– Alors qui est responsable des programmes scolaires et des enseignants?
– Eh bien, c'est l'Etat central, c'est Paris. Ici, en Bretagne, comme en Alsace d'ailleurs, il existe une identité culturelle forte, mais le Conseil Régional n'a aucune possibilité d'introduire un enseignement de la culture régionale. En revanche, il doit s'occuper des bâtiments: de l'entretien des toitures, de la peinture des façades, de la rénovation du mobilier, et j'en passe …!
– Alors … qu'est-ce qui explique que le rôle des régions soit limité à ce point?
– Eh bien, tout d'abord, le nombre et la taille des régions: il y en a 22 en France métropolitaine, 26 avec les régions monodépartementales d'outre-mer. C'est beaucoup trop! Beaucoup trop! Plusieurs de ces régions ont moins de 2 millions d'habitants alors que la région parisienne, l'Ile de France, en compte 12 millions et demi et qu'elle ne cesse de s'accroître au détriment du reste du pays. Vous vous rendez compte?
– Une deuxième raison, c'est que la plupart de ces régions sont totalement artificielles et ne reposent sur aucune réalité historique et humaine, à l'exception de l'Alsace. La Normandie par exemple est coupée en deux; la Bretagne est amputée de Nantes, sa vieille capitale et sa plus grande ville. Ce qui veut dire qu'un million de Bretons vivent hors de la région dite "Bretagne", c'est un comble!
– A part le nombre et la taille des régions, et donc aussi leur caractère artificiel, y a-t-il d'autres explications aux problèmes de la régionalisation?
– On peut effectivement également mentionner les conflits et les rivalités entre les collectivités territoriales. La France doit être le seul pays d'Europe à posséder quatre étages de collectivités territoriales: la commune, le département, la région et l'Etat. Cela alourdit et complique le fonctionnement administratif du pays, il y a un niveau de trop!

– Quelle solution suggéreriez-vous?
– La suppression du département! Mais je ne pense pas qu'un gouvernement ose faire une telle réforme, pourtant urgente, à mon avis. Autre facteur jouant contre la régionalisation: les médias. La radio, la télévision, dites régionales, restent entre les mains des pouvoirs parisiens. Les programmes sont essentiellement conçus à Paris. Les stations régionales de France 3, par exemple, ne font que quelques journaux d'information et quelques magazines. Elles n'ont pas les moyens financiers ni l'autonomie nécessaire pour faire de véritables productions. C'est la même chose pour Radio-France, dont la grille des programmes des stations régionales est dirigée depuis le siège de Radio-France à Paris.
– Donc, en conclusion...
– ... eh bien, en conclusion, et sans esprit de polémique, on peut dire que la régionalisation de la France reste encore à faire !
– Je vous remercie beaucoup de votre contribution.
– Mais je vous en prie!

7 Depending on the amount of interest shown by students, you could suggest other aspects of the topic of *régionalisme* to be discussed by different groups:
– *A votre avis, votre pays est-il décentralisé? Pourquoi et comment?*
– *A votre avis, quel devrait être le rôle le plus important de la région? Pourquoi?*
– *A votre avis, quel est le rôle d'une langue régionale?*

Zoom sur le passif (1)

Grammar
■ The passive tense

Answers
A Toute revendication régionaliste est étouffée par ce centralisme; **B** 18 régions sont définies par le gouvernement de Vichy; examples **a** and **d** use the passive for reason ii, **b** and **c** for reason i.

PAGE 52
Interlude: *Les Corons*

The song is not reproduced on tape, so treat the lyrics as poetry.

● **Suggested activities**
Ask students to list the phrases they feel describe the region positively and negatively, and to explain why, for example:
– positively: *généreux comme ceux du pays, enfance heureuse*
– negatively: *la terre c'était le charbon (noirceur), le ciel c'était l'horizon (bouché), des fenêtres semblables (monotonie), la pluie (le mauvais temps, le ciel gris).*
How does Jean-Pierre Lang manage to make the vision of the region positive? [through the description of its people]
What do we learn about life in a mining community? [style of houses, hard life but pride in work, constant danger from illness and accident]

Why is the singer grateful to his people? [for having taught him what he knows about life/values]
Ask students to write a short text or poem about the region of their childhood, what they will always remember, the good and bad points.

Survol 1, 2, 3

See page 8 for notes on using the *Survol* revision pages.

PAGE 53

Revision points:
■ the conditional (unit 1)
■ saying what you'd like to do (unit 1)
■ the imperative (unit 1)
■ agreement of the past participle (unit 1)
■ the subjunctive (unit 2)
■ asking questions (unit 2)
■ taking part in a debate (unit 3)
■ adjectives (unit 3)
■ comparing and contrasting (unit 3)

Answers
1 a 1 le monde du sport *devrait* demain générer ...; 2 Près de 3 000 *sont reconnus* ...; et *sont* donc *considérés* comme des salariés; de nouvelles voies peuvent aussi *être explorées*; les préparations *sont assurées*; 3 il faut attendre que *se construise* un véritable droit du sport.
b 1 Il faut que vous suiviez trois ans d'études.
2 Il faut que vous possédiez un brevet d'Etat.
3 Il faut que vous ayez 18 ans.
4 Il faut donc qu'ils se diversifient.
2 a Le verbe est au passif.
b Il y a un complément d'objet direct placé avant le verbe.
c Il n'y a pas d'accord avec le complément d'objet indirect.
d Le participe passé de *se rendre compte* est toujours invariable.
3 a *Nouvelle* est le féminin de *nouveau* (adjectif irrégulier); cet adjectif est placé avant (plutôt qu'après) le nom; quand l'adjectif est placé avant, on emploie *de* (plutôt que *des*).
b 1 haut niveau; véritable droit; 2 champions professionnels; éducation physique et sportive; un bac (de préférence) scientifique; éducateur sportif

Unité 4 Au volant

Unit objectives

Topic
- Private and public transport

Language
- Planning a journey (p56)
- Asking for and giving information (p65)

Grammar
- Relative pronouns *qui, que* (p59)
- The subjunctive (2) (p60)
- The perfect and imperfect tenses (p64)

Pronunciation
- Knowing how to pronounce new words (p63)

Skills
- Interpreting (p62)
- Reading phonetic transcripts (p63)
- (Verbal) reporting (p65)

Video
- Focus on Air France (p61)

Vie active
- Transport-related jobs (p62)

Feuilles à photocopier
- Feuille 10 (top half after p57; bottom half after p60)
- Feuille 11 (after p60)
- Feuille 12 (after p64)

PAGE 55
Au volant

Objectives
- To introduce the theme of the unit
- To revise students' previous knowledge of vocabulary relating to the topic, and introduce some new vocabulary

● **Preparation**

Students could brainstorm the topic 'transport' in pairs, groups or as a whole class, depending on the size of the group. How many words or phrases do they know already? If working in groups, encourage them to make a list of as many words or phrases as possible. The lists can then be collated/compared. Following the brainstorming activity, students could be asked to say, in simple terms, which is their chosen form of transport and why.

1 Answers

Students should identify six forms of transport from the following mentioned in the texts:

Le TGV; la moto; l'auto; la voiture; un bateau; un jet; un tramway

2 Answers
a se faufiler; **b** la circulation; **c** transporter;
d les transports en commun; **e** de pointe

● **Extension activity**

Once students have found the answers to the activities, they could select one of the extracts and present it as a voice-over, for example for a 'Tomorrow's World'-type programme.

PAGES 56–57
Comment roulez-vous?

Objectives
- To discuss the advantages and disadvantages of travel by car or by motorbike
- To express preferences on the subject of travel

1 The opening lines of the introduction provide an opportunity for students to exchange information on who is already learning to drive/would like to learn to drive/has no intention of doing so. Use the short texts as a pre-listening activity. Students identify and list, with a partner, the reasons given by the two young people for their preferred form of transport.

Answers
a vrai; **b** faux; **c** faux; **d** faux

● **Extension activity**

Students could select and read aloud one of the texts. Encourage them to adopt different styles or moods, for example, leaving a message on an answerphone, in response to a radio programme; asserting their opinion in the face of strong opposition, and so on.

2 Working on this listening activity should help students to discuss their own opinions of different forms of transport. As a pre-listening activity, students could listen to the recording to see if any of the young people agree with Luc or Laure from activity 1.

Answers
a Elodie; **b** Solène; **c** Philippe; **d** Elodie; **e** Solène;
f Elodie; **g** Solène; **h** Philippe; **i** Solène; **j** Philippe

Transcript Page 56 – Activity 2
– Elodie.
– Jusqu'à l'an dernier, quand je voulais aller quelque part, ma mère ou mon frère étaient obligés de m'emmener. C'était difficile car ils travaillent tous les deux. Et souvent le soir, ou le week-end, ils ne veulent pas sortir. En plus j'étais obligée de rentrer chez moi assez tôt. Partir quand tout le monde continue à s'amuser, c'est énervant. Mon rêve était d'avoir un véhicule à moi.
Je suis trop jeune pour avoir une voiture, et en plus ça coûte trop cher. Mais j'adore rouler à deux-roues et maintenant, j'ai une mob et c'est super. J'ai acheté une mobylette d'occasion et j'ai aussi trouvé un boulot pour gagner de l'argent. Il faut que je paie l'entretien et les réparations moi-même. A part ça, je suis vachement contente. Je trouve que rouler à mobylette, c'est la liberté, et rouler à l'air libre, ça me plaît.

– Solène.

– Ben, à mon avis, avoir son propre véhicule, soit un deux-roues, soit une voiture, c'est bien. Enfin, je crois que c'est pratique et que ça permet d'être indépendant. Mais je suis contre cette idée que tout le monde devrait avoir un véhicule privé. Pour les jeunes et pour les chômeurs il y a le problème de l'argent, ou plutôt le manque d'argent, et je n'aime pas qu'on soit jugé d'après ses biens matériels.
En plus, tout le monde sait que les véhicules polluent l'atmosphère, surtout dans les villes, et au niveau mondial, cette pollution est en train de détruire la couche d'ozone. Je préférerais avoir un bon système de transport en commun, en ville et à la campagne.

– Philippe.

– Actuellement, j'apprends à conduire. Je me suis inscrit dans une auto-école et j'ai eu ma première leçon il y a quinze jours. Je pense que savoir conduire, c'est important. Et c'est aussi utile, par exemple, quand on cherche un emploi, on est plus ... euh ... souple, disons. On a la possibilité de s'adapter, de chercher un travail plus loin de chez soi.
A l'avenir, je voudrais bien avoir une voiture à moi. Je sais qu'il faut de l'argent, non seulement pour l'acheter mais aussi pour l'assurance, l'entretien, l'essence ... Mais circuler en voiture, ça me plaît. Mes parents voulaient m'acheter une mobylette pour mon anniversaire, mais je leur ai dit que je préférais qu'ils mettent de l'argent de côté pour l'achat d'une voiture, l'année prochaine j'espère. Je n'aime pas les mobylettes: circuler en voiture, c'est plus confortable et, à mon avis, moins dangereux.

● **Extension activity**

Students could use the language they have learnt from the preceding activity to take part in a discussion in class about their own preferences. They could prepare a list of reasons for and/or against the two forms of transport as a homework activity. The discussion could be conducted in pairs or groups, followed by each pair or group reporting back, briefly, to the main group on their preferences.

3 Before working on this activity, students might need time to revise some key language for making arrangements; for example, arranging when and where to meet. This could take the form of a short brainstorming activity with the whole group. In pairs, students suggest as many phrases as possible for arranging to meet. These should be listed on OHP. It might help to encourage students to specify a time for each of the activities, for example, next weekend, during the holidays, and so on.

4, 5 These texts on the theme of travel by motorbike and car can be used for vocabulary building, within the topic of transport.
Activity 4 could be a **homework** activity. Encourage students to make use of their dictionaries, referring them to unit 1 p24.

4 Answers

a piloter une machine; enfourcher une moto; conduire des cylindrées plus importantes; chevaucher des "gros cubes" **b** les conducteurs; le pilote de moto **c** la sécurité des conducteurs

● **Extension activity**

Having completed their work on activity 5, students could prepare their own information sheet offering handy hints for making the most of a journey; for example, by motorbike, along the lines of the advice given here. What could they change? What would they have to change?

● **Feuille 10**

 This would be an appropriate time for students to work on the first part of *feuille* 10.

1 Answers

e, d, a, c, d

2 Answers

majorité; méthode; formule; 90%; permis; soit; leçons; conduire; classique; devez; accidents

Transcript Feuille 10

– Savoir conduire, c'est important. Vous vous demandez peut-être quel apprentissage choisir? Vous désirez avoir des conseils pratiques pour obtenir votre permis? Appelez-nous au 02.40.73.21.37 et notre expert essaiera de répondre à vos questions. Un premier appel ... oui, bonjour!

– Bonjour, je m'appelle Chloé, je voudrais savoir quel type d'apprentissage il vaut mieux choisir: classique ou anticipé?

– Alors, actuellement, la grande majorité des permis est obtenue par la méthode classique: celle qui consiste à prendre des leçons au coup par coup. Cette formule est choisie par près de 90% des candidats. Pour l'instant, seulement 10% des candidats au permis adoptent l'apprentissage anticipé de la conduite.

– Bon ... peut-être que vous pourriez nous expliquer la différence entre les deux formules?

– Eh bien oui, au début, quel que soit votre choix, vous devez prendre un minimum de 20 leçons. Ensuite, vous passez votre permis et vous pouvez conduire seul si vous avez choisi la méthode classique. Par contre, la méthode anticipée est un peu plus contraignante parce que vous devez conduire avec quelqu'un d'au moins 28 ans ... Cette personne doit avoir son permis depuis trois ans, sans accidents graves, et elle vous accompagnera jusqu'à ce que vous ayez fait 3 000 kilomètres.

– Vous avez quel âge, Chloé? Parce que l'âge est important, non?

– J'ai 16 ans et demi.

– Oui, effectivement, c'est important car, avec la version anticipée, vous pouvez conduire dès l'âge de 16 ans avec la version anticipée alors qu'il vous faut attendre d'avoir 18 ans pour le permis "normal".

– Voilà, Chloé, si vous voulez apprendre à conduire tout de suite, vous n'avez pas vraiment le choix, hein?

– Ben oui, j'ai compris.

– Merci, au revoir Chloé. Un deuxième appel ...? Bonjour, qui est en ligne?

– Bonjour, c'est Laurent, de Nancy. Alors voilà, j'ai passé mon examen de conduite hier et j'ai été recalé. Je voudrais savoir s'il y a un délai légal avant de le repasser?

– Bonjour Laurent. Bien sûr, on pense que vous ne pouvez pas repasser l'épreuve de conduite sans avoir fait de progrès ... Résultat, vous êtes obligé d'attendre un minimum de quinze jours après chaque échec et de payer à nouveau le timbre fiscal de 200 F.

– Est-ce que la réponse vous satisfait, ou ...?

– Oui, oui, ça va, je vous remercie. Salut!

– Bon, alors, nous allons continuer de prendre vos appels mais d'abord, une page de publicité ...

PAGES 58–59

Dans les villes, on ne respire plus ...

Objectives
■ To discuss the problems of traffic congestion in towns
■ To propose solutions to these problems

● Preparation

The problems caused by traffic, congested towns, etc. provide an opportunity to revise known language. Students could take a problem and read it aloud, as if presenting a headline at the beginning of a TV/radio programme on the topic.

1, 2 These activities are suitable for pair work. A time limit could be set, as students work together at the beginning of a session. By this stage, students should be able to manage straightforward tasks such as these in French, agreeing and disagreeing as they draw up their lists. Each student should write up their own list, as suggested in the rubric. These lists could then be compared with those of another pair of students, to ensure that they have covered all the problems and solutions mentioned. Together, they decide whether they have found a solution to each of the problems, and could report back to the rest of the group.

1 Answers

la pollution causée par la circulation automobile en ville; la perte de 80 millions d'heures dans les embouteillages; le coût de la pollution; la progression des décès dus aux maladies cardio-vasculaires et aux affections respiratoires

2 Answers

Limiter la circulation:
– limiter la circulation automobile en centre-ville
– interdire la circulation automobile en centre-ville
– limiter le stationnement en centre-ville
– partager une voiture à plusieurs
– encourager l'utilisation du vélo

Développer l'utilisation des transports en commun:
– développer des couloirs de bus
– construire des lignes de RER
– développer des lignes de métro
– éduquer

3 The listening activity provides an opportunity for students to hear people talking about the problem and possible solutions, and should be seen as a step to the productive activities that follow. It would be beneficial if students could listen to the recording as often as they need to at this stage; listening to the cassette individually would also enable students to use it positively in this way (this is particularly relevant in item **d**, where students

listen and note the phrases used to express opinion). To check their work, students could be given a copy of the transcript. This not only allows them to compare their notes with the script, but also to check that they have written key phrases correctly. In this way, they can build their own vocabulary bank, which will be essential for succeeding activities.

Answers

a les voitures polluent; la pollution est néfaste aux piétons et aussi aux bâtiments; il y a trop de voitures, donc on roule très lentement **b** le développement des transports en commun; le développement des zones piétonnes; l'éducation; le co-voiturage; la création des parkings à l'extérieur des villes **c** la voiture est pratique **d** en premier lieu, il faut ...; en plus, je crois que ...; je suis favorable à ...; je crois que ...; mais, là est le problème; je ne suis pas sûr que ...; je ne pense pas que ...; à mon avis ...

Transcript Page 59 – Activity 3

– Voici maintenant notre discussion sur les mesures proposées pour limiter la circulation dans les centre-villes. Deux jeunes qui se sentent concernés par la pollution et par les problèmes actuels de circulation nous livrent leur opinion. Mais nous voulons aussi connaître la vôtre. Est-ce que ces mesures sont vraiment nécessaires? Est-ce qu'elles sont réalisables? N'hésitez pas à nous appeler.
Alors, Sonia et Raphaël, merci d'être venus. Pour commencer, Raphaël, est-ce qu'il faut limiter la circulation?
– Oui, bien sûr. On sait que les voitures polluent et que la pollution est néfaste aux piétons, surtout à ceux qui ont de l'asthme, par exemple, mais c'est mauvais aussi pour les bâtiments. Il y a trop de voitures, donc nos villes sont de plus en plus polluées et les habitants tombent malades. Mais est-ce que les automobilistes sont contents au moins? Non, parce qu'à cause du grand nombre de voitures, on roule à cinq kilomètres à l'heure. Finalement tout le monde souffre!
– Alors, vous êtes pour toutes les mesures proposées?
– Ben, oui. En premier lieu il faut développer les transports en commun. Alors, les couloirs de bus, les nouvelles lignes de métro et de RER, ça, c'est une bonne idée. Euh, moi, j'essaie déjà de ... d'utiliser les transports en commun. Mon père et moi, nous les utilisons le plus souvent possible. En plus, je crois qu'il faut développer les zones piétonnes.
– Mais les autres mesures, celles dont on parle pour limiter la circulation, qu'en pensez-vous?
– Je ne suis pas sûr que l'on puisse limiter la circulation en créant des autoroutes souterraines, qu'elles soient payantes ou gratuites. Il faut éduquer les gens. Par exemple, on voit souvent des voitures avec une seule personne dedans: le conducteur! Mon père va au travail en voiture, c'est pratique mais bien qu'il prenne sa voiture, il emmène toujours quelqu'un avec lui.
– Mais, là est le problème. On se déplace en voiture parce que c'est pratique. Moi, j'ai une voiture, mais je n'aime pas rouler trop vite; ça pollue, et je suis favorable aux mesures pour limiter la circulation en ville. Mais je ne pense pas qu'on puisse changer les habitudes des automobilistes du jour au lendemain. De toute façon, moi je crois qu'une voiture c'est indispensable. Même si on peut prendre le métro ou le bus.
– Evidemment, c'est ce qu'on pense à l'heure actuelle parce que le système des transports en commun n'est pas assez développé. Il faudrait que cela devienne un réflexe pour les gens – de prendre le bus ou le train. Par exemple en créant des parkings à l'extérieur des villes, ce qui permettrait de supprimer la circulation des voitures particulières dans le centre. Il y aurait de plus en plus de zones piétonnes.

– A mon avis, ce genre d'investissement coûterait beaucoup trop cher et par conséquent les tarifs seraient trop élevés.
– Oui, je comprends ce que vous voulez dire et peut-être que vous avez raison. Mais moi, je pense que c'est un prix qu'il faut payer.
– Bon, je vous remercie. Maintenant, c'est à vous, les auditeurs. Appelez-nous au 04.74.65.87.66. Je répète: 04.74.65.87.66. Nous attendons vos appels!

● **Extension activity**
After listening to identify if Raphaël and Sonia are for or against the proposals, students could listen and identify the reasons they give. Students should note these, and comment on how successfully the protagonists justify their opinions. Students will also be able to use their notes to help them prepare for the debate on succeeding pages.

4 Before working on this activity, students could listen to the cassette (activity 3) again and identify the additional solutions proposed.

5 a A possible **homework** activity: students could prepare
 their poster and slogan at home, or on a word processor or, if they have access, a DTP program.
  b The preparation and recording of an advert for radio could be done as pair work, with students using previous work on reading headlines and short texts aloud to give them ideas on how to pitch their short text.

● **Extension activity**
Develop activity 5 further and suggest that students prepare a short presentation, using much of the language provided here, to present a mock-up documentary-type report, on the problems and possible solutions.

Zoom sur les pronoms relatifs

Grammar
■ Relative pronouns

Students have an opportunity to revise the relative pronouns, *qui* and *que*. Refer students also to *Grammaire* 10h (SB page 214).
Answers
a qui, que; **b** qui; **c** qui, que

PAGES 60–61
Zoom sur le subjonctif (2)
Grammar
■ The present subjunctive

This page provides practice of the present subjunctive (students will have had a brief introduction to the subjunctive in unit 2; but this is their first opportunity to focus on the form of the subjunctive and when to use it).

As with other grammar sections, students could work through the page on their own. Alternatively, you could first present the use and formation of the subjunctive orally and on the board/OHP.
Following the introduction and before working on the activities, students could read back through the unit (and previous units) to find additional examples of the present subjunctive, identifying which of the categories given in *Quand utiliser le subjonctif?* applies in each case.

1 Answers
1g, 2b, 3c, 4d, 5e, 6f, 7a

2 Answers
a pense; **b** changent; **c** puisse; **d** soit; **e** devienne

If you haven't already done so, spend some time discussing with students how to file grammar work, so that they have ready access to their notes for revision/checking purposes.

● **Feuille 10**
Additional practice of the present subjunctive is provided on the second part of *feuille* 10.
Answers
a fassiez; **b** puisse; **c** sachions; **d** disiez; **e** soyez;
f paraisse; **g** s'agisse; **h** vienne

● **Feuille 11**
Before taking part in the debate, students could work through the role play on *feuille* 11. This provides an opportunity for students to prepare what they should say, following clear steps, and in a more limited context. It therefore provides an opportunity for a 'rehearsal' of the task in the Students' Book. If working with a large group, each group of students performing the role play could be observed by their colleagues, who could decide which of the contributors was the most convincing.

3 Débat
 For the debate, students refer back to the previous pages, as suggested in the rubric. They should already have noted, and possibly practised, much of the language they need. Set up the debate along the lines suggested in previous units.

Les transports aériens

This short extract taken from M6 focuses on economic problems facing Air France, and how they were addressed by the Chief Executive, Christian Blanc. The text should be used as a pre-viewing task, as it compares Air France with British Airways and contains useful language for the activities that follow.

4 Answers

a il y avait une baisse du trafic aérien; **b** supprimer un grand nombre d'emplois; fermer 62 lignes; vendre les avions trop vieux et trop coûteux; la formation du personnel pour être plus accueillant; une réduction des coûts; la modernisation

5 Answers

b, d, e, f, g

6 Answers

a = le départ volontaire; **b** = choyé; **c** = une nuit blanche; **d** = la rotation; **e** = long-courrier

Video transcript Page 61 – Les transports aériens

– Sept cent cinquante mille francs (750 000F) – c'est le coût d'un vol Air France entre Paris et New York avec quelques 400 passagers. Les voyages en avion coûtent cher ... aux compagnies aériennes!
Air France, en particulier, a connu ces dernières années de très graves difficultés financières, face surtout à la concurrence. A la fin des années 80, d'autres compagnies européennes – British Airways et la Lufthansa par exemple – s'étaient modernisées, en réduisant le nombre d'avions et le personnel.
Mais Air France a mis du temps à restructurer. Christian Blanc, le directeur d'Air France a finalement dû mettre en place une cure d'austérité pour redresser la compagnie nationale. On propose des départs volontaires au personnel navigant le plus ancien et on cherche à faire partout des économies, sur les frais d'hébergement des hôtesses, par exemple.
En 1996, la chaine M6 a voulu savoir comment le personnel vivait cette cure d'austérité. Vous allez voir le nouvel Air France de la perspective d'une hôtesse: les passagers – surtout en première classe – sont choyés, mais les hôtesses, elles, ne sont pas tout à fait satisfaites quant à leurs conditions de travail.

– Comment les hôtesses vivent-elles cette cure d'austerité? Paris, quartier la Bastille, Geneviève Donval, 40 ans, confie sa fille à sa nounou avant de partir au travail. Comme toutes les hôtesses de sa génération, elle a reçu une lettre de la direction lui proposant de partir avec 500 000 francs.

– ... et les propositions qui sont faites aux navigants ... on nous propose de partir mais moi, en ce qui me concerne, je n'ai pas choisi cette solution. J'ai l'intention de rester à la compagnie.

– Les départs volontaires, Geneviève n'aime pas en parler. Difficile de quitter un emploi où elle gagne 18 000 francs net par mois, après 17 ans de carrière. Même si elle voit moins sa fille, car depuis l'arrivée de Christian Blanc, elle travaille plus – 12 heures de vol supplémentaires par semaine.

– ... pour préparer notre briefing pour le 006, pour notre vol New York ...

– Sept heures de vol – pour huit heures, 10 bloc bloc. On a un créneau de 20 minutes environ – donc décollage prévu a 12h41, ce qui nous fait partir pratiquement à l'heure.

– L'avion est plein à craquer – 400 passagers. Ce vol coûte 750 000 francs à la compagnie; il va lui rapporter 916 000 francs. Particulièrement choyés, les passagers de Première et de Classe Affaires – à 50, ils rapportent autant que les 350 passagers de la classe Eco. Pour retenir ses bons clients, Air France a acheté de nouveaux fauteuils, à 50 000 francs l'unité.

– Désirez-vous un verre d'eau minérale? Un verre de Badoit?

– En Classe Affaires, finis les plateaux, bonjour la porcelaine, et tant pis si ça coûte trois fois plus cher à la compagnie et demande plus de travail aux hôtesses.

– Trente-cinq minutes ... 35 minutes. J'ai tellement faim. Il est six heures moins dix et je n'ai pas dîné depuis hier soir.

– Trente-cinq minutes de pause, pas vraiment le temps de faire une sieste dans les couchettes strictement réservées à l'équipage. On a compris – Air France se met en quatre pour séduire le client. Elle a dépensé un demi-milliard de francs pour refaire à neuf les cabines passagers.
Mais sur une rotation il y a aussi moyen de faire des économies – sur l'hébergement, par exemple. Et là, ce sont les navigants qui en font les frais. Hôtel St-Moritz, c'est ici que Air France les loge depuis le début de l'année. La compagnie a négocié un tarif imbattable – 380 francs la chambre. Mais les hôtesses qui n'ont que 24 heures pour se reposer avec le décalage horaire sont mécontentes. Au St-Moritz le confort est insuffisant.

– On ne se repose pas bien dans cet hôtel-là.
– Pourquoi?
– Parce qu'il y a du bruit, c'est mal insonorisé, souvent on a des chambres qui sont mal placées, avec des gens qui sont dans l'hôtel qui sont bruyants, les gens qui sont dans l'hotel ... C'est un hôtel qui a mon avis n'est pas tres cher ... donc la clientèle, c'est une clientèle de touristes, je ne sais pas ...

– Le lendemain matin, Geneviève a quelques heures pour une balade dans New York. Elle aussi préférait l'ancien hôtel.

– Avant on était dans un hôtel, le Sheraton, sur la 7ème Avenue, qui était non loin d'ici, également bien placé dans Manhattan.

– Le Sheraton, c'était plus confortable, mais aussi plus cher: 525 francs la nuit, pour les personnels d'Air France. Si les hôtesses sont furieuses, c'est aussi parce que les pilotes eux sont nettement mieux logés. Le Flatotel International, de véritables appartements négociés à 500 francs la nuit, mais on ne peut pas les payer à tout le monde.

– A New York, pour vous donner une idée on a à peu près une centaine de navigants toutes les nuits à New York, en fait tous les jours, donc toutes les nuits à New York. Donc une centaine de navigants, ça fait une centaine de chambres, une centaine de chambres, ça se négocie.

– En changeant d'hôtel, Air France économise 12 000 francs par jour à New York.
Dix-sept heures – retour à l'aéroport direction Paris, encore une nuit blanche de travail. Geneviève n'aura que 48 heures pour récupérer avant sa prochaine rotation.
Les navigants d'Air France gagnent bien leur vie – en moyenne 15% de plus que dans les autres compagnies européennes. Les pilotes sont parmi les mieux payés au monde: 50 000 francs en moyenne mais ça peut aller jusqu'à 100 000 francs par mois, autant que le salaire du Président.

7 By this stage of the course, students should be accustomed to adapting texts for their own use, and identifying key phrases and expressions that they can manipulate for other tasks. This writing task is an opportunity for such a task. As such, students could prepare a first draft as a **homework** activity (ideally on computer). This could be read and corrected by another student, or by you, before it is redrafted.
The recording of the final text provides an opportunity to reflect on the way a written text might need to be adapted for oral presentation. Given the emphasis in this unit on verbal reporting, students could use this as an opportunity to practise this skill, using a short text for a specific purpose, that is, a voice-over for a short video extract on the proposed measures for revamping Air France.

PAGE 62

Les métiers du transport

Objectives

■ To find out about transport-related jobs

■ To make notes, for the purpose of interpreting and identifying key information in response to specific questions

 The listening activities require students to listen the recording several times and should ideally be done individually.

1 Answers

a C, b D, c C, d D, e C, f D

2 This requires students to check the recording first against the questions noted in English and then against the specific information given, and will enable students to familiarize themselves with the script – an essential step for activity 3, the first interpreting task.

Before completing activity 2, students could translate the questions into French, to make it easier for them to check against the recording. As **2c** requires students to jot down some notes from memory, it would be appropriate for them to give simple *oui/non* answers to **2a** and **b**. However, as a follow-up activity, they could be asked to justify their answers, once all parts of the activity have been completed.

Transcript Page 62 – Activities 1, 2 3

– Est-ce que vous pourriez nous parler de votre métier?

– Oui, bien sûr ... ben, moi je suis chauffeur de poids lourds.

– Et pourquoi êtes-vous devenu chauffeur de poids lourds?

– J'ai la passion des camions. Quand j'étais petit, je jouais toujours avec des camions miniatures et j'aimais regarder les camions qui passaient devant la maison. Et rouler en camion, ça me donne la possibilité de découvrir des pays. Ça me plaît. En plus, je me sens libre.

– Combien d'heures roulez-vous par jour?

– D'habitude, je roule environ neuf heures par jour. Toutes les quatre heures et demie, je fais une pause ... d'une trentaine de minutes. Un chauffeur routier n'a pas le droit de rouler plus de 47 heures par semaine. Normalement, le soir, je m'arrête sur une aire d'autoroute et je dors dans la cabine. Dans ma cabine, je ferme les portes, je tire les rideaux et je me sens vraiment chez moi.

– Est-ce qu'il vous arrive de vous sentir seul?

– Oui, de temps en temps ... mais j'écoute la radio ou je discute avec d'autres routiers grâce à la CB.

– La CB?

– Oui, c'est une fréquence radio qu'on utilise. On peut discuter ensemble, mais c'est utile aussi quand on a du mal à trouver son chemin, et surtout on peut savoir s'il y a des radars sur la route!

– Alors, combien de kilomètres parcourez-vous par semaine?

– Chaque semaine, je parcours environ 3000 kilomètres. Le lundi matin, je reçois ma feuille de route, et, en général, je pars pour deux jours. Pour un trajet moyen il faut compter 1000 kilomètres ... et pour ça, il me faut deux jours de route.

– Et où allez-vous d'habitude, pour livrer la marchandise?

– Partout en Europe ... en Italie, en Hollande, en Autriche ... partout.

– Quels sont les inconvénients du métier?

– Il faut absolument respecter les délais. Alors, si on tombe en panne, on perd beaucoup de temps. C'est pour ça que j'essaie toujours de vérifier le camion moi-même avant de partir. Il faut contrôler le niveau d'huile, la batterie, le lave-glace et le liquide de refroidissement. Il faut aussi vérifier la pression des pneus.

– Est-ce que vous pourriez donner des conseils à ceux qui voudraient être chauffeur de poids lourds?

– Il est nécessaire d'avoir une bonne résistance physique et nerveuse et une grande vigilance pour réagir au bon moment et éviter les accidents. Ah, il est aussi important d'avoir le sens des responsabilités et de l'initiative afin de livrer la marchandise dans les meilleures conditions possibles.

– Et la formation?

– Ça dépend ... elle dure deux ans dans un lycée professionnel ou de un à trois ans par l'apprentissage. Ça permet d'obtenir le CAP "conduite routière" ou le BEP "conduite et services dans les transports routiers".

– Etre designer auto, c'est juste dessiner une voiture, c'est ça?

– Non, c'est bien plus compliqué que ça! Les designers inventent complètement les voitures. Certains conçoivent le volant, le tableau de bord et les sièges; d'autres la carrosserie, les portières, les poignées, etc., etc. Les designers doivent imaginer ce qui plaira aux gens dans cinq ans. Cela permet d'améliorer les voitures d'aujourd'hui, ou d'inventer les voitures de demain.

– Est-ce que c'est un travail d'équipe?

– Au départ, le designer passe des heures, seul devant sa planche à dessin. Ensuite, il travaille avec les maquettistes et le bureau d'études, qui calculent les dimensions réelles de la voiture. Souvent, on combine les idées de plusieurs designers. Après, il faut être très patient, car la voiture ne sera en service que plusieurs années plus tard.

– Est-ce que vous pourriez donner des conseils à ceux qui voudraient faire ce métier?

– Ben ... il faut être créatif, savoir dessiner et être très ouvert sur le monde, parce que le designer puise son inspiration dans les objets et dans l'art. Il faut aussi être prêt à apprendre de nouvelles techniques. Quant à la formation, plusieurs écoles existent mais très peu encore proposent une formation spécifique à l'automobile.

● **Extension activity**

Students could work in groups of three and use the listening material for further practice. Student A asks the questions in English; B acts as the interpreter; C is the non-English speaker, and therefore could be given a copy of the transcript.

As **homework**, students could prepare (individually, in pairs or in groups) information about a specific role; for example, a parent's job, their own Saturday/holiday job, or their ideal job. They then use these as a basis for additional interpreting practice in groups, along the lines suggested above.

Compétences: Entraînez-vous à servir d'interprète

The *Compétences* box contains guidelines for interpreting practice, in preparation for the final activity.

4, 5 Activities 4 and 5 provide the first opportunity in **Essor** for developing the skills required for interpreting tasks, as required by some exam boards. It is important that students should be able to listen to the cassette two or three times. The first recording provides an opportunity for checking the accuracy of their interpretation as the English is given after the French, as generally happens at international airports. The second activity is more in line with the type of task set up in the exam, where students have to switch between French and English, as required by the two other parties involved.

Transcript Page 62 – Activity 4

– Votre attention s'il vous plaît. Monsieur Meyer, passager du vol AF 531, à destination de Paris, est prié de se présenter immédiatement au bureau de renseignements.
Your attention please. Mr Meyer, travelling on flight AF 531 to Paris, is requested to go immediately to the information office.

– Les passagers du vol Aer Lingus, EI 585 à destination de Dublin, sont priés d'aller au contrôle des passeports. Embarquement à 11h35, porte numéro 31.
Passengers on Aer Lingus flight EI 585 to Dublin are requested to go to passport control for boarding at 11.35, gate 31.

– Les passagers du vol Air France, AF 531, à destination de Paris, sont priés d'aller directement au contrôle des passeports. Embarquement immédiat, porte numéro 12.
Passengers on Air France flight AF 531 to Paris are requested to go directly to passport control for immediate boarding at gate 12.

– Votre attention s'il vous plaît. La compagnie Alitalia a le regret de vous annoncer que le vol Genève-Rome, AZ 323 de 12h30 aura du retard. Nous nous excusons de ce retard, dû à des difficultés techniques. Les voyageurs sont priés de se présenter au guichet d'Alitalia pour des informations supplémentaires.
Your attention please. Alitalia regrets to inform you that the flight from Geneva to Rome, flight number AZ 323, scheduled to depart at 12.30, will be subject to a delay. We apologize for this delay, which is caused by technical difficulties. Passengers booked on this flight are requested to go to the Alitalia desk for further information.

– Les passagers du vol Iberia, IB 243, à destination de Madrid, sont priés de se présenter à la porte numéro 24. Embarquement immédiat.
Passengers for Iberia flight number IB 243, for Madrid, are requested to go to gate 24 for immediate boarding.

– Votre attention s'il vous plaît. Monsieur et Madame Bouvard, passagers du vol EI 585 de 11h45 à destination de Dublin sont priés de se présenter immédiatement à la porte numéro 31.
Your attention please. Mr and Mrs Bouvard, travelling to Dublin on flight EI 585, at 11.45, are requested to go immediately to gate 31.

– Votre attention s'il vous plaît. La compagnie Swissair vous rappelle que pour raisons de sécurité, les passagers sont priés de surveiller leurs bagages à tous moments.
Your attention please. Swissair reminds passengers that, for security reasons, they are requested to keep their baggage with them at all times.

– Votre attention s'il vous plaît. La compagnie British Airways a le regret de vous informer que le vol BA 626 de 12h30, à destination de Gatwick, est annulé à cause du mauvais temps à Gatwick. Les voyageurs sont priés de se présenter au guichet de British Airways.
Your attention please. British Airways regrets to inform passengers that the 12.30 flight BA 626 to Gatwick has been cancelled, due to bad weather at Gatwick. Passengers are requested to go to the British Airways desk.

Transcript Page 62 – Activity 5

– *Tell them we've got tickets for the 12.30 flight to Gatwick. What do they suggest?*
– Eh bien, vous avez la possibilité d'attendre ici à Genève et d'essayer de partir demain si le temps à Londres s'améliore. Vous pouvez aussi prendre le vol Genève-Manchester qui part à 17h30. Ce vol partira à l'heure, mais je dois vous prévenir qu'il y aura beaucoup de demandes pour ce vol. Ou bien, autre possibilité, vous pouvez prendre le TGV, de Genève à Paris, et puis un autre train de Paris à Calais pour prendre le bateau.

– *How long will that take, to go by train and boat via Paris?*
– Alors, le TGV à destination de Paris ... voyons, c'est un trajet de trois heures, trois heures et demie. Ensuite, il faut encore deux heures pour arriver à Calais. Et pour aller de Calais à Douvres, c'est une traversée de 75 minutes, c'est-à-dire, une heure et quart.

– *Isn't possible to catch the Eurostar from Paris? That's a lot quicker, isn't it?*
– Oui, bien sûr, c'est plus rapide. Il vous faut trois heures pour arriver à Londres.

– *If we get the plane to Manchester, we'll have to get a train back home after that. Ask how long the flight to Manchester is.*
– Voyons ... Le vol de Genève à destination de Manchester dure une heure et 50 minutes.

– *Do they know what the weather forecast is? Is the weather likely to improve soon?*
– Oui, nous avons les dernières prévisions. Dans le sud-est de l'Angleterre, on prévoit encore du brouillard jusqu'à ce soir, avec des orages plus tard dans la nuit.

PAGE 63

Un peu d'histoire

Objectives
■ To understand information on the background to current trends in public transport
■ To develop the ability to recognise word families

1 The text provides some information on the background to current thinking on public transport. Ask students the following questions:

– *L'histoire des transports en commun comporte combien de périodes? Quelles sont les dates de ces périodes?* [Trois/1900– 1950; 1950–1970; 1970–aujourd'hui]

– *La première ligne de métro, quand est-elle ouverte? Où?* [1900, à Paris].

– *Pourquoi a-t-on commencé à démanteler les tramways?* [On se servait de plus en plus de la voiture].

– *Combien de lignes de tramways existait-il au début des années 70?* [Trois, à Lille, Marseille, Saint-Etienne].

– *Où a-t-on développé de nouvelles lignes de métro?* [A Lille, Lyon, Marseille].

2 Using the text, students find the nouns or verbs to complete the table. By this stage of the course, students should be familiar with this type of activity, and encouraged to use similar vocabulary-building exercises whenever working on new texts.

Answers

le comportement/comporter; le déplacement/déplacer; l'ouverture (*n.f*)/ouvrir; l'électrification (*n.f*)/s'électrifier; l'apparition (*n.f*)/apparaître; le démantèlement/démanteler; la prise/prendre; le transport/transporter; la dotation/doter

Compétences: la prononciation

This section introduces students to the phonetic transcript used in dictionaries. The ability to read and use phonetic transcript when researching new words is an important skill, particularly in developing independent study skills and learning. Through using phonetic transcripts correctly, students can confidently look up, learn and use new words.

Some students may already be familiar with this; if not, this section provides an introduction to the recognition and use of the phonetic symbols they will encounter in dictionaries.

Transcript Page 63 – Activity 3
– inexistant, inexistante
– quasi
– principal, principale
– puissance
– démanteler
– décennie

Transcript Page 63 – Activity 4
L'automobile ou les transports en commun?
L'histoire des transports en commun comporte trois périodes.
De 1900 à 1950, c'est l'âge d'or: l'automobile étant quasi inexistante, le transport collectif est le mode de déplacement principal. A Paris, la première ligne de métro est ouverte en 1900. En province, les réseaux s'électrifient. Les premiers trolleys apparaissent en 1914.
Après la Seconde Guerre mondiale et jusqu'en 1970, l'auto va monter en puissance progressivement, et on commence à démanteler les tramways.
Puis, au début de la décennie 70, c'est la prise de conscience de l'importance du transport collectif. Lille, Lyon, Marseille se dotent de métros et, à partir des années 80, le tram refait son apparition à Nantes et Grenoble ...

5 Answers
a mobylette; **b** bateau; **c** automobile; **d** véhicule; **e** avion; **f** autorail; **g** circulation; **h** bouchon; **i** voyage; **j** conduire

Transcript Page 63 – Activity 5
– mobylette
– bateau
– automobile
– véhicule
– avion
– autorail
– circulation
– bouchon
– voyage
– conduire

As **homework**, students could draw up a list of words, on this topic, or which they would like to learn, based on this topic. They come to the next lesson with their words written in phonetics. They swap lists with a partner and try to identify the words.

Et si on allait à pied?

Objectives
■ To understand a longer text on transport problems
■ To prepare a text for oral presentation/verbal reporting
■ To practise asking for and giving information
■ To prepare a presentation on a specified topic

● **Preparation**
These pages provide a wide range of activities, based around the theme of dealing with transport problems. It would be advisable to give some information about the final activity 7, which requires students to prepare a short presentation on a walk that they have made, or would like to make, either through their home town or another town that they know well. Students will need to do some research for this, in particular identifying illustrative material they could use to support their presentation (this could be carried out as a **homework** activity).

1 Engage students' interest in the article by asking them if they can suggest problems which might be caused by a transport strike, and possible solutions. They then suggest forms of transport the journalist is likely to have used, given the title of the article.

2 This type of activity is quite straightforward and yet can stimulate quite a lot of discussion. Students can complete the task without having to understand all the detail of each paragraph.
Answers
a para 4; **b** para 5; **c** para 3; **d** para 1; **e** para 2

● **Extension activities**
– Ask students to identify sentences which provided them with the answers, in order to provide an additional opportunity to focus on the key language of the text.
– Students could work in pairs or small groups, with each group being allocated one paragraph which they have to either summarize in English, or paraphrase in French. It is important that students understand that a summary in English should not be a straight translation. Limiting the number of words they can use may help avoid this pitfall.
– The text could also be used for additional pronunciation practice, as well as an introduction to the verbal reporting exercise. Students could each read a paragraph out loud, as if presenting a radio broadcast. Their aim is to create a word-picture.

3 This task – using the text to revise uses of the perfect and imperfect tenses – could be completed at home, with students comparing their lists with a partner at the beginning of the following lesson. Students should be developing the ability to use texts in this way, so that they automatically focus on grammatical markers when reading, as an aid to interpreting meaning as well as understanding individual words and phrases.

● **Feuille 12**

Before working on activity 4, it would be useful for students to complete the tasks on *feuille* 12. This provides additional listening and reading activities, and should be of interest to students as it provides an insight to French culture, focusing on the large numbers of people who go on holiday at the beginning of July or August and the problems this can cause. Students could suggest some possible problems. The listening activity, in particular, provides an example of a short radio report, compared with the longer, more detailed newspaper article on the same subject. All the tasks could be completed as **homework**.

Answers

a ... mieux que prévu **b** ... n'a connu que des difficultés traditionnelles **c** ... les conseils de Bison futé **d** ... de nombreux automobilistes avaient soit avancé, soit différé leur voyage **e** ... la nuit de samedi à dimanche a connu une circulation assez importante, mais fluide, dans les deux sens **f** ... aucune difficulté particulière n'était signalée

 Transcript Feuille 12

– Le grand chassé-croisé des vacanciers sur les routes et autoroutes s'est passé mieux que prévu et les spécialistes de la circulation routière ne signalaient, dimanche en fin d'après-midi, aucune difficulté importante, tant en province qu'en Ile-de-France.
Samedi, seul jour classé «noir», n'a connu que des difficultés traditionnelles, en province notamment dans la vallée du Rhône. «Ce fut une journée "rouge", tout au plus», souligne-t-on au Centre national d'informations routières où l'on estime que cette bonne surprise peut venir du fait que les automobilistes ont écouté et suivi les conseils de Bison futé. Ils se sont abstenus de prendre la route dans les créneaux horaires déconseillés.
Aussi bien pour les départs que pour les retours, les professionnels de la circulation ont noté que de nombreux automobilistes avaient soit avancé, soit différé leur voyage. Du coup, contrairement aux prévisions, la nuit de samedi à dimanche a connu une circulation assez importante, mais fluide, dans les deux sens.
Enfin, dimanche, jour classé «orange» en province et en Ile-de-France, aucune difficulté particulière n'était signalée en début de soirée, notamment aux abords de Paris.

4 This activity provides an opportunity to develop verbal reporting skills. Previous tasks have focused on the text for reading only; students now have to turn it into a radio report lasting one minute, guided by the steps set out in the Students' Book. In addition, students could identify the key information from each paragraph (see extension suggestions above), as an aid to focusing on the essential text.

5, 6 These tasks focus on the language tasks of asking for and giving information. Activity 5 provides a model for the speaking task that follows as well as an opportunity for

students to identify key phrases and expressions that they can use themselves. For activity 6, students could prepare their questions/answers in pairs, providing peer support in the language task.

5 Answers

 a *destination:* la Défense; **b** *transports possibles*: le vélo, à pied, faire du roller, faire du stop, la voiture, la moto; **c** vous devriez y aller à pied; comme ça, vous éviteriez les embouteillages; vous aurez la possibilité d'observer; il serait mieux de ...

Transcript Page 65 – Activity 5

– Bonjour, je dois aller à la Défense, et je ne sais pas comment faire. Qu'est-ce que vous me suggérez?
– Eh bien ... vous devriez y aller à pied. Comme ça, vous éviterez les embouteillages, et en plus vous aurez la possibilité d'observer, de regarder autour de vous. Mais il y aura beaucoup de monde qui aura choisi le transport pédestre aujourd'hui!
– Bonne idée. Et vous, où allez-vous?
– Je vais au travail. D'habitude, je prends le métro, mais hier, avec la grève des transports, j'ai décidé d'y aller à pied, et ça m'a tellement plu que je répète l'expérience aujourd'hui!
– Merci, au revoir et bonne journée.

– Excusez-moi, que faites-vous pour aller au travail, pendant que les transports ne fonctionnent pas?
– Ben ... normalement, chaque matin, j'ai un trajet assez difficile. Il faut que je laisse mon enfant à la garderie avant d'aller au travail. D'habitude, il me faut une demi-heure pour arriver à la garderie, et encore 20 minutes pour arriver à mon bureau. Bon, euh ... les jours de grève, j'ai décidé de prendre mon vélo.
– Et ça vous plaît, cette promenade du matin, à deux?
– Oui. Il m'a fallu acheter un siège bébé. Mais je trouve que, dans l'ensemble, on fait le trajet sans trop de problèmes, et en plus, nous avons fait une petite promenade à vélo le week-end. Grâce à la grève, on a trouvé un nouveau passe-temps!
– Eh bien, vous me conseilleriez de prendre mon vélo?
– Oui, c'est pratique et en plus ça ne coûte pas cher!
– Merci.

– Je me renseigne sur les transports possibles, ici à Paris, pendant la grève. Pourriez-vous me conseiller?
– Oui ... où voulez-vous aller?
– Je vais à la Défense. Je pensais partir assez le tôt le matin, pour y aller à pied ou bien je pourrais acheter un vélo. Qu'en pensez-vous?
– Il n'est pas nécessaire d'acheter un vélo. Si vous ne voulez pas y aller à pied, ce serait mieux de faire du stop. C'est beaucoup moins cher.
– Peut-être, oui. Mais en voiture, on risque d'arriver en retard. Il y a des embouteillages sans fin.
– Oui, c'est vrai. C'est pour ça que j'évite d'utiliser les transports ... la voiture, la moto, même le vélo.
– Alors, comment vous déplacez-vous, pendant ces journées difficiles?
– Haha! Moi je n'ai pas de problème ... je fais du roller! C'est plus agréable que le vélo et beaucoup plus intéressant que le métro.
– Je m'en doute! Alors, merci et bonne journée.

7 As mentioned above, students will need time to carry out their research for this activity. It would also be useful if students used their notes on the verbal reporting task (activity 4) to help them use the skills they have already practised for focusing on key information. The article on page 64 contains models they may wish to use for expressing opinions, along with the recording (page 65, activity 5). If working with a large group, students could make their presentation to half the class only. It is also useful to set a time limit on presentations of this sort, to avoid overkill and to ensure that the audience remains interested. At this stage of the course, a presentation of 2–3 minutes would be appropriate. Preparation is essential, and some class time should be allocated to enable students to check their work with you. Encourage students to produce an OHT index to the presentation and to use a range of visuals.

PAGE 66

Interlude: Jeu-test

This text, a "personality quiz" of the type frequently used in popular magazines, provides some useful language in a clearly recognizable and light-hearted format. It would be appropriate for students to read and respond to it as originally intended, rather than view it as a learning text. The text could also stimulate some discussion about the validity of such texts.

Unité 5 Nos amis les humains

Unit objectives

Topic
- Animal rights, intensive farming, bullfighting

Language
- Expressing agreement and disagreement, approval and disapproval
- Recommending a course of action

Grammar
- *Ce qui, ce que*
- The passive and its avoidance (2)

Pronunciation
- Words beginning with *in-*

Skills
- Formal letter-writing
- Taking part in a debate

Feuilles à photocopier
- Feuilles 13, 14 (after p69)
- Feuille 15 (after p78)

PAGE 67
Nos amis les humains

Objectives
- To introduce students to different methods of rearing livestock
- To explore attitudes to these methods through the expression of agreement/disagreement

● Background information
The unit title is an ironic twist on the more familiar epithet *Nos amis les bêtes* and invites students to ponder whether animals, given the choice, would reciprocate our traditionally sentimental attachment to them.

● Preparation
Go through the alphabet with students, inviting them to give the French for as many animals as they know for each letter. You could also give students five minutes to find further examples in a dictionary, then brainstorm again as a competitive team game.

1 Answers
1f, 2a, 3d, 4e, 5b, 6c

● Extension activity
Brainstorm further to extend the list of animal rearing methods; for example, *élevage de moutons (en colline); élevage de dindes (en grange).*

2 a The intention here is for students to offer only very briefly expressed (and unchallenged) opinions, drawing phrases from the *Expressions-clés* box; for example, *Je n'approuve pas l'élevage de poules en*

batterie. One of the objectives of the unit is to teach students how to extend simple agreeing/disagreeing into the more complex area of responding and challenging.

b Again, simple answers only are expected at this stage; students could revisit these answers once they have completed the unit (see *Cinq droits essentiels*, SB pages 70–71). For now, responses such as *ils ont le droit de se promener; ils ont le droit de voir le jour* will suffice. Remind students of word order in phrases such as *ils ont le droit de ne pas souffrir.*

PAGES 68–69
Limousin: premier grand cru de viande

Objectives
- To understand and exploit linguistically reading and listening texts on cattle-rearing

● Background information
This two-page spead on the topic of Limousin cattle can be related to information given on the Limousin region in unit 3 (SB pages 44–45). Note that the texts here on the Limousin breed are followed up in the *feuilles à photocopier*, which present information on Charolais cattle. Dealing with a second cattle breed enables students to re-process some of the language acquired, which helps ensure that the vocabulary and structures are retained. Further information on Charolais cattle can be obtained from the Conseil Régional de Bourgogne, 17, bd. de la Trémoille, 21000 Dijon, France.
The Limousin text comes from a marketing leaflet produced primarily for the meat trade but also made available to the public at the *salon de l'agriculture*, a huge annual exhibition of French agricultural products which takes place each February in the Porte de Versailles exhibition halls in Paris.

● Preparation
- Refer students back to unit 3 (SB pages 44–45) and ask them to suggest what particular aspects of the Limousin landscape might suit cattle rearing.
- Students could do a vocabulary search for words in the following categories: *aspects du paysage [collines, terroir ...]; mots pour décrire la viande [mûre, tendreté, gras ...]* and to distinguish different parts of speech, in preparation for activity 5 (SB page 69).

Zoom sur *ce qui, ce que*

Grammar
- Relative pronouns: *ce qui, ce que*

● **Preparation**

It may be useful to illustrate the use of *sujet* and *complément d'objet* in sentences which do not use *ce qui/ce que* before dealing with the *Zoom* box; for example, "*La nature a bien pourvu le Limousin*" ... "*La race Limousine produit des viandes de très grande qualité.*" *Quels sont les sujets et quels sont les compléments d'objet de ces phrases?*

1 Students who still have difficulty with the structures might, with your help, be able to suggest some examples in another context; for example, state what they admire in well known people (and/or each other): *Ce que j'admire chez ..., c'est qu'il/elle ... ;* or give a piece of information about them that people may not be aware of: *Ce que les gens ne savent pas à propos de X, c'est qu'il/elle ...*

Refer students also to *Grammaire* 10h (SB page 214).

Answers

a que; **b** qui; **c** qui; **d** que; **e** que

2 Answers

a (ce qui favorise leur croissance) c'est la richesse fourragère de la région; **b** (ce qui fait sa réputation) c'est son excellent rendement en viande; **c** (ce que les clients apprécient) c'est que la viande n'est jamais grasse

4 Answers

(Example) *pour l'éleveur:* elle est robuste et bien musclée; elle s'adapte à tous les climats; elle est résistante et sans problèmes d'élevage; elle utilise les ressources naturelles du milieu

pour le boucher: elle produit des viandes de très bonne qualité; la viande est toujours mûre et tendre et d'une couleur rouge franc; le veau limousin a une grande valeur gustative; la gamme en est très large

pour le consommateur: la viande n'est jamais grasse, mais simplement "persillée"; la viande est savoureuse et fondante

5 Answers

nom	adjectif	verbe
bois (*m*)	boisé(e)(s)	boiser
croissance (*f*)	croissant(e)(s)	croître
élevage (*m*)	d'élevage	élever
richesse (*f*)	riche(s)	(s')enrichir
bénéfice (*m*)	bénéfique (s)	bénéficier
réputation (*f*)	réputé(e)(s)	(réputer) être réputé
produit (*m*)	producteur(s)/trice(s)	produire
maturité (*f*)	mûre(s)	mûrir
tendreté (*f*)	tendre(s)	attendrir
goût (*m*)	gustatif(s)/ive(s)	goûter
spécificité (*f*)	spécifique(s)	spécifier
gras (*m*)	gras(se)(s)	(en)graisser
cuisson (*f*)	cuit(e)(s)	(faire) cuire

● **Extension activities**

– Students might like to check the difference in meaning between *tendreté* and *tendresse*.

– In pairs, students could each make up a similar grid, based on the same text, for their partner to complete.

6 a Once students have completed their dictionary search 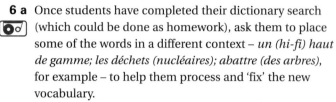 (which could be done as homework), ask them to place some of the words in a different context – *un (hi-fi) haut de gamme; les déchets (nucléaires); abattre (des arbres)*, for example – to help them process and 'fix' the new vocabulary.

b Answers

(Example) *le gros bovin:* viande haut de gamme; faible proportion d'os; peu de gras; forte proportion de bons morceaux

le jeune bovin: maturité de viande très précoce; bon rapport qualité/prix; alimentés des produits de la ferme; bon rendement de viande nette (chez les taurillons)

le broutard: on les laisse avec leur mère jusqu'au sevrage; on les revend; 100% élevage naturel: lait + herbe

le veau de lait: nourri au lait de leur mère; viande de couleur qui varie entre le blanc et le rosé

c Students report orally the information they have gathered in note form.

Transcript Page 69 – Activity 6

– Jean Favard, vous êtes éleveur de bovins limousins près de Brive-la-Gaillarde depuis une vingtaine d'années ...

– Oui, et mon père avant moi, et son père avant lui.

– Brive, c'est dans la Corrèze, alors.

– C'est exact, dans le sud du Limousin.

– Comment est le paysage chez vous?

– On peut dire que c'est le paysage qui fait toute la splendeur de notre race de bovins. Ah, oui, on a des plaines fourragères, avec un peu de relief, quand-même, ce qui donne une verdure qui dure plusieurs mois de l'année. Et puis, c'est boisé, il y a des collines, des rivières, donc, de l'eau pour les bêtes.

– Vous connaissez bien la race, votre cheptel?

– Oui, bien sûr, ça vient avec l'expérience, mais vous savez, ce qu'elle a cette race, c'est qu'elle est particulièrement forte et robuste. Bien, on essaie d'améliorer en choisissant les meilleures bêtes pour assurer la reproduction, la continuité, mais c'est une race qui ne demande pas franchement de soins très intensifs. Elles sont robustes et résistantes, ces bêtes, hein?

– C'est donc des vaches à viande que vous élevez?

– Ecoutez, quand on dit Limousin, on comprend quatre types spécifiques: on a le gros bovin qui produit une viande de haut de gamme, que ce soient les génisses de trois ans qui n'ont pas encore vêlé, ou des génisses lourdes, comme on les appelle – des vaches de quatre, cinq ans qui ont vêlé peut-être deux fois, ou alors des vaches adultes, au-delà de cinq ans, qui ont le poids carcasse de 400 kilos et plus.

– Et qu'est-ce qu'elles ont de particulier?

– Tout d'abord, elles ont une très faible proportion d'os, et peu de gras. Elles produisent une forte proportion de "bons morceaux" de viande – des morceaux "nobles" comme on les appelle.

– Donc, elles valent plus.

– Tout à fait.

– Donc, les gros bovins, et quoi d'autre?

– Après, on a les jeunes bovins – les veaux, quoi, les sevrés et les non-sevrés. Ils ont une maturité de viande très précoce. Donc, un très bon rapport qualité/prix. Et ils sont alimentés uniquement avec des produits de la ferme, ce qui permet une compétitivité commerciale remarquable. Il y en a certains qu'on garde un peu plus longtemps – ce sont les "taurillons limousins". On les abat à 20 mois – ils sont jeunes, mais musclés, avec un rendement très fort de viande nette – et très peu de déchets.

– Vous avez parlé de veaux de 20 mois... c'est l'âge minimum alors?

– Non, non. Il y en a de beaucoup plus jeunes; il y a les veaux de sept à neuf mois – des mâles ou des génisses. On les laisse avec leur mère jusqu'au sevrage, et puis on les laissse encore brouter quelques semaines. Ils sont donc à 100% d'élevage naturel – lait plus herbe pâturée. On l'appelle donc le broutard, le broutard limousin. Au bout de quelques mois on les revend, car ils sont destinés à être engraissés par d'autres, notamment les ... les Italiens. Ils prennent alors une appellation courante de "veau d'Italie", mais c'est du pur Limousin, ah oui.

– Il y a effectivement toute une gamme de ...

– Mais ce n'est pas terminé! Il y a aussi le veau de lait du Limousin. Les petits sont nourris tout le long de leur vie au lait maternel. La viande prend alors une couleur qui varie entre le blanc et le rosé. Ça demande beaucoup de soins, mais ça vaut la peine ... c'est pour cela que nous sommes des spécialistes ... que nous sommes connus.

– Merci, monsieur Favard, de nous avoir fait connaître les bovins du Limousin.

● **Feuilles 13, 14**

This would be a convenient point to tackle *feuilles* 13 and 14 (activities 1, 3, 4 and 5 only).

1 Answers

1d, 2f, 3b, 4a, 5c, 6e

3 Answers

a a une tête à front large, des cornes rondes et de couleur claire, des joues fortes, un mufle large, une poitrine profonde, des membres bien d'aplomb; **b** est charolaise; **c** muscles; **d** son intérêt économique (son potentiel de croissance élevé); **e** sélection (génétique); **f** viande (qualité bouchère); **g** une viande où la graisse est repartie entre la chair; **h** savoureux

4 Answers

a faux (muqueuses non tachées); **b** faux (faible taux de gras par rapport au muscle); **c** vrai; **d** faux (certaines caractéristiques sont en opposition); **e** faux (la qualité laitière reste à améliorer); **f** vrai

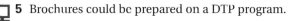 **5** Brochures could be prepared on a DTP program.

PAGES 70–71

L'élevage intensif: le pour et le contre

Objectives

■ To practise putting the case for and against intensive farming of livestock

■ To discuss animal rights

● **Preparation**

The first passage stresses the benefits of cheap and available food which intensive farming has brought to consumers. Before students read this passage, ask them to predict these stated benefits.

The text also illustrates how tenses may be used contrastively (imperfect/perfect and the present/historic present): discuss with students the tense chosen for each verb.

Before students listen to Charles Tixier, ask them to predict what Tixier will say, pointing out that the subject dealt with is intensive pig and battery chicken rearing. Put the following key phrases on the board/OHP, which students try to complete, with your help if necessary: *Avant, mon père faisait tout; il ... Maintenant je ... Il y a l'économie d'/de ...* (You could return to this type of reconstruction after students have completed their responses to activity 1.)

1 Check that students understand the questions before they complete their answers (which they can compare, as this is listening for learning, not testing).

Answers

a aux besoins d'une population plus grande et plus sophistiquée; **b** son agriculture n'était pas efficace/était mal organisée; **c** elle a intensifié et modernisé son agriculture; **d** productivité/main d'œuvre; **e** son père faisait tout, tandis que Charles Tixier fait moins, mais se concentre sur l'élevage; **f** réduit les coûts/les marges de profit

Transcript Page 70 – Activity 1

– Charles Tixier, éleveur de porcs en atelier et de poules en batterie explique les raisons de cette réussite.

– Tout d'abord, on est spécialiste et par conséquent, plus efficace. Avant, mon père faisait tout ... il produisait des grains qui nourrissaient les volailles dans la basse-cour, il faisait l'incubation, l'élevage des jeunes. Maintenant, j'achète à l'extérieur toute la nourriture nécessaire, les poules me viennent d'un accouveur ... ce qui me permet de me concentrer sur un élevage correct. La sélection génétique est maintenant très scientifique, ce qui assure un animal productif.

Et puis il y a l'économie d'espace. Mes porcs sont élevés en atelier plutôt qu'en prairie. Si le nombre de bêtes par hectare est triplé, les coûts par tête sont divisés par deux et ainsi les marges de profit sont conservées malgré les baisses des prix de marché.

On peut constater aussi que les méthodes intensives limitent les pertes d'énergie des animaux ... ils sont très près l'un de l'autre et par conséquent ils bougent moins et conservent leur poids.

Et puis les bêtes sont bien nourries car leur ration alimentaire est étudiée et complétée par des produits industriels qui sont très forts en énergie. Dans certains cas, on rajoute des hormones qui favorisent la formation de viande, et des antibiotiques pour éliminer les maladies. Encore une fois la productivité est augmentée.

Ah, je sais bien que tout le monde n'est pas d'accord avec certaines de ces méthodes, mais on ne peut pas faire remonter le temps et j'ai ma vie à gagner!

● **Extension activity**

Reinforce students' learning by asking them to give their own (oral) explanations of some terms used in the texts: *des déficits de viande; un accouveur; rapport qualité/prix; les marges de profit*, etc.

3 This introduces a code of animal rights. Encourage students to give full-sentence answers: *Avec l'élevage de porcs en batterie, le premier droit essentiel est défendu, parce que les porcs sont bien nourris ...*
Some students may contest the responses of others. Help them to do this in French (refer them also to the *Expressions-clés* on SB page 67).

4 When students have completed their lists, ask them to list also associated parts of speech for the words listed (cf. activity 5, SB page 69); for example, *pondeuses/pondre/ponte*, etc.

5 Discuss the use of emotive/neutral language (*langage émotif/langage neutre, impersonnel, sans parti pris ...*); for example, *emprisonnés, concentrationnaires*.

6 Refer students to the *Expressions-clés* box. Help them with some examples if necessary and ensure that they use the whole range of expressions, including the *Expression-clés* on SB page 67.

7 Groundwork for this role play could be done as **homework**. The role play prepares the ground for fuller debating which follows on SB page 74. Some students could also write a polemical piece for or against intensive farming methods; a speech for an animal rights rally, or a farming conference, for example.

PAGE 72
Zoom sur le passif et comment l'éviter

Grammar
■ The use and avoidance of the passive tense (2)

● **Preparation**

Any students who have not yet mastered the passive may need a couple of succinct examples (preferably on the board/OHP) to help them grasp the difference between active and passive sentences; for example:
Un camion a transporté les 30 veaux en Belgique.
Les 30 veaux ont été transportés en Belgique dans un camion.
(This can be explained graphically in the target language: *Voici le sujet, voici le complément d'objet; alors phrase active ... pas de complément d'objet, alors phrase passive.*)

1 Answers

(Example) **A** on emprisonne; **B** (ce sont) des poules heureuses (qui) ont pondu; **C** l'éleveur/on va claustrer; **D** on considère (les fermiers/les vétérinaires considèrent); **E** on/le fermier a séparé

When dealing with the *Attention!* note, distinguish between *demander* used transitively and intransitively. (*Demander* is included here because students often want to construct the impossible phrase *Il a été demandé de ...*).

2 Discuss with students the issue of agreement of past participles triggered by *être* in passive forms.
Answers
b les truies enceintes sont attachées; **c** les veaux vivants sont transportés; **d** les veaux sont séparés; **e** des millions d'animaux sont enfermés; **f** une campagne est menée contre le transport

● **Feuille 13**

Students could now do *feuille* 13, activity 2 as **homework**.

PAGE 73
Le label rouge – un logo connu, une garantie de qualité

Objectives
■ To practise recommending a particular course of action

● **Background information**

This page introduces the French system of the *label rouge* – a 'kite-mark' system for food, whereby the provenance of meat (and other food) products can be traced, through tagging and marking, from the field (or the sea) to the shop counter. This system is in operation in a number of EU countries, including Ireland, but is not mandatory in the UK at present, although it was proposed as a package of measures to combat the beef crisis. The *label rouge* does not in itself offer a complete guarantee of quality (for example, it does not cover the type of feed used), but it does facilitate the identification and control of any source of contamination, and so offers reassurance to the customer.

1 Answers

a juger, alimentaire; **b** charcuteries, produits laitiers; **c** éleveur, cahier; **d** identification; **e** publicitaire, contrôles
As this activity is for learning, not testing, students either work in pairs or compare their answers before running through them orally.

2 Answers

 l'éleveur: accepte de remplir un "cahier des charges de production"; *l'abatteur:* maintient un "cahier des charges d'abattage"; *le détaillant:* connaît l'origine de sa viande (la qualité est garantie).

Transcript Page 73 – Activities 1, 2
– Bonjour à tous et à toutes, et bienvenue à "Carrefour des consommateurs". Pour commencer, nous allons parler du label rouge, et Danièle Genest va nous expliquer ce que c'est exactement.
– Aujourd'hui les consommateurs sont très exigeants, et c'est une bonne chose. Mais il est parfois difficile de juger de la qualité d'un produit alimentaire tout simplement par son aspect. Depuis 1960, tous les produits agricoles et alimentaires peuvent bénéficier du label rouge. Vous le trouverez notamment sur les volailles, les viandes, les charcuteries, et les produits laitiers, et depuis peu sur les produits de la mer, les fruits et légumes, ... et même sur le sel. Le signe atteste que chaque produit qui le porte a été reconnu officiellement de qualité supérieure. Comment? Eh bien, en ce qui concerne la viande, par exemple, l'éleveur accepte de remplir un "cahier des charges de production" qui est une sorte de carnet de bord pour chaque animal – ce qu'il pèse, ce qu'il broute ... . De même, l'abatteur qui reçoit l'animal est chargé de maintenir un "cahier des charges abattage", et finalement le détaillant, le boucher, connaît l'origine de sa viande, qu'il vend en exclusivité. La qualité est garantie par l'identification de la bête depuis la ferme jusqu'à la table. Chaque morceau de viande porte une étiquette détaillée.
Si jamais le client n'est pas satisfait de la qualité d'un produit, il peut toujours y avoir un recours, puisqu'il s'agit de professionnels qui se sont engagés à travailler ensemble. Le label rouge n'est pas un simple signe publicitaire, c'est une éthique de production, garantie par des contrôles réguliers du Ministère de l'Agriculture.

3 Scripts could be word processed and redrafted on screen.

● **Extension activity**

Some students could go beyond writing the script and make a video of their TV ad, supplying their own visuals (pictures of cattle in fields, etc.) and props (white lab coats, etc.).

Ça se dit comme ça!

Objective
■ Pronunciation of words beginning with *in-*

Transcript Page 73, Ça se dit comme ça!
– Activities 4, 5, 6
– internationale, incidence, interview, informations, intensifs, inscrite, intérêts, indique, insatisfaction

– inactif, inattentif, inégal, inepte

– inerte, intrépide, involontaire, infini, interdit, inadmissible

● **Extension activity**
After completing activities 4, 5 and 6, students could compile (with the help of a dictionary) an additional list of words beginning with *in-* and challenge a partner to pronounce them correctly.

PAGES 74–75
La tauromachie: spectacle sublime ou torture barbare?

Objectives
■ To reprocess the theme of animal rights through a discussion of bull-fighting
■ To practise debating skills

● **Background information**
Bull-fighting (and derivative spectacles involving bulls and other animals) is practised – with or without the kill – in various towns in south-east France, notably Arles and Nîmes, where the Spanish influence is strong. As well as the arena-based bull-fights more commonly associated with Spain, there are numerous events in towns and villages (some of genuine local folkloric origin, others organised to attract and entertain tourists), from the rodeo-like branding ceremonies of the Camargue to the running of young bulls pursued by horsemen through fenced-off streets, and "comic" wrestling with bullocks in improvised swimming pools constructed in village streets and squares. These spectacles (increasingly contested by animal rights groups) are usually accompanied by singing, dancing, outdoor catering and funfairs.

1 This accesses some of the vocabulary which will be encountered on the cassette (activity 2) and can be done as **homework**.
Answers:
a 2D; 3F; 4A; 5C; 6G; 7B
b *pour:* 1, 3, 4; *contre:* 2, 5, 6, 7

2 Before listening to the cassette, students try to match each of the opinions given to the photos and job details. Encourage students to give longer answers rather than simply stating ..., *c'est le journaliste*, for example. There is good potential for debate between students here; help them get started with useful phrases such as *A mon avis les ... sont normalement ...; On a tendance à considérer les journalistes/jeunes plutôt ... .*

Transcript Page 74 – Activity 2
– Mesdames, Messieurs, bonsoir, et bienvenue à la centième édition de "A mon avis." Nous avons choisi pour cette centième édition un sujet qui suscite bien des émotions: il s'agit de la tauromachie.
Nous avons parmi nous, comme d'habitude, des invités qui ont des avis contraires sur cette question.
Je vous présente d'abord Jean-Louis Gomez, qui est torero. Bonsoir, Jean-Louis.
– Bonsoir.
– Ensuite, Madame Monique Charles, adjointe au maire de Nîmes. Bonsoir, Madame Charles.
– Bonsoir.
– Je vous présente ensuite Karine Laurent, qui est étudiante. Bonsoir, Karine. Vous faites des études vétérinaires, non?
– C'est ça, oui. Bonsoir.

– Et puis je vous présente Xavier Merlin, qui est journaliste. Bonsoir, Xavier.

– Bonsoir.

– Jean-Louis Gomez, je vous invite à prendre la parole le premier. Vous êtes à 100% pour la tauromachie puisque c'est votre profession. Qu'est ce qui vous a décidé de vous lancer dans cette voie? Quels sont les attraits?

– Ce qui m'a surtout attiré c'est le côté tradition et le côté, disons esthétique. La corrida, c'est quand même quelque chose de très beau, c'est un spectacle magnifique, et quelque chose aussi qui remonte très loin dans le passé – qui m'aide donc à renouer avec mes racines espagnoles, moi qui suis né d'un père espagnol, et donc avec la tradition de ma famille. Et puis évidemment il s'agit d'une épreuve de courage à laquelle je veux bien me mesurer.

– Karine, je sais que vous désapprouvez la tauromachie mais est-ce que vous arrivez à comprendre la passion de Jean-Louis pour son métier?

– Franchement, non. D'autant moins que pour moi il ne s'agit absolument pas d'un art. J'admets que l'on parle de spectacle, mais il faut préciser que c'est un spectacle de torture, et que le torero joue le rôle de tortionnaire là-dedans. Le taureau souffre atrocement: on lui enfonce ces piques d'acier dont la pointe mesure au moins 10 centimètres et qu'on appelle si joliment les banderilles.

– Mais là vous exagérez: la peau des taureaux est très épaisse. D'ailleurs les scientifiques ont montré qu'on ne souffre pas d'une blessure au moment où l'on est blessé: citons Montherlant, qui explique ceci très clairement. Le taureau est bien plus fort que l'homme. Par conséquent il faut l'affaiblir légèrement afin que le combat entre l'homme et la bête soit un combat égal. En réalité on admire le courage et la noblesse du taureau autant que le courage du torero.

– Il est inadmissible d'insister sur le courage du torero quand on n'explique pas qu'il s'agit d'un combat inégal. Le taureau est complètement terrorisé, il se retrouve tout seul dans l'arène, tandis que le torero, lui, est entouré par toute une équipe de tortionnaires. Il y en a qui prétendent qu'il faut être courageux pour être torero. Moi je dis qu'au contraire il faut être lâche – lâche et cruel.

– Xavier Merlin, vous avez récemment tourné un documentaire sur la tauromachie. Quel est votre point de vue sur cette question de cruauté? Avez-vous des éléments d'information là-dessus?

– Euh ... je suis d'accord avec Karine. Les promoteurs de tauromachie voudraient faire croire, comme votre invité Jean-Louis Gomez, que la peau des taureaux est épaisse et que par conséquent les banderilles ne leur causent aucune douleur. Qu'on dise qu'un taureau a la peau épaisse, d'accord, mais cela ne l'empêche pas de souffrir. Au contraire, même. Cette peau est peut-être épaisse, mais elle est quand même très sensible. A ceci s'ajoute le fait que très souvent on scie les cornes du taureau, ce qui lui cause des douleurs atroces. Ceci s'oppose à toute notion de noblesse ou de dignité.

– Mais si, il s'agit bien de noblesse et de dignité. Il s'agit surtout d'une maîtrise de soi. Ceci est à l'origine du côté rituel de la tauromachie. On n'a qu'à voir l'entraînement que reçoivent les jeunes qui s'inscrivent à l'école de tauromachie de Madrid. On leur apprend la technique mais aussi la discipline et le courage.

– On leur apprend surtout à maltraiter et à martyriser les veaux. A mon avis il faudrait commencer par fermer ces soi-disant écoles. En revanche, je trouve qu'on a le devoir d'apprendre aux jeunes le respect de tous les animaux.

– Madame Charles, qu'en dites-vous?

– Je suis d'accord avec Karine et Xavier sur l'essentiel: il est nécessaire à tout prix d'éviter la souffrance du taureau. En revanche, je pense qu'il faut encourager le folklore régional, et, justement, à Nîmes nous proposons les célèbres courses à la cocarde, où il n'est pas question qu'on tue le taureau. Les férias attirent des foules énormes dans la ville de Nîmes – les

gens viennent voir non pas la mise à mort d'un animal mais les couleurs, la musique, le soleil, le spectacle, quoi. Je suis convaincue qu'il s'agit réellement d'un art, alors pourquoi ne pas donner son soutien à ces formes de tauromachie sans cruauté? Si par exemple, on interdisait toute corrida avec banderilles et mise à mort ...

– Evidemment, à la mairie de Nîmes, on est dans l'obligation d'attirer les touristes et surtout l'argent des touristes. Mais cet argument en faveur des courses à la cocarde n'est guère convaincant: pour ceux qui n'ont jamais vu un de ces spectacles ignobles, il faudrait préciser que la cocarde est un ruban qu'on attache aux cornes du taureau. Durant la course, des hommes essayent d'arracher ce ruban avec un crochet métallique. L'animal est très souvent blessé – il lui arrive, par exemple, de perdre un œil.

– Je suis d'accord avec Xavier. Je trouve que ce genre de spectacle est tout aussi cruel que la corrida telle qu'elle se pratique en Espagne – en définitive, ce qu'il faudrait faire, c'est interdire la tauromachie tout court.

– Jean-Louis, un dernier mot?

– Ces jeunes gens parlent avec beaucoup de conviction. Il ne s'ensuit pas forcément qu'ils ont raison. Voilà ce que je propose aux auditeurs de cette émission: venez voir une corrida, laissez-vous gagner par l'émotion du combat et par la beauté du spectacle.

– Merci, Jean-Louis et merci à tous nos invités de ce soir. Mesdames, messieurs, bonsoir et à la semaine prochaine.

2 Answers
Monique: b, f; *Xavier:* h; *Karine:* c, e; *Jean-Louis:* a, g, d

PAGES 76–77
Débat: l'élevage intensif – vous êtes pour ou contre?

Objectives
■ To teach the skill of debating
■ To consolidate expressing agreement/disagreement

● **Background information**
This two-page spread enables students to combine language acquired in examining the pros and cons of bull-fighting with that acquired in the course of the discussion on intensive farming; thereby reprocessing language as well as extending debating techniques.

● **Preparation**
Make the maximum use of class time by setting up the teams during the preceding lesson; each team decides who will concentrate on which aspect of the topic, so that they can do their own preparatory rereading of material presented earlier in the unit and read the new material on these pages in advance. Encourage students also to learn the *Expressions-clés* (SB page 76).

1 At the start of the lesson in which the debate takes place, the teacher/French assistant could 'rehearse' individual contributions.
If feasible, arrange for Year 13 students to be the voting audience for this (Year 12) debate. Alternatively, if you have access to camcorder, record the debate to show to Year 11 students.

● **Extension activity**

 As a follow up activity to the debate, each side could prepare a presentation of their case by learning (with the aid of notes) one of the texts and using OHT versions of the photos to illustrate their points.

PAGE 78

Compétences: Exprimer ses opinions par écrit

Objective

■ To practise writing formal letters to express an opinion

1 Letters can, of course, be more easily drafted/redrafted on a word processor, paying attention to the French layout conventions, as in the examples in the Students' Book. Remind students that the place of writing precedes the date.

2, 3 Before students write their own letters, practise with them the rhetorical device of inversion (illustrated in the second letter) by preparing some phrases to invert; for example:
Les clients n'admettent pas des prix élevés > Les clients, pourquoi n'admettent-ils pas des prix élevés?
Les citoyens doivent rester insensibles aux scandales de l'élevage intensif > Les citoyens, doivent-ils rester insensibles … , etc.

● **Feuille 15**

Feuille 15, which offers additional letter-writing practice, could be done at this point.

1 b Students could incorporate some of the cruelty to animals arguments dealt with in the Students' Book. Explain to students the difference between *végétarien (une personne qui ne mange pas de viande mais qui consomme les produits laitiers)* and *végétalien (une personne qui ne consomme ni viandes ni produits laitiers).*

 2 This could be also be recorded on video.

Unité 6 Le monde des médias

Unit objectives

Topic
- Advertising, the press, journalism

Language
- Analyzing advertisements and planning a publicity campaign (pp80–83)
- Discussing television news reporting (p84)
- Discussing freedom of the press (p86)

Grammar
- Negatives (p81)
- Relative pronoun *dont* (p84)
- The pluperfect (p87)
- Inverted word order (p89)

Pronunciation
- Semi-vowels (p86)

Skills
- Writing newspaper reports (p85, pp87–9)
- Scanning texts for detail (p88)
- Register recognition (p89)

Vie active
- Journalism (p85)

Feuilles à photocopier
- Feuille 16 (after p84)
- Feuille 17 (after p87)
- Feuille 18 (after p87, p89)

Survol
- Revision of units 4, 5 and 6 (pp91–2)

PAGE 79
Le monde des médias

Objectives
- To introduce the theme of the unit
- To revise students' previous knowledge of vocabulary relating to the topic, and introduce some new vocabulary
- To express opinions on becoming a journalist

1, 2 The short extracts present a snapshot of some key language and areas that will be covered in the unit.
- Sections A and E both offer opportunities for dictionary work, possibly as a **homework** preparation activity, using a bilingual dictionary with Section A and a monolingual dictionary with Section E. Before using their dictionaries, in A, students could suggest the English equivalents. Section E provides an opportunity for vocabulary building. Encourage students to find synonyms for the words listed.
- Section B: students could suggest why it costs more to run an advert on Sunday evening than in the morning.

With a magazine in front of them, encourage students to suggest which advertising slot is likely to be the more expensive and why.
- Section C: following some research, students could identify which is the most popular newspaper in their country. A comparison, later in the unit, between the most widely read newspaper in France and that in their own country, could lead to some interesting insights into cultural differences.
- Section D: ask students to brainstorm as many words or phrases as possible on the subject of media. These could be noted and followed up at the end of the unit with some evaluation of what they have found out about, or can express an opinion on, as a result of their studies.

3, 4 The pair work activity provides an opportunity to share any information they have on the work of journalists. Invite students who are involved in school newsletters or magazines to give some indication of the work involved in preparing material for publication.

PAGES 80–81
Que pensez-vous de la publicité ?

Objectives
- To introduce key language for analyzing advertisements
- To summarize a short text in English
- To introduce some strategies used in advertising
- To analyze a range of advertisements

1 Reading tasks of this nature (matching titles to paragraphs) require a careful study of the text in order to understand the key ideas of each paragraph and identify correctly the titles. Students could work in pairs and use this as a vocabulary building activity, making use also of other strategies and dictionary skills they have developed in the previous units.

Answers
A Préciser le but de la publicité; **B** Un jeu de mots;
C Choisir son angle; **D** Le message caché...

2 Students could compare their answers to activity 1 with another pair of students – enabling them to check that they have correctly understood the text and providing an opportunity for any language problems to be addressed – before doing this follow up activity. Point out to students that, later in the unit, they will have an opportunity to prepare their own advertising campaign, and activities of this nature, which require them to draw out the key ideas from the text, will provide a useful foundation.

● Preparation
It might be appropriate to allow students to listen to activities 3 and 4 at home, or if possible in school, at individual listening posts. (Tasks such as these, which

require students to note key phrases which will then be used for productive tasks, are more suited to individual work than whole class work.) Whether this is possible or not, additional support could be provided through specific comprehension questions, or by providing a copy of the transcript with key words or short phrases deleted. Students have simply to complete the text. Some possible comprehension questions:

– *Selon la première personne, quelle image de la famille est présentée par la publicité?*
– *Que dit-elle sur cette vision de la société?*
– *Selon la deuxième personne, l'homme moderne, comment est-il?*
– *Est-il d'accord avec cette image?*
– *Pourquoi la publicité est-elle dangereuse?*
– *La troisième personne cite trois raisons pour ne pas aimer la publicité. Notez-les.*

3, 4 The previous activities focused on the steps taken by advertisers when planning a campaign; now students learn the language necessary for responding to such campaigns. The listening tasks move from general responses to specific language work, ensuring that students can progress with confidence.

● **Follow up activity**
If students have not previously had access to the transcript, they could use it at this point to check their word/phrase list and perhaps for additional language work.

● **Extension activity**
Set the task in the context of the world of work: ask students to imagine they work in the field of advertising. Their boss is interested in the article *Comment la pub nous influence* and has asked for a summary in English. Students could work in groups of two or four. In the former, they each summarize two paragraphs and in the latter, four.

3 Answers
a Kader; **b** Catherine; **c** Patrick; **d** Noémie

Transcript Page 80 – Activities 3, 5
– Patrick.
– Moi, je n'aime pas du tout les pubs qui ciblent les ados ou les enfants. Je trouve qu'on s'adresse aux jeunes comme s'ils étaient des demeurés ou comme s'ils n'avaient aucune personnalité ... Je crois que les publicitaires font preuve d'un grand mépris vis-à-vis des jeunes.
– Noémie.
– Je suis absolument contre ce genre de publicité. Vous savez comment sont les enfants: ils veulent tout ce qu'ils voient et certains parents ne peuvent pas – n'ont pas les moyens de satisfaire les envies de leurs enfants. Je crois que c'est très humiliant pour les parents et très frustrant pour les enfants.
– Kader.
– Ah, moi, j'adore la publicité parce que c'est marrant. Bon, bien sûr, il y a des pubs qui sont moins bonnes que d'autres. En tout cas, je ne pense pas que cela soit "dangereux". Je crois que les gens savent très bien faire la différence entre la pub et la réalité, et il est bien évident que la publicité n'a rien à voir avec la vie réelle.

– Catherine.
– La pub pour les jeunes? Euh ... je crois que c'est assez nocif pour eux car ça donne une vision complètement faussée du monde, de la société en général ... Dans les pubs, tout le monde est riche, beau, intelligent et les jeunes pensent qu'ils doivent se conformer à ces images. Je trouve que la publicité en général n'est ni amusante ni inoffensive.

Transcript Page 80 – Activities 4, 5
– On fait une enquête sur le pouvoir de la publicité. Qu'en pensez-vous? Est-ce amusant? Nécessaire? Ou trouvez-vous cela dangereux?
– La publicité nous présente des images démodées ... par exemple, le bonheur stéréotypé de la famille classique. Mais personne ne vit dans une telle famille. En plus, on nous présente des images rassurantes ... paisibles ... et cela donne l'impression que si on achète telle lessive ou telle voiture, on sera plus heureux, ou la vie deviendra plus intéressante ... bref, cela donne une vision complètement faussée de la société.
– Et vous monsieur, qu'en pensez-vous?
– Je trouve la publicité un peu banale, un peu simple ... surtout les images qu'on nous présente de l'homme ou de la femme moderne. On nous dit: l'homme moderne n'est plus ce qu'il était ... Il n'est ni macho ni ambitieux. Il veut être bon papa, il adore la nature ... C'est tout à fait faux ... et en plus, je crois que c'est dangereux. En cherchant toujours à faire appel à des sensations de bonne santé, de jeunesse, de beauté, euh ... les publicitaires risquent de susciter des envies impossibles à satisfaire.
– Et vous aussi, vous trouvez ça dangereux?
– Je déteste la publicité, surtout celle qu'on voit à la télévision. En premièr lieu, tout le monde est riche, beau et intelligent. En plus, cela représente un mode de vie irréel ... personne ne vit comme ça! Et ils s'adressent aux jeunes comme s'ils étaient sans opinion sur quoi que ce soit, comme s'ils n'avaient aucune personnalité.

5 Having listened to the recordings for activities 3 and 4 again, students are now equipped with the language necessary to express a personal view on advertising in general. At this stage, they are expressing a general view; subsequent activities require them to analyze individual advertisements.
Activities of this nature need to be managed carefully in class, to ensure maximum language use. Give students a time limit to compare their own views with a partner; each pair could then report to the class, giving their collective view. In a large group, this could be done by dividing the class in half; students report to their half of the class. A final reporting between the two large groups would be appropriate.

6 As with the previous listening activities, students move from the general to the specific in analyzing advertisements. Having summarized the techniques listed on page 81, students could give examples of advertisements in which the three techniques have been used.

7 This activity provides an opportunity for students to analyze the specific advertisement presented before carrying out their own research and selecting three advertisements, analyzing them and writing a report. The first part of the activity should be done in pairs. Working in this way provides a level of support, and encourages students to express their own views and compare them with those expressed by another student. Do they see things the same way?

They should refer to the *Expressions-clés* for both this and the writing activity. The second part of the activity – researching adverts and writing a report – could be completed with a partner, although care needs to be taken to ensure that each student completes their share of the work.

Report-writing of this nature, which should involve an element of drafting and redrafting, might best be done using a word processor.

Zoom sur la négation

Grammar
■ Negatives

Many students will already be familiar with complex negatives. Additional explanations and examples are provided in *Grammaire* 13, (SB page 216).

8 Answers
b les ventes n'ont progressé que de 0,6%; **c** le bilan n'est guère rassurant; **d** les annonceurs n'ont aucun intérêt; **e** la presse ne peut plus refuser

PAGES 82–83
Une publicité pour quoi faire?

Objectives:
■ To discuss the role and purpose of advertising
■ To identify some additional strategies used in advertising
■ To plan an advertising campaign

● **Preparation**
It is important that students have opportunities to work in depth within topics. Having completed the first stage of their work on analyzing advertisements, they now are required to look in greater depth at the role of the consumer and also at the purpose of advertising. For this reason, begin by asking students to suggest, in simple terms, reasons for advertising. For example, *Est-ce qu'on fait de la publicité pour un produit simplement pour augmenter les ventes?*

1 The first activity is a straightforward vocabulary task. It might be appropriate at this stage of the course for students to evaluate the strategies they use for identifying, noting and learning new vocabulary. Remind them that, if they are not already doing so, they can create their own database of vocabulary, using appropriate software. Key words can be listed, for

example, by topic or word family, and with opportunities for cross-referencing.

Activities of this type require a thorough understanding of the text, to facilitate identification of the correct definition of each word. However, the use of words that resemble English words provides a level of support in completing the task.

Answers
1b, 2e, 3a, 4d, 5f, 6c

2 Tasks of this type require students to show a good understanding, not only of the language, but also of the meaning of the text. It is important that students use their own words (simple phrases only at this stage) to complete the sentences, rather than lifting words and phrases directly from the text.

3 Having begun by asking students to consider the purpose of advertising, they now approach the subject from a different perspective: is it possible to sell without advertising? It is suggested that they discuss this notion for a brief time in pairs, as a prediction task. By focusing on the key question before listening to the recording, students are already preparing themselves for the language they are likely to hear.

This activity could be used as a brainstorming task. Give each group of students an OHT and pen. Following the brief preparation task, allocate one of the steps of the task outlined in the Students' Book to each group of students. They only need to listen for the answer(s) to 'their' question, which they note on the transparency. Collate all the answers together and agree a group decision: *Est-ce possible de vendre des produits sans publicité? Nous aurions dit que … Cependant …*

Transcript Page 82 – Activity 3
– Vous écoutez toujours "Carrefour des consommateurs". Passons maintenant à la publicité. Lorsque, dans l'alimentation, un produit vaut 100 francs, 30 sont destinés à payer le marketing et la publicité. Dans la cosmétologie et la parfumerie, la part de la pub et du packaging atteint même 90 francs. On dirait, alors, que la promotion d'un produit est indispensable. Mais est-il possible de vendre des produits sans publicité? Matthieu Sittler répond.
– Il faut examiner les résultats de vente de plusieurs produits. Par exemple, dans les années 70, les grandes surfaces ont demandé à des fabricants de leur fournir des produits sans habillage, sans étiquette et sans pub à payer. Ainsi sont nés les produits sans marque. Vendus sous le nom des grands magasins tels que Carrefour, Auchan, et les autres, ils représentaient 6% du marché en 1976 dans les secteurs alimentation, entretien et hygiène-beauté. Aujourd'hui, leur part de marché augmente régulièrement.
Ainsi, qui connaît les pâtes Body? Personne. Cette entreprise diffuse ses produits sans marque dans les grandes surfaces et fabrique l'équivalent de 7% de la production des pâtes Panzani. Même chose pour les sirops Routin, qui représentent 12% du marché du sirop, sans aucune publicité, préférant investir dans la robotisation.
En 1992, dans les hypermarchés, un produit sur cinq vit sans publicité. Et le phénomène s'accentue: un paquet de pâtes sur trois est vendu sans pub.
– Alors, est-ce pour autant la fin des marques?

– Les grands fabricants n'y croient pas. Des études leur ont montré que le consommateur a toujours besoin de repères et de références. Les publicitaires vont donc continuer à nous persuader d'acheter leurs produits, quelles que soient les techniques utilisées ...

4 Students could refer back to previous advertisements they have analyzed in the context of this activity, in addition to focusing on the three presented here. Alternatively, they could each suggest one or more advertisements that correspond to each of the aims listed here.

● **Preparation**

As preparation for activity 5, students could be asked to listen to a French commercial radio station, and identify some key phrases or slogans from the advertisements they hear. As this is quite a difficult task, given the speed at which many of these are presented, an alternative would be to record some current French advertisements and give students a copy to listen to at home. If your school has access to satellite TV, there is also the opportunity to record some current television advertisements (see below for suggested exploitation), which could be used to supplement and extend the activity. Additional source material of this nature will also provide some models for the productive activity that follows.

● **TV advertisements**

TV ads, with their lively sound tracks and powerful images, are usually fun to work with. Advertising is plentiful on the French terrestrial channels (TF1, France 2, M6) which are available via satellite, although there is little direct advertising on TV5, the international satellite channel. The time you make your recording will dictate the type of advertising you pick up. For example, the advertisements broadcast during France 2's morning slot *Télé-Matin* tend to be directed at mothers and children, while those broadcast later in the evening are more general. Advertising on most French channels is presented in sequences of around three minutes. During this sequence, anything up to 15 advertisements may be broadcast. In order to grasp more than a general idea of each advertisement, your students will need to see the ads several times. Pausing your recording after each individual ad is rarely effective as the ads are presented in very quick succession.

It is advisable to work on TV advertising after your students have developed some familiarity with analyzing print or radio advertising.

Exploiting TV advertising

Task

Students complete a brief analysis of a series of advertisements by means of the procedure given below. It is advisable not to show more than eight advertisements in any one sequence.

Publicité no.	1	2
a Images		
b Produit		
c Clientèle visée		
d Message (implicite ou explicite)		
e Slogan?		
f Techniques employées (éduquer, informer, choquer, amuser, faire rire ...)		
g Score sur 10		

First viewing

Show the sequence and simply ask your students to count the number of advertisements presented. Then hand out the grid and invite them to fill in any information they can remember.

Second viewing

Depending on the number of ads in the sequence and the number of students in the class, ask each student to focus on one or two of the ads and complete the boxes a–c in the grid. Debrief for all the ads in the sequence.

Third viewing

Before viewing a third time, invite students to jot down ideas in response to boxes d–f for "their" ad(s). Then play the sequence again, if necessary pausing where appropriate and feasible. In small groups, students discuss "their" ads and then present their analysis to the rest of the class. Invite discussion from others, particularly on interpretation of the "message" of the ad and clarify any language difficulties.

Fourth viewing

Now that all students have a reasonable idea of each advertisement in the sequence, show it a final time and ask students to give each ad a score out of 10. In debriefing this exercise, ask students to explain the reasons for their scores.

Verbal ads

If the advertisements you select are predominantly verbal, a useful follow up to viewing may be a transcription exercise from an audio dub of the sound track.

Visual ads

A number of advertisements use very little language and communicate primarily through images. While they may not provide new language or comprehension exercise, they can serve as a powerful stimulus to discussion activities. Students can be invited to comment on the images chosen, and if the pictures tell a story, to recount or extend the narrative. A further task is for students to write a sound track for the ad.

Transcript Page 83 – Activity 5
– Dépêchez-vous! C'est la fête chez Le Roi Merlin jusqu'à 20 heures samedi.
– Vous allez découvrir ce que le mot "service" veut dire.
– Contactez les conseillers Gaz de France au 0800 35.65.20.81. L'appel est gratuit.
– Vous n'imaginez pas tout ce que Citröen peut faire pour vous.
– Je l'ai vu, je rêve de l'acheter!
– L'annuaire sur Minitel. Le 36.11, il parle comme vous et moi.
– Non! Tu n'as pas rêvé... Pour une semaine seulement, tarif spécial.
– Quelles vacances! Je me suis sentie à l'aise tout de suite.
– Plutôt intéressant, non?
– Pourquoi les Français préfèrent-ils le gaz naturel? Appelez le 01.42.39.00 pour obtenir votre brochure gratuite et vous allez le découvrir.

● **Preparation**
Students should refer back to the advertisements and advertising campaigns previously analyzed before beginning activity 6. It will also be essential to set a time limit for the preparation and recording of this activity. Encourage students to keep a log when planning this and similar activities, as many find it useful to include this as part of their subsequent evaluation of the outcomes, to ensure that they can improve in this area of their work. It also helps to ensure a balance of work between the members of a group. A final benefit is that it provides an opportunity for students to show why they took certain decisions, for example, deciding to create a poster campaign rather than a radio campaign.

6 When planning their advertising campaign, encourage
 students to refer back to previous topics they have covered; for example, food and health, animal rights, etc., as a source for ideas. School events or current affairs can also be a useful source of inspiration.

 Students will need access to the appropriate equipment for the final outcome of this integrated task – recording equipment, a video camera or a DTP package, depending on the medium to be used for promoting their campaign.

PAGE 84
Les ados et l'actualité

Objective
■ To express an opinion on television news reporting

1 Following the in-depth work students have completed on
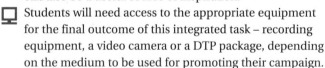 advertising, they now move on to the second topic within the media theme: news reporting. As with the previous topic, the tasks in the book provide a gradual progression from revising and using known language to examining the topic in greater depth. Students will already be familiar with the language they need for expressing an opinion on specific television programmes. The recording provides this, and more complex language, within the context of television news programmes. As with the earlier activity on advertising, if you have access to satellite TV, it might

be appropriate to show brief extracts, either from the programmes mentioned or from other news bulletins.

● **Extension activity**
Students could prepare their own oral response to the two key questions, giving examples of current news programmes, both the main bulletins and those aimed principally at younger viewers.

Transcript Page 84 – Activity 1
– Magali.
– Moi, j'aime bien la télévision, surtout les émissions qui me font découvrir d'autres cultures, et souvent je regarde les émissions de musique. Quant aux journaux télévisés, ils me barbent. Ils sont trop longs. Ils ne font qu'interviewer des politiciens dont la moitié évite de répondre aux questions posées.
– Nicolas.
– Regarder la télévision est assez amusant, et parfois relaxant. Mais je trouve que c'est trop facile de passer une soirée à zapper sans tomber sur une émission vraiment intéressante. D'habitude, on regarde les journaux télévisés en famille. C'est utile pour être au courant de l'actualité, mais il faut dire que je préfère les journaux courts ... cinq minutes d'informations, sans trop de commentaires.
– Aïcha.
– Oui, d'habitude je regarde *Le 20 heures* sur France 2. Je le trouve intéressant ... et en plus, ils ont tendance à analyser, à expliquer les événements-clés, surtout les événements internationaux. On a donc la possibilité de découvrir le monde ... et de se faire une opinion sur toute une gamme de sujets. A part ça, j'aime regarder les films, plutôt que les émissions pour ados.
– Laurent.
– J'adore la télévision. On dit que si on regarde trop la télévision, c'est qu'on n'est pas très cultivé. Mais moi, je ne suis pas d'accord. J'estime que la télévision est un moyen très efficace pour apprendre. Je suis curieux ... Les émissions de télé font découvrir un monde de possibilités, d'information ... aussi bien que le sport, la musique ... Je regarde donc les journaux télévisés aussi, pour savoir ce qui se passe dans le monde et pour être au courant de l'actualité.
– Fatima.
– Je ne regarde pas souvent la télé. Le soir, j'ai trop de devoirs, et pour me relaxer, j'écoute de la musique ou la radio, de préférence dans ma chambre. Mes parents essaient de me persuader de regarder les journaux télévisés avec eux, par exemple *Le 20 heures* sur TF1, mais ça ne me dit rien. Je n'aime pas non plus les journaux courts, tout en images. Ils ont tendance à parler de thèmes censés intéresser les jeunes ... moi, je les trouve un peu frivoles.

2 Students now prepare a brief written response to the
 questions on page 84. As with many writing tasks, if access to computers is possible, this could be a straightforward word processing task.

Zoom sur le pronom relatif: *dont*

Grammar
■ To introduce and practise the relative pronoun *dont*

3, 4 Having revised the relative pronouns, *qui* and *que* in unit 4, students are now introduced to the relative pronoun *dont*. As with other grammar points, additional explanations in English, with further examples, are given in *Grammaire* 13 (SB page 216). Students should, however, complete activity 3 without reference to the grammar summary.

4 Answers
a Les jeunes préfèrent les journaux courts, dont le plus rapide est *Le 6 minutes* de M6; **b** Les jeunes préfèrent les émissions, dont *Envoyé spécial* et *Ushuaïa*, qui abordent un sujet à partir de témoignages; **c** Ce journaliste, dont la carrière s'est déroulée exclusivement chez TF1, vient de publier un article sur les JT; **d** 45 chaînes numériques, dont une chaîne Disney, sont prévues d'ici la fin de l'année.

● **Feuille 16**
Further activities to practise *qui*, *que* and *dont*, and also *ce qui*, *ce que* and *ce dont* are provided on *feuille* 16 (top half).

1 Answers
a qui; **b** que; **c** dont; **d** dont; **e** qui; **f** que (qu')

2 Answers
a ce dont; **b** ce qui; **c** ce dont; **d** ce que (qu'); **e** ce qui; **f** ce que (qu')

PAGE 85
Les quotidiens

Objectives
■ To find out about the different sections of a daily newspaper
■ To compare national and daily newspapers
■ To understand information on the working life of a journalist

● **Preparation**
As students develop their language skills, they will become more familiar with authentic French texts, many taken from national newspapers and magazines. As they will need to have access to both a regional and national French newspaper for a later activity, it would be a good idea to begin work on this topic by bringing in a range of newspapers for students to look through. Encourage them to draw their own conclusions; for example, on any differences between French newspapers and those of their own country.

1 The vocabulary work provides an opportunity for students to develop further their dictionary skills. Encourage them to use monolingual dictionaries to complete the task.
Answers
a les rubriques; **b** la une; **c** une brève; **d** un billet; **e** un compte rendu; **f** l'enquête; **g** la chronique

As **homework**, students could write short definitions for the remaining newspaper sections mentioned in *Connaître vos journaux*, again using their monolingual dictionaries.

● **Follow up task**
As an additional vocabulary task, more able students will be interested in identifying other uses for some of these key newspaper words. An obvious example is *le billet*.

This task is particularly useful in developing students' personal dictionaries or word databases, and especially for developing their use of cross-referencing when identifying and learning new words.

2 A possible **homework** activity, students will need access to two newspapers.

La vie d'un journaliste

● **Feuille 16**
Preparation activities are provided on *feuille* 16 (bottom half), which students should complete before doing activity 1 in the Students' Book.

1 Answers
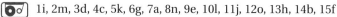
1i, 2m, 3d, 4c, 5k, 6g, 7a, 8n, 9e, 10l, 11j, 12o, 13h, 14b, 15f

3 Students should, by now, be familiar with note-taking tasks. Such activities require, wherever possible, the use of individual copies of the recording, as students may need to listen to the cassette several times in order to identify the information required. The interview with Nancy Gouin was recorded on location in Reims and contains much useful vocabulary on the topic of journalism and newspapers. The information given also supplements that already presented on French national and regional newspapers.

Transcript Page 85 – Activity 3;
Feuille 16 – Activity 1
– Nancy Gouin, vous travaillez pour l'Union, un journal régional. Pour commencer, est-ce que vous pouvez nous expliquer un peu euh ... ce qu'est le rôle d'un journal régional?
– Le rôle d'un journal régional, c'est de refléter toute l'actualité de la région aussi bien économique, que sociale, que culturelle, que politique et donc euh ...ce n'est pas vraiment un journal d'opinion, il faut ... on a un public de tous les horizons, de tous les âges et on fait donc des papiers qui correspondent à ... aux attentes de tous les habitants de la région ... espère-t-on! [...]
– Le tirage de l'Union est de 170 000 exemplaires jour.
– Qu'est-ce que ça représente par rapport au plus grand tirage d'un quotidien français?
– Un petit sixième du plus grand quotidien français qui est aussi un régional qui est Ouest-France. Heu, ce qu'il faut savoir c'est qu'en France, en fait, les quotidiens sont tous des régionaux, ce qu'on appelle à l'étranger les journaux nationaux français sont des journaux parisiens, l'identité culturelle française est très importante par région, et donc il y a un attachement en fait à la culture, et le journal reflète la culture comme je l'expliquais tout à l'heure, reflète la vie aussi la culture d'une région, et à un moment donné, il y a des espèces de frontières invisibles qui font qu'on achète un autre quotidien, l'autre régional.
– Et vous-même, qu'est-ce que vous faites comme travail?
– Alors, je suis plus spécialisée sur les problèmes économiques, sociaux et de l'éducation et j'ai notamment en charge la page universités grandes écoles, qui a pour but au départ, de servir de lien entre les différents campus de la ville de Reims qui sont très excentrés et de ... d'offrir une information service aux étudiants pour le travail, pour le logement, pour la culture, être un peu le relais entre les étudiants de la ville.

– Pouvez-vous nous décrire une journée typique pour vous?
– Y'a pas vraiment de journée typique, ça dépend de l'actualité et si on a engagé une enquête ou un reportage personnel en plus des événements qui sont à l'agenda. Donc euh ... si on n'est pas de faits divers, les journées démarrent à 9 heures et peuvent finir si tout va bien à 19 heures, et si on est de faits divers en fait, on est de permanence pendant 48 heures ou 24 heures, donc on peut être réveillé en pleine nuit, il faut qu'on aille sur les lieux des accidents, s'il y a des blessés, des explosions, pour rendre compte dans le journal jusqu'à 3 heures du matin pour le journal du lendemain, si c'est au-delà de 3 heures du matin, on y va quand même pour le journal du surlendemain.
– Donc euh ... vous vous occupez d'événements autres que de ce qui se passe dans le domaine universitaire et ...
– Bien sûr, parce ... le journal régional n'est pas spécialisé, on n'a pas des équipes spécialisées, comme dans les parisiens où il y a le journal, l'équipe sociale, euh ... l'équipe économique, l'équipe culturelle, en fait dans les régionaux, comme on n'a pas beaucoup d'effectifs, on forme une équipe avec des spécialisations mais on est censé être polyvalent, et pouvoir remplacer en fait le confrère qui fait d'ordinaire la culture, par exemple s'il n'est pas là, euh... remplacer le journaliste qui fait plutôt les faits divers quand il est en repos et ainsi de suite.
– Est-ce que vous croyez influencer ou servir vos lecteurs? Comment le faites-vous?
– Influencer, je ne crois pas. Il faut donner les informations quand il y a un sujet polémique, il faut donner les deux partis, les deux avis, et il faut quand même laisser aux lecteurs une liberté de conscience c'est important. Servir, ça m'est déjà arrivé, puisque des lecteurs m'ont remerciée pour certaines interventions, donc là, c'est un peu euh, le journaliste se retrouve un petit peu dans le rôle d'un avocat, quand c'est le pot de terre contre le pot de fer, mais on évite quand même parce que c'est vrai qu'il faut pas, qu'il faut pas trop aller sur les autres métiers, mais y'a des moments où on est quand même obligé de faire un peu le rôle de l'avocat, ou parfois d'un procureur, en révélant certaines choses, qui n'ont pas été dites officiellement.
– Parlons un peu de la presse en général et du rôle des journalistes. En Grande-Bretagne, les gens disent, en général, que les journalistes ne s'occupent que des histoires scandaleuses, qu'ils ne respectent pas la sensibilité des autres, qu'ils se contentent de rumeurs. Bref, on ne fait plus confiance aux journalistes. Est-ce qu'il existe un manque de confiance pareil, ici, en France?
– Je crois que hum ... au niveau de l'image donnée à la télévision et des scandales de faux reportages, de fausses interviews, ça a fait beaucoup de mal à la profession. Mais dans les journaux régionaux, les personnes nous connaissent, si on fait une faute, si on écrit quelque chose de mensonger, on retrouve les personnes et ça se sait très vite, donc en fait, le journaliste en région a une crédibilité à défendre tous les jours, et ne peut pas se permettre de faire du sensationnel parce que le lendemain on est encore là, le surlendemain aussi, et si ce sensationnel n'est pas justifié, le journaliste n'a plus de crédibilité, on ne lui ouvre plus les portes.
– Finalement, qu'est-ce qui vous a conduit à devenir journaliste?
– Le contact humain, la ... l'espoir de trouver la vérité ce qui n'est pas toujours évident. Et aussi le plaisir d'écrire. J'aime beaucoup écrire, j'aime jouer avec les mots pour trouver le sens, le meilleur.
– Etes-vous une journaliste heureuse?
– Oui, oui, tout à fait.
– Merci.
– Au revoir.
– Merci, au revoir.

PAGES 86–87

La liberté de la presse

Objectives

■ To discuss the importance of the freedom of the press
■ To analyze some problems facing the press in maintaining its independence
■ To introduce and practise the pluperfect tense

● Preparation

Before working on the tasks in the Students' Book, introduce the topic of the freedom of the press by asking students to consider the role of the press. This could be along the lines of previous tasks, focusing on the role of advertising; for example: *Quels sont les objectifs de la presse écrite? Informer? Eduquer? Amuser?* Students should give examples of newspaper reporting to support their personal response.

1 Students have developed a range of strategies for dealing with new texts. In addition to the tasks in the Students' Book, they could find the answers to some straightforward comprehension questions, or alternatively, summarize in English the key points made by M. Horeau.

Possible comprehension questions:
– *Selon M. Horeau, quel est le principal problème pour les journaux actuellement?*
– *Pourquoi la direction de Peugeot a-t-elle retiré son budget de publicité de* L'Evénement du jeudi*?*
– *Quelles sont les conséquences de ce genre de pratiques?*
– *Que font des groupes industriels actuellement, vis-à-vis la presse écrite?*
– *Pourquoi M. Horeau s'oppose-t-il à ce genre d'investissement?*

Answers

a le nerf de la guerre; **b** le budget de publicité; **c** mettre en péril; **d** ils sont tentés; **e** le sérieux de l'enquête; **f** en revanche

2 A possible **homework** task, the outcome of this activity could be either written or oral. If students are to present their response orally, they should prepare notes from which to speak, rather than a script. It might be appropriate, therefore, for students to consider in which area they would benefit from the additional practice and to opt for a particular outcome accordingly. Whichever is chosen, the response should be brief, and could be presented, either as a response to a vox-pop style interview, or a short letter to a newspaper.

3 The recording develops further the theme of the freedom of the press, within the context of current problems facing newspapers. It also gives some cultural insights into the background to the current situation. Once students have listened to the recording and identified the information required, you could take the opportunity to ask additional questions; for example: *Pourquoi les résistants ont-ils voulu fermer l'accès des journaux aux industriels?*

Answers

a la concurrence de la télévision et des réseaux multimédias, le manque de capital; **b** l'investissement dans la presse par les industriels; **c** ils ont fermé l'accès des journaux aux industriels afin d'éviter la pression par les industriels français sur les journalistes; **d** la presse manque de capitaux et ne peut plus refuser l'aide financière des grands groupes, au risque de perdre l'indépendance

Transcript Page 86 – Activity 3

– Depuis le début des années 90, la presse française traverse une crise sérieuse. Face à la concurrence de la télévision et celle des réseaux multimédias, l'écrit apparaît de plus en plus menacé. Les journaux, en particulier les quotidiens, perdent des lecteurs. Pour les retrouver, la plupart des journaux ont compris qu'ils devaient évoluer pour survivre.
Pour certains, le programme de renouvellement fait preuve d'un manque de capital. La question: où trouver les sommes, dans certains cas assez importantes, pour assurer la survie de la presse écrite?
Une solution: l'investissement dans la presse par les industriels. Mais pour beaucoup, cette solution pose des problèmes, parce qu'ils pensent que ce genre d'investissement met avant tout en question l'indépendance des journaux, des journalistes. Est-ce vrai?
– En France, ce phénomène est relativement nouveau. Car la presse a d'abord été considérée comme un lieu de débat et d'information durant l'entre-deux-guerres.
A cette époque, les industriels français, qui avaient investi en masse dans la presse, n'hésitaient pas à faire pression sur les journalistes pour le contenu du journal. En 1945, après la période de Vichy, seuls les journaux qui avaient cessé de paraître dès 1942 ont été autorisés à revenir sur le marché et on a vu la création de nombreux journaux, dont Le Monde qui est maintenant réputé dans le monde entier.
Mais à la fin de la guerre, à la Libération, les résistants, qui rêvaient d'une presse libre, ont aussi décidé de fermer l'accès des journaux aux industriels.
– Et actuellement, que se passe-t-il?
– Aujourd'hui, il est bien évident que la presse, qui manque de capitaux, ne peut plus refuser l'aide financière des grands groupes. La survie est à ce prix, au risque de perdre l'indépendance.

● **Extension activity**

Some students could use the previous activities as preparation for a brief report, either verbal or written, on the difficulties that currently face the press, and their own opinion on the dangers this might present for the freedom and independence of the press. Encourage them to cite examples from newspapers.

Ça se dit comme ça!

Objective

■ To practise the pronunciation of semi-vowels

Transcript Page 86 Ça se dit comme ça! – Activity 4
– comme ailleurs
leurs moyens de communication

– oui
n'importe quoi
du coin de la rue

– aujourd'hui
ensuite

5 The pair work activity, using the interview from activities 1 and 2, provides an opportunity for students to record themselves. If possible, a recording of the interview, made perhaps by the French assistant, would provide a useful model for students.

● **Preparation**

 Before completing the writing activity, ensure that students have fully understood the text.
Possible comprehension questions:
– *Où se trouve exactement Boukadir?*
– *Comment était Meceffeuk Mohamed?*
– *Pourquoi l'a-t-on tué?*
– *L'auteur de l'article, que pense-t-il des journalistes? Justifiez votre réponse.*

With the help of a monolingual dictionary, students could also write out definitions for the following: *empoigner; surgir; un hebdomadaire; (se) forger.*

6 Students now draft a short piece giving the facts of the murder, for a *brève*. As this is a newspaper article, it should be word processed rather than handwritten.

● **Feuille 17**

Homework: this reading text *Afrique: la radio est capable de tout* focuses on the role of radio in a country where television is not available, and few people can read.

1 Answers

a est un excellent outil d'éducation; **b** dans les informations locales; **c** se dirige vers (traverse) le marché; **d** encourager les jeunes diplômés au travail; **e** passent en bambara

Zoom sur le plus-que-parfait

Grammar

■ An introduction to, and practice of, the pluperfect tense

7 Refer students also to *Grammaire* 16g (SB page 219).

Answers

a Il a dit qu'il était arrivé au marché vers 10h; **b** Ils ont dit qu'ils ne l'avaient pas remarqué dans la foule; **c** Elle a dit qu'elle s'était vraiment affolée; **d** Il a dit qu'ils s'étaient cachés derrière une boutique; **e** Il a dit que c'était horrible. Il avait parlé avec la victime une demi-heure avant l'attentat; **f** Il a dit qu'il n'avait pas vu la figure de l'assassin. Il portait un casque; **g** Ils ont dit qu'ils avaient appelé la police; **h** Elle a dit qu'elle était restée avec la victime.

● **Feuille 18**

Additional practice of the pluperfect tense in recorded speech is provided on *feuille* 18 (top half). Students should work in groups of eight. Initially they work in pairs, changing the information given into recorded speech. Then, with the whole group, and without looking at the other cards, each pair reads out what they have prepared. Simply by listening to each other, students work out the correct sequence of events. It is useful for such tasks if pairs of students move into position to reflect the correct sequence of events, once this has been established. For example, they begin by standing in a line, from A–D. The students with card A read out their text; students with card B then read their text, and so on. As more and more information is given, students swap places until they are standing in position to reflect the correct order of the text.

● **Extension activity**

Students could prepare their own task, along the lines of that on *feuille* 18.

PAGES 88–89

Quel style choisir?

Objectives

■ To develop the skill of scanning a text for detail
■ To recognize register

● **Preparation**

This section focuses on recognizing register. It also contains strategies for identifying key information, particularly in factual texts containing dates, figures and statistics. Before completing the tasks in the Students' Book, suggest that students read the article quickly and decide into which category it should be placed: *une brève; une critique; une chronique; un éditorial; un compte rendu; un portrait*.

The purpose of the article is three-fold: to provide information on current restrictions on certain areas of advertising; to provide opportunities to practise scanning a text for detail; to provide an initial focus for recognizing the register of a text.

1 Students read the questions before scanning the text for the key information. A useful strategy when focusing on specific detail only is to set a time limit on finding the information. This encourages students not to linger on unfamiliar language, but to identify the key figures or dates within the text.

Answers

a janvier 1991; **b** 1er janvier 1995; **c** les producteurs de tabacs, de boissons alcoolisées, et les médias; **d** 875 millions de francs; **e** le cinéma; **f** 35 millions de francs

2 Having identified the key figures, students reread the text and identify the key information, as preparation for the listening activity. If students have access to individual copies of the recording, this could be a **homework** activity.

Transcript Page 88 – Activity 2

– Aujourd'hui, l'Association des agences-conseils en communication, ou l'AACC, a adressé un texte aux parlementaires réclamant la révision de la loi Evin. Cette loi, qui date de janvier 1991, limite la publicité sur les alcools et les tabacs. L'Association, qui représente presque toutes les agences de publicité françaises, estime que la loi n'a rien fait pour améliorer la santé des Français, un des objectifs qui l'a inspirée. En plus, elle affirme qu'il n'y a aucune corrélation entre la consommation de tabac et l'interdiction ou non de la publicité.
L'AACC déclare aussi que la loi a déstabilisé le marché publicitaire et a causé un manque à gagner de presque 900 millions de francs sur quatre ans. Pour les médias, la limitation de la publicité pour ces produits a aussi causé une perte considérable de recettes, surtout pour le cinéma où l'interdiction de ce genre de publicité est totale.
Pour améliorer la situation, l'AACC propose des amendements, dont le rétablissement du sponsoring pour le tabac, ainsi que le rétablissement de la publicité pour les alcools au cinéma, cela accompagné par des messages de santé.

● **Compétences**

3, 4 These activities focus on recognizing register. A range of texts are given in the Students' Book. The texts are taken from the following newspapers: Text A: *Le Monde*; Text B: *La Libération*; Text C: *Minute*; Text D: *Le Figaro*.

Homework: ask students, using the resources available to them, in the Modern Languages Department or in the library, to select three or four texts which are written in different styles and use a different register. Texts chosen could include advertising material, magazine articles, or extracts from a book they have read. For each extract, they write a few lines on the style used: *sérieux/frivole*, etc. and the language used. They refer to the strategies outlined in the Students' Book to help them.

Zoom sur l'inversion du sujet

Grammar

■ The use of inverted word order

As part of the section on register and style, students are introduced to the use of inverted word order, both for grammatical reasons and for reasons of style. Further examples are given in *Grammaire* 12 (SB page 216).

● **Feuille 18**

Homework: further activities to practise using inverted word order are provided on *feuille* 18.

2 **Answers**

a A peine avions-nous le temps de le saluer; **b** Sans doute trouvera-t-il des mots justes pour s'excuser; **c** En vain a-t-elle essayé d'attirer son attention; **d** Peut-être les témoins ont-ils vu la figure de l'assassin; **e** Du moins ont-ils remarqué la marque de voiture.

3 Answers

a "Je ne le sais pas", a-t-elle affirmé; **b** "L'inspecteur est arrivé à six heures", a-t-il répondu; **c** "J'ai déjà parlé avec le président", a affirmé le ministre; **d** "Les chercheurs ont vérifié les résultats avant de les publier", a-t-il répété; **e** "Les prédictions se sont avérées justes", a confirmé le porte-parole de la société.

5 The final productive activity of the unit provides an opportunity for students to produce a range of material, in an integrated task which draws together many of the strands of the unit. In groups, students should work together as "editorial teams" to plan the assignment. However, it is important, for the purposes of assessing each student's progress, that they each produce the three outcomes listed.

A follow up "editorial team meeting" provides an opportunity for them to evaluate each other's work, before it is assessed. As the use of visuals is important for a full newspaper report, students should be encouraged, wherever possible, to use DTP software to complete this element of the task.

PAGE 90

Interlude: Point de vue d'un satiriste

This extract is taken from a collection of short texts written by Philippe Meyer and presented by him on France-Inter each weekday morning. For this reason, it is an ideal text for reading out loud, which some students will enjoy.

● **Follow up activity**

Given the emphasis in the unit on style and register, students could analyze this text, along the lines of the strategies introduced in the Students' Book, page 89.

Survol 4, 5, 6

See page 8 for notes on using the *Survol* revision pages.

PAGES 91–92

Revision points
- interpreting (unit 4)
- verbal reporting (unit 4)
- the present subjunctive (unit 4)
- letter-writing (unit 5)
- taking part in a debate (unit 5)
- *ce qui/que* (unit 5)
- scanning a text for detail (unit 6)
- reported speech (unit 6)

Answers

2 c a Le présentateur a dit qu'ils avaient choisi un sujet qui suscitait bien des émotions.

   b Jean-Louis Gomez a dit qu'il avait été attiré par le côté tradition.

   c Il a dit que les scientifiques avaient montré qu'on ne souffre pas d'une blessure au moment où l'on est blessé.

   d Le présentateur a dit que Xavier Merlin avait récemment tourné un documentaire sur la tauromachie.

   e Xavier Merlin a dit qu'il était d'accord avec Karine.

   f Monique Charles a dit que les férias attiraient des foules énormes dans la ville de Nîmes.

5 a ils étaient très pauvres: trop nombreux, trop âgés, propriétaires d'exploitations trop petites; l'élevage était une affaire familiale, mal organisé, inefficace

   b la mécanisation, la modernisation, l'intensification de l'agriculture

   c Les consommateurs veulent choisir parmi une gamme très large d'aliments et de bonne qualité, à des prix modérés.

   d 250 milliards de francs

   e 6700 milliards de francs

6 a qui; **b** qui; **c** que; **d** qui; **e** que

7 a réfléchissent; **b** s'explique; **c** soient; **d** rende; **e** changent

PAGE 92

Students work in groups to write a variety of texts for a newspaper. The main story is the blockade by lorry drivers and the effects of such a blockade.

Encourage students to work as an editorial team and to follow the steps provided on managing and checking their work. It is important that the tasks are divided equally between the group. Wherever possible, students should word process their texts, and, if available, use a DTP package to ensure a professional-looking presentation.

● **Follow up activities**

The completed work should be displayed and prizes could be awarded for the most comprehensive, the most original, and so on.

Picking up the theme of verbal reporting, students could continue working in groups, and, taking the completed work of another group of students, prepare a radio report on the blockade using the information they have been given.

Unité 7 Les déchets nucléaires, le bruit

Unit objectives

Topic
- Pollution: nuclear power, noise pollution

Language
- Discussing steps to be taken (p94)
- Supporting an argument (p104)
- Summarizing arguments (p102)

Grammar
- The future perfect tense (p100)
- The past conditional (p104)

Pronunciation
- Intonation (2) (p102)

Skills
- Writing an essay (pp94, 99, 102)
- Making notes on a text (pp96, 97)

Video
- Focus on nuclear waste (pp101–2)

Feuilles à photocopier
- Feuilles 19, 20 (after p103)
- Feuille 21 (with p104)

PAGE 93
La pollution: les déchets nucléaires, le bruit

Objective
- To introduce vocabulary related to nuclear waste disposal and noise pollution

1 The function of this page of illustrative material (as with other units) is to provide stimulus for a discussion of the main issues involved, although relatively little in the way of cohesive responses is required at this stage. As elsewhere, students may care to revisit this page when they have completed the unit, in order to demonstrate to themselves how their language repertoire has been extended.

2 In case students have difficulty in finding examples of other onomatopoeic words, the following may start them off: *crac! paf! pan! toc, toc drring-drring tuuuuut plouf! dong boum! atchoum! cocoricôôô*

PAGE 94
Compétences: La dissertation: par où commencer?

Objective
- To teach the skill of planning, researching and writing a long essay

This *Compétences* page is designed to enable students to plan essay-writing methodically. Essay planning techniques are often a matter of individual choice, but there are nevertheless identifiable steps which will be profitable for most students. The intention of this page is that students "discover" these steps for themselves by following the example of Chloé and Kévin.

1 Answers
(Example) 3, 4, 2, 1, 5, 8, 6, 7

● **Follow up activity**
With the aid of the *Expressions-clés*, this activity also affords an opportunity to manipulate noun/verb associations. Ask students to read the eight steps and transform the phrases into *on doit* + infinitive.

2 Students with access to a scanner and computer could scan in this page, separate out the illustrations and move them into the correct order on screen.
Answers
1b, 2d, 3a, 4c, 5f, 6e

PAGE 95
Etes-vous cerveau gauche ou cerveau droite?

Objective
- To help students decide which note-taking method best suits them

● **Background information**
This page is a light introduction to some of the psychology of learning. The two hemispheres of the brain have separate functions and the dominance of one side over the other disposes us to tackle problems (such as note-taking) in different ways. The right hemisphere is the realm of visual images while the left processes language. The theory has it that "right-sided" people have a strong pictorial and photographic memory while "left-sided" people rely on words as the basis for recall. Students could start by doing the test themselves. A predominance of **a** answers suggests that the right hemisphere (visual) dominates; a higher count of **b**'s indicates left-sidedness (verbal).

PAGES 96–97
Compétences: Les déchets nucléaires: prendre des notes

Objectives
- To learn strategies for understanding complex reading texts
- To practise note-taking skills

● **Background information**

Before note-taking can be effective, the reading of source texts has to be efficient. This page aims to teach a systematic "attack" on reading unfamiliar texts by making students aware of reading theory.

The fact that this page is given in English is a recognition that there are some aspects of language-learning which second language (L2) learners process through their first language (L1). This is not to suggest that L2 users translate everything to and from L1, but in reading unfamiliar texts, the successful learner needs to bring to the text the knowledge of their own language and the expectations this will offer, as well as their general knowledge of the world.

The internal questioning (done in the mother tongue) suggested in step 3 is a useful technique and one which avoids a precipitate rush to the dictionary (which is likely to result in the unknown words remaining in the learner's short-term memory only and never becoming part of their active stock).

Once students have grasped the key points, give them the opportunity to put them into practice by supplying texts about topical issues from newspapers and encouraging them to go through the 10 steps with a text of their choice. As preparation, you could also work through an example with them in class.

1, 2 Students now have an opportunity to read a text and follow it up with whichever form of note-taking suits them.

PAGES 98–99
Les déchets nucléaires: peut-on avoir confiance?

Objectives
■ To prepare for essay-writing through the drawing together of notes taken from a range of texts

● **Preparation**

This two-page spread on the treatment of nuclear waste presents texts written from widely differing standpoints. Remind students to employ the reading techniques taught in this unit in order to help them to approach the texts **A**, **B** and **C** (i.e. form questions based on the headlines; looking at the sources will also help).

1 Answers

le stockage	où?	risques?
les Américains	immenses piscines	pas une solution pour les produits à longue période
les Français	usines de retraitement (blocs vitrifiés sous terre)	fuites éventuelles
les Verts et Greenpeace	en surface	
Les Américains (selon Greenpeace)	réserves indiennes	population touchée

2 Answer
Phrase **b**.

3 Answers
The missing word is *peur* (*crainte* would also fit).

4 Answers
The missing values are as follows: 650 km en avion; la consommation d'une cigarette; deux heures de séjour dans une pièce avec fumeurs; 1,5 minutes d'alpinisme; 1 heure de pêche en mer; absorption de pilules contraceptives pendant deux semaines et demie; 1/2 bouteille de vin.

5 Answers
The missing portion is **b**.

6 Students emulate the process (shown in the example given of Chloé's notes) of reordering notes made on the individual texts, in preparation for essay-writing.

PAGE 100
Les déchets nucléaires – optimisme ou pessimisme?

Objectives
■ To present more arguments for and against methods of stockpiling spent nuclear material

1 Answers
 ao, **b**p, **c**p, **d**o, **e**p, **f**o

Tapescript Page 100 – Activities 1, 2
– S'il vous plaît ... vous portez un sac de Greenpeace ... je suppose que vous vous intéressez aux problèmes de l'environnement ...
– C'est exact, oui. Tout à fait.
– Vous auriez 10 secondes pour répondre à quelques questions? Je fais un sondage sur l'attitude des gens envers les déchets nucléaires ...
– Oui, bien sûr. Vous êtes au courant de ce qu'on propose pour la vallée de l'Aube?
– Oui, oui.
– Alors, quand ils l'auront terminé, ce centre de stockage sera énorme et par conséquent une menace constante pour toute la population.
– Mais les techniciens disent que, étant donné les mesures de sécurité qu'ils auront mises en place ...
– Vous savez, je n'ai pas tellement confiance en ce que disent les scientifiques. Souvent ils disent qu'un processus est sûr et sans danger, et quelque temps après, on découvre qu'il y a eu une catastrophe comme à Three Mile Island ou à Tchernobyl. Même d'ici 300 ans on n'aura pas encore trouvé un moyen pour traiter les déchets qui existeront en quantités inimaginables.
– Mais puisque ces déchets existent maintenant, il faudra bien les stocker quelque part ... juste le temps nécessaire pour trouver une meilleure solution pour les traiter, pour les neutraliser ...
– Ecoutez, nous les habitants actuels de la terre nous aurons tous disparu ... nous serons tous morts ... sans que nos petits enfants puissent nous maudire du mal qu'on leur aura fait, à eux et à leur patrimoine.

– Mais, vous croyez qu'il y a de gros risques à l'heure actuelle, ou bien que ces risques vont apparaître au bout de quelques années?

– Mais, de quoi parle-t-on quand on dit que le matériel est solide? On a choisi le verre pour confiner les déchets, alors que le verre est un matériau fragile qui peut casser n'importe quand et qui risque de toute façon de finir en poussière au bout de quelques centaines d'années!
Il faut chercher rapidement une solution de traitement et non pas de stockage.

– Mais tous les experts disent qu'il n'y a vraiment pas de quoi s'inquiéter.

– Alors s'ils sont tellement confiants, pourquoi ne pas les stocker à Paris, ces déchets? Sous le jardin de l'Elysée par exemple? Franchement, je ne sais pas s'il y a vrai danger ou pas, mais je ne voudrais pas habiter à côté d'un lieu de stockage.

– Merci.

– Monsieur? Vous auriez deux minutes pour me donner vos opinions sur le stockage de déchets nucléaires?

– Oui, je suis à votre disposition.

– Avez-vous confiance en ce que disent les scientifiques à propos de la sécurité?

– Ben, bien sûr que oui, puisque je suis ingénieur dans une industrie qui est liée au nucléaire!

– Ah, bon!

– Pour l'instant, il n'y a aucun danger, je peux vous l'assurer. Et dans 50 ans – même pas 50 ans – avant l'an 2020, on aura découvert une méthode pour rendre les déchets moins offensifs. On verra que les écologistes se seront inquiétés pour rien – et auront inquiété inutilement les autres.

– Mais pour le stockage actuel, on se sert de matériaux bien fragiles, non? Comme le verre?

– Mais sachez que le verre est un matériau très dur et très … très résistant dans des conditions stables. Il ne craint ni l'eau ni le froid, par exemple. Je crois que si le lieu de stockage est bien choisi, bien étudié, il n'y a pratiquement pas de risque. Et je dirais plus … il est bien temps que les écologistes cessent de nous troubler en insistant sur les dangers du nucléaire. On en devient las. Toutes les études menées sur les dangers montrent que le gaz naturel et le nucléaire sont des sources d'énergie beaucoup plus sûres que le pétrole et le charbon, par exemple.

– Mais la radioactivité, c'est autre chose que le pétrole … ça ne se voit pas, et ça ne se sent pas.

– Mais nous, les ingénieurs, les techniciens, nous sommes là par centaines pour surveiller et pour protéger! Quant à la protection de l'environnement, les techniciens ont perfectionné des contrôles, et ces contrôles sont fréquents. Il faut leur faire confiance, quoi. Et le grand public peut se rassurer, puisqu'ils publient les résultats des analyses.

2 Answer

(Example)

	+	–
sécurité	des centaines de techniciens pour nous protéger	disent qu'un processus est sans danger, mais … catastrophes
risques actuels/futurs	plus sûr que le gaz naturel, etc.	patrimoine menacé
matériaux	le verre = dur, résistant	le verre = matériau fragile
dangers	avant 2020 on aura découvert une méthode de traitement	menace constante

3 The "rules" for debating introduced in unit 5 can be applied (see SB page 76).

Zoom sur le futur antérieur

Grammar
■ The future perfect

4 Refer students also to *Grammaire* 15e (SB page 218).

Answers

a Je partirai en vacances quand j'aurai passé mon bac;
b Tu auras un yaourt quand tu auras mangé tes légumes;
c Le nucléaire sera une énergie plus sûre quand on aura trouvé un moyen efficace de traiter les déchets; **d** Vous saurez la vérité sur cette affaire quand le livre de mes mémoires aura paru.

● **Extension activity**

After reading the examples and explanations, encourage students to create more examples of sentences using *dès que*.

PAGE 101

Les déchets nucléaires à l'écran

Objective
■ To learn the language associated with nuclear waste stock-piling

● **Background information**

The extract comes from a series of short documentary programmes on the environment which appears on M6.

1 Both parts of this activity can be done as **homework**.

2 Answers

The five phrases are: colis de béton; fûts métalliques; matériaux d'enrobage; poussière radioactive; centre de stockage

4 Students use the model in **a** to produce their own diagram in **b**.

5 a When students have worked out possible reasons in pairs, these can be shared with the whole group.

b In preparation, it would be useful to revise the use of *en* + present participle.

Video transcript Pages 101–102 – Les déchets nucléaires à l'écran

– Les déchets nucléaires – un problème majeur pour la France, qui en produit plus de 29 000 mètres cubes par an! Un sacré problème quand on considère que même les déchets à vie courte restent radioactifs pendant trois siècles – oui, 300 ans! Alors comment s'en débarrasser de façon sûre?
Pendant les années 70 la France avait construit le centre de stockage de la Hague pour les accueillir. Mais ce centre est maintenant saturé. Depuis 1992, c'est dans un nouveau centre – celui de l'Aube – que sont stockés les déchets faiblement et moyennement radioactifs.
L'émission *Ecolo6* de la chaîne M6 a consacré un reportage à ce nouveau centre. Tout a été repensé. Les mesures de sécurité sont particulièrement rigoureuses. Les déchets arrivent contenus dans des fûts métalliques ou coulés dans du béton. Chaque colis est suivi par un ordinateur central.

Les techniciens de l'ANDRA – Agence Nationale pour la gestion des Déchets Radioactifs – nous assure que le risque de contamination est nul. Dans les villages avoisinants, pas d'inquiétude ... Sur le plan financier, ils bénéficient de dotations spéciales. Alors, la conclusion du reportage? "En matière d'accueil et de surveillance des déchets radioactifs à vie courte, on n'a pas fait mieux que dans l'Aube". A vous d'en juger ...

– Parce qu'il est le plus grand, le plus moderne, le centre de stockage de l'Aube est aujourd'hui une référence que l'on vient voir du monde entier. Ici, on a tiré les leçons du passé, un passé situé à la Hague et plus connu sous le nom de "centre de stockage de la Manche". Tirer les leçons du passé, cela veut surtout dire ne pas renouveler des erreurs qui étaient pourtant à l'époque présentées avec des accents rassurants.

– Voici comment va s'effectuer le stockage. On commence par constituer l'armature des tumulus avec des containers en béton. Les fûts métalliques sont stockés ensuite à l'intérieur des compartiments créés par les containers. Chaque lot de fûts comme chaque bloc de béton porte un numéro d'identification qui permet de le situer à l'intérieur du tumulus. Lorsque le stockage est achevé on déverse du gravier pour boucher tous les interstices entre les colis. C'est donc toute une série de barrières: terre, argile, béton, matériaux d'enrobage qui jouent ici un double rôle – protéger les colis contre tout agent extérieur et protéger l'environnement contre la dispersion des déchets. Ainsi est réalisé le stockage des déchets à vie courte.

– Près de 20 ans plus tard, ce petit film n'est pas de nature à nous rassurer. C'est vrai qu'il correspond à une autre époque, mais il est aussi vrai que les déchets à vie courte de la Hague vont nous accompagner pendant encore trois siècles. Changement de décor: nous voici donc à 50 kilomètres de Troyes – là où arrivent désormais par train, par camion, tous les déchets faiblement et moyennement radioactifs produits en France.
Première vérification: s'assurer que les passagers ont bien supporté le voyage et qu'aucune radioactivité ne s'échappe de ces colis de béton. Les déchets viennent de tout le pays: les principaux producteurs s'appellent EDF, Commissariat à l'Energie Atomique et COGEMA. Mais, il en vient aussi des hôpitaux, des laboratoires et des industries non-nucléaires. Le centre de l'Aube ne ressemble vraiment pas à celui de la Hague. La manipulation des colis, les alvéoles de stockage, les protections contre les intempéries ... tout a été repensé, à commencer par l'identification précise de chacun des colis.

– Chaque colis a son code-bar qui est en fait sa propre carte d'identité et qui nous permet de savoir d'où il vient, ce qu'il contient, s'ils sont des blouses, des gants, des outils ... quel est ce colis, si c'est un fût métallique, une coque en béton, et cetera, et également ça nous permet de savoir quels sont les radio-éléments, quelle est la radioactivité contenue dans chacun de ces colis.

– Ici, plus de stockage hazardeux: les colis sont triés en fonction de leur contenu et du temps de décroissance de leur radioactivité. Ici pendant 50 ans on va stocker un million de mètres cubes de déchets, soit deux fois plus qu'à la Hague.

– Pour nous le plus pénalisant en fait ce serait qu'un colis prenne feu; un colis dans lequel les déchets ne sont pas encore immobilisés dans le béton. Mais ce serait un incident qui aurait éventuellement des conséquences radiologiques, mais en interne. En tous les cas, il n'y aurait pas de contamination externe. Par exemple, pour le centre de l'Aube, il n'y a pas de plan d'évacuation de population, parce qu'il n'y a pas de risques qui nécessiteraient une évacuation de population.

– Chacun de ces colis est composé de 15% de déchets et de 85% d'emballage (béton ou acier) et même lorsqu'il sont coulés dans le ciment, un ordinateur central conserve en mémoire l'emplacement exact et la fiche d'identité de chacun des colis. L'ennemi numéro un des déchets, c'est l'eau, alors en cas d'infiltration elle est collectée et dirigée vers un bassin sous haute surveillance. La nature environnante est sous contrôle et le résultat des analyzes publié chaque trimestre.

– On prélève mensuellement de l'herbe, de même que des eaux de rivière. Trimestriellement nous prélevons du lait chez les agriculteurs des villages avoisinants, et quotidiennement nous avons ici un filtre qui absorbe les poussières atmosphériques; nous avons un aspirateur, donc, qui aspire l'air. Les poussières se posent sur le filtre afin de vérifier qu'il n'y a pas de poussière radioactive sur le site.
– Ça a déjà été le cas?
– Jamais!

– Dans un demi-siècle, ces alvéoles seront pleines de déchets. L'heure sera venue de recouvrir le site d'argile et de bitume. Le centre de l'Aube entrera alors dans un sommeil sous surveillance pour 300 ans – le temps pour ces déchets de redevenir fréquentables.

– On a imaginé par exemple qu'au bout de 300 ans on venait creuser une autoroute au travers du stockage, donc on va remettre en suspension toutes les matières qui ont été stockées et on ... on a calculé l'exposition des travailleurs de cette autoroute qui vont arriver avec des marteaux-piqueurs et puis tout remettre en suspension.

– Dans les villages voisins du centre de l'Aube, pas d'inquiétude – bien au contraire. L'ANDRA (l'Agence Nationale pour la gestion des Déchets Radioactifs) est généreuse: taxes foncières, taxes professionnelles, dotations spéciales se chiffrent par millions de francs.

– Maintenant, il faut dire une chose, c'est que, bon, l'ANDRA est là ... il faut prendre ... il faut être honnête. Il ne faut pas se voiler la face; et le bon côté, maintenant, c'est le côté financier. Il faut le prendre, il faut le prendre.

– Bref, la question de fond est quand même que nous produisons des déchets et qu'il faut bien les mettre quelque part.

– Il faut bien le mettre quelque part et nous, personnellement, les anciens, nous étions quand même assez contents, parce que ... de mettre ça dans la mer ... bien, c'est mieux de les mettre ... de pouvoir les surveiller.

– Et en matière d'accueil et de surveillance des déchets radioactifs à vie courte, c'est vrai que pour l'instant, on n'a pas fait mieux qu'ici dans l'Aube.

PAGE 102

📼 Ça se dit comme ça!

Objective

■ Intonation

Transcript Page 102 Ça se dit comme ça! – Activities 6, 7

– Voici comment va s'effectuer le stockage. On commence par constituer l'armature des tumulus avec des conteneurs en béton. Les fûts métalliques sont stockés ensuite à l'intérieur des compartiments créés par les conteneurs.

– Chaque lot de fûts comme chaque bloc de béton porte un numéro d'identification qui permet de le situer à l'intérieur du tumulus.

– Lorsque le stockage est achevé on déverse du gravier pour boucher tous les interstices entre les colis.
– C'est donc toute une série de barrières: terre, argile, béton, matériaux d'enrobage qui jouent ici un double rôle – protéger les colis contre tout agent extérieur et protéger l'environnement contre la dispersion des déchets.
– Ainsi est réalisé le stockage des déchets à vie courte.

● **Follow up activities**

– If students still have difficulty with *ascendant/ descendant* intonation, give them further practice material in the form of some contextualized lists; for example: *Pour bien préparer une dissertation, on choisit un sujet intéressant, on cherche des documents, on fait des notes, on écrit un brouillon …* (The introduction to the next section, *La dissert prend forme*, provides a further useful example.) Students could then provide some contextualized lists of their own.
– As an additional activity, if you can provide students with a copy of the transcript for this section, they could mark it up to indicate intonation patterns.

Compétences: La dissert prend forme

Objective

■ To practise writing a pararaph and summarizing an argument

8, 9 If students have absorbed all the suggestions about note-taking and synthesis presented so far in the unit, they should now be in a position to produce the essay paragraphs as specified, based on the information they have acquired in preceding pages of the units. Remind them to incorporate as many of the *Expressions-clés* as possible (if necessary, these could be practised orally beforehand).

PAGES 103–104

Le bruit: pollution numéro un

Objectives

■ To learn language associated with noise pollution
■ To practise essay-writing on the theme of noise pollution

1 a This can be done as **homework** and results could be displayed if the IT work is imaginative. Explain **b** at this stage, so that students can also prepare explanations of the sounds in advance of the pair work task.

● **Preparation**

It would be useful to go through the *Zoom sur le conditionnel passé* on page 104 before tackling the discussion in activity 3.

An OHT of the completed noise pollution table on page 103, for students to check against, would also be useful (see below).

● **Background information**

The information for this activity is taken from *L'Atlas de l'Environnement de la France*, Perrin, Ministère de l'environnement (p58).

3 Answers

20: vent léger; 30: chambre à coucher; 40: salle de séjour; 50: conversation; 60: fenêtre sur rue; 70: salle de classe; 80: automobile; 85: ronflement; 90: aboiement; 95: restaurant scolaire; 100: moto; 105: walkman; 110: discothèque; 120: voiture de course; 140: avion au décollage; 180: fusée au décollage

● **Extension activities**

– If students have access to a copy of the completed scale, this could form the basis for an additional oral activity: students use the scale to illustrate a short oral presentation on *Les dangers du bruit*.
– These items on noise pollution provide an opportunity for students to go through a similar research, note-taking, synthesizing process as Chloé did for nuclear waste, so that they can apply the skills they have acquired.

● **Feuilles 19, 20**

After completing activity 3, students could do *feuilles* 19 and 20.

5 Before listening to the cassette, students could predict the likely examples of pleasant/unpleasant noises which the vox pop interviewees may cite.

Answers

(Example) *bruits les plus gênants:* la ville; la campagne; les mobylettes; la circulation; la télévision; la musique; la chaîne hi-fi; les marteaux-piqueurs; la musique pop; les voisins qui ne retirent pas leurs chaussures; les moteurs de voiture; les engins de construction
bruits les plus agréables: une mélodie; les bruits doux; la nature; le chant des oiseaux; le vent; le bruit dans les feuilles; la musique; la voix des gens; le rire des enfants qui jouent; les oiseaux

Transcript Page 104 – Activity 5
– Pour vous, quels sont les bruits qui sont les plus gênants, quels sont ceux que vous trouvez particulièrement insupportables …?
– Les bruits insupportables … je dirais des bruits de la ville des bruits … étant donné que j'habite un peu en dehors de la ville, un peu à la campagne, bon c'est vrai que les bruits des mobylettes, les bruits, ce genre de bruits quoi, qui sont très rapides, qui cassent les oreilles tout de suite et puis, donc très intenses quoi, autrement ben je ne sais pas trop, je ne me suis jamais trop posé ces questions-là, quand même c'est vrai que, niveau musique pas tellement puisque je suis plutôt attiré par la musique, voilà quoi …
– Et est-ce qu'il y a des bruits que vous trouvez particulièrement agréables?

– Euh des bruits agréables, ben ça c'est l'affaire de chacun quoi, c'est sûr, une mélodie peut être agréable, euh bon pour une autre personne ça peut être quelque chose de très désagréable, ma foi euh ... moi personnellement non, j'suis pas, si bon un air, un air comme ça, une musique quelconque, oui, oui autrement, euh ...
– Bien je vous remercie beaucoup ...

– Bonjour monsieur, pourriez-vous me dire quels sont les bruits qui, pour vous, sont les plus gênants voire insupportables?
– Ecoutez ... les bruits extérieurs quand la circulation est très intense, ou les bruits par exemple à la télévision, je considère que je ne m'intéresse pas beaucoup à la publicité et je critique le fait qu'on augmente le son au moment de diffuser la publicité et là, en général, je coupe le son. Alors surtout si c'est quelque chose que j'ai déjà entendu ou vu avant.
– Bien, et je voulais savoir ... il y a des gens qui considèrent comme de la pollution sonore la musique écoutée par certains jeunes. Qu'en pensez-vous?
– Ah oui, je suis assez d'accord aussi avec cette opinion-là, parce que, pour moi, ce genre de musique-là, en général, c'est du bruit alors je range dans la même catégorie que d'autres bruits plus désagréables.
– Et, quels sont les bruits qui, pour vous, sont particulièrement agréables?
– Ben écoutez, des bruits qui sont assez doux et qui ne sont pas agressifs pour l'oreille euh et qui bercent un peu plutôt que de choquer ...
– Ce que l'on reproche aussi c'est quand il y a des chanteurs, la musique passe au-dessus de la voix du chanteur alors ça, t'es de mon avis aussi, c'est insupportable, ça hein?
– Merci beaucoup.

– Pour vous, quels sont les bruits les plus gênants, quels sont ceux que vous considérez comme particulièrement insupportables?
– Euh ... certains bruits de la circulation notamment ceux des mobylettes, euh qui sont assez difficiles à supporter surtout si elle sont trafiquées, et puis aussi parfois dans le voisinage, le soir tard des bruits de chaîne hi-fi poussée à haut volume qui empêchent souvent de dormir.
– Et quels sont les bruits qui vous considérez comme particulièrement agréables?
– Les bruits de la nature, puisque bon j'aime assez la nature et je me promène souvent, donc tout ce qui est bruit de la nature, chant des oiseaux, vent, bruit dans les feuilles, et cetera, ces choses-là.
– Merci beaucoup.

– Accepteriez-vous de répondre à quelques questions?
– Eh oui.
– Eh bien, pour vous quels sont les bruits qui sont les plus gênants, quels sont ceux que vous pouvez considérer comme de la pollution sonore?
– Les marteaux-piqueurs, la circulation. Vous parlez de la rue ou dans les maisons?
– Le bruit en général.
– La musique à fond, enfin la musique euh pop à fond, l'autre aussi, c'est tout, je sais pas, rien d'autre ne me vient à l'esprit.
– Et est-ce qu'il y a des bruits que vous considérez comme particulièrement agréables?
– Ben oui, si on considère que la musique est un bruit, oui, la musique, euh je sais pas euh, la voix de beaucoup de gens, des enfants, des grandes personnes, des gens que j'aime, même comme ça dans la rue, le vent, le vent, le vent et puis je ne sais pas ...
– Merci beaucoup.

– Pour vous, quels sont les bruits les plus gênants, quels sont ceux que vous considérez comme de la pollution sonore?
– Ben, les bruits des voisins, par exemple.
– Vous pouvez préciser?

– Ben, quand les voisins ne retirent pas leurs chaussures ... quand ils rentrent chez eux par exemple, ou les voitures aussi qui font ... qui jouent avec leur moteur.
– Et quels sont les bruits que vous trouvez particulièrement agréables?
– Euh, ben le rire des enfants, par exemple, les enfants qui jouent, la musique.
– Justement à propos de musique, il y a certaines personnes qui considèrent la musique écoutée par certains jeunes, comme agressive, qu'est-ce que vous en pensez?
– Oui, c'est vrai, par exemple, j'ai mon frère il écoute du hard rock, c'est vraiment pas, je trouve ça nul quoi, on entend boum boum, non c'est ...
– Merci beaucoup.

– Pour vous, quels sont les bruits les plus gênants?
– Ici, à Reims? La voiture et euh les marteaux-piqueurs finalement et tous les engins de construction ...
– Et est-ce qu'il y a des bruits que vous trouvez particulièrement agréables?
– Les oiseaux et puis et bon ... les oiseaux ...
– Merci beaucoup.

● **Feuille 21**
Feuille 21 could be tackled after activity 6.

7 Students use Kévin's plan as the basis for their own essay. Encourage them to employ the techniques used in the *déchets nucléaires* section as well as the texts on noise pollution.

● **Extension activity**
Students who wish to do further research on noise pollution may wish to contact these two organizations:

Ligue française contre le bruit
6 rue de Stockholm
75008 Paris

Comité national contre le bruit
15 rue de l'Echiquier
75010 Paris

Unité 8 L'art et l'architecture

Unit objectives

Topic
- Art and architecture

Language
- Describing paintings and buildings (p107, p109)
- Expressing opinions (pp109–110, p116)
- Expressing abstract ideas (p107, p109, p115)

Grammar
- The past historic (p112)
- The pronouns *y* and *en* (p112)

Pronunciation
- Open and closed *o* (p106)

Skills
- Creative writing (p110)
- Checking written work for accuracy (p110)

Video
- Contemporary art (p110)

Vie active
- Town planning (p113)

Feuilles à photocopier
- Feuille 22 (p107)
- Feuille 23 (after p112)
- Feuille 24 (p113)

PAGE 105

L'art et l'architecture

Objectives
- To introduce the theme of the unit
- To undertake some background research on the theme of art and architecture

● Preparation
If possible, bring examples of paintings both from the art movements and by some of the artists mentioned (see below). Students can simply indicate a preference on first impressions, without going into detailed analysis of the painting, which they will do later. Activity 1 provides an opportunity for students to begin to reflect on different paintings, from which they can select one for activity 9, page 107 – preparing a short presentation to describe a painting of their choice.

● Background information
The paintings are: *Quand te maries-tu?* (Paul Gauguin), *La chambre à Arles* (Vincent Van Gogh), and cave paintings from Lascaux.
You may wish to give additional information about the different periods of art mentioned; for example, influential painters of the period and some examples of paintings:

L'impressionnisme
les impressionnistes cherchent à rendre l'effet de la lumière sur les choses. Par exemple, Claude Monet, Edgar Degas, Auguste Renoir. Quelques toiles: Impression, soleil levant, Gare Saint-Lazare.

Le fauvisme
Les 'Fauves' emploient des couleurs très vives pour exprimer leurs sentiments intérieurs. Par exemple, Henri Matisse (1869–1954). Quelques toiles: La Danse, La Dame en bleu.

Le cubisme
Les cubistes cherchent à recomposer la réalité sous des formes abstraites. Par exemple, Georges Braque (1882–1963). Quelques toiles: Le Jour; L'homme à la guitare

L'expressionnisme
Un courant artistique né de l'esprit de révolte de la jeunesse allemande face à l'autoritarisme, qui apparaît dans les années qui précèdent la Première Guerre mondiale. Par exemple, Erich Heckel (1883–1970), Ernst Ludwig Kirchner (1880–1938). Quelques toiles: La Toilette.

Le dadaïsme
Un mouvement artistique né après la Première Guerre mondiale, désirant détruire les règles et les normes. Par exemple, Francis Picabia 1879–1953), Marcel Duchamp (1887–1968). Quelques toiles: L'œil cacodylate.

Le surréalisme
Les surréalistes essaient de reproduire et d'exprimer le monde du rêve. Par exemple, Marc Chagall (1887–1985).

Le futurisme
Les futuristes privilégient tout ce qui dans le présent préfigure le monde futur.

The painters mentioned are: Camille Pissarro (1830–1903); Edouard Manet (1832–1883); Edgar Degas (1834–1917); Paul Cézanne (1839–1906); Claude Monet (1840–1926); Auguste Renoir (1841–1919); Paul Gauguin (1848–1903); Vincent Van Gogh (1853–1890); Henri Matisse (1869–1954); Georges Braque (1882–1963).

1 The opening questions of this unit are designed for whole class discussion, to allow some brief exchanges on the topic in general. Begin by asking some general questions, in addition to those in the Students' Book; for example:
- *Est-ce que vous aimez regarder les tableaux?*
- *Avez-vous visité récemment une exposition?*
- *Quel genre de peinture préférez-vous?*
- *Combien de peintres français pouvez-vous nommer?*
- *Pouvez-vous nommer quelques tableaux français?*

2 Once students have completed the pair work activity, introduce some vocabulary. Using *peinture* as their starting word, students could develop and practise their dictionary skills. For example, they could identify a verb and another noun connected to *peinture* (*peindre/peintre*).

Alternatively, or as a **homework** activity, they could, again using their dictionaries, identify different styles of painting or other key vocabulary linked to the topic of art; for example: *une aquarelle, une fresque, peinture à huile,* and so on. Their task could be to draw word spiders, or build up a section of a database around a given word.

● **Follow up activity**
The statistics relating to French cultural pursuits (taken from *Francoscopie* 1995) provide an opportunity for students to reflect on how often they, their friends and family visit museums, galleries, etc. Either a quick poll in class, or a brief survey carried out as a homework activity, could lead to a similar presentation of facts, based on their own families and friends.

PAGES 106–107
Quel genre de peinture préférez-vous?

Objectives
■ To understand descriptions of and background information about paintings
■ To describe a painting

1, 2 The opening text of the unit presents some background to the Impressionist movement, focusing on the break with tradition that occurred during the 19th century. Students studying art may already be familiar with much of this information, which should be an aid to understanding the text. Invite students with some background knowledge to suggest the names of artists or works of art from this period.

💻 If you have a French encyclopaedia on CD-Rom, or have access to the Internet, you should be able to find additional information in the style of the text presented in the Students' Book.

● **Follow up activity**
To ensure comprehension of the text, give students a list of comprehension questions:
– *Quels sont les sentiments inspirés par l'art traditionnel?*
– *L'art occidental, que représente-t-il depuis la Renaissance jusqu'au début du 20ème siècle?*
– *Résumez, en utilisant vos propres termes, la différence entre la peinture académique du 19ème siècle, et celle des impressionnistes.*

● **Extension activity**
Once students have read and understood the text, give them the following text to complete with the words to choose from listed underneath as shown.

Sans regarder le texte, remplissez les blancs avec l'un des mots dans la liste ci-dessous.

Traditionnellement, un chef-d'œuvre fait ...... à l'œil. Il ...... l'émotion, le plaisir. Les meilleures œuvres d'un artiste sont ...... ses chefs-d'œuvre. Ils sont jugés comme les plus ...... Pendant le 19ème siècle, les peintres ont continué à ...... les règles académiques, en représentant la ......, c'est-à-dire, les paysages et les portraits. Les impressionnistes ont ...... à peindre la ...... plutôt que la réalité, et surtout les ...... de la lumière sur les choses. Ils ne voulaient pas ...... les sujets.

effets nommées parfaits suivre réalité idéaliser cherché plaisir suscite lumière

2 Answers
a se sont appliqués/s'appliquer à; **b** un chef-d'œuvre; **c** l'art occidental; **d** susciter; **e** la suite de; **f** toile; **g** réjouir; **h** la rupture

🔊 Ça se dit comme ça!

Objective
■ Open and closed *o*

3–5 Using the text and the names of artists introduced so far, students have opportunities to practise the pronunciation of open and closed *o*, in French. Point out to them that *œ* is also pronounced as closed *e*, as in *œnologue, œcuménique,* and so on, so they need to check carefully the phonetic transcript when looking up words.

Transcript Page 106 – Ça se dit comme ça!
Activities 3–5
– le *o* ouvert: Monet, soleil, bonne
– le *o* fermé: Watteau, beau, chose

– tableau, objet, occidental, étonnement, beau, plutôt, code, propos

– le son *œ*: (le son *eu, o, e* collés) un chef-d'œuvre, un œil

6 Following the general background information in activities 1 and 2, students now focus on the work of one artist: Cézanne. This should be seen as a model of how to present information on an artist, as well as information on the background to the painting shown in the Students' Book. For this reason, the transcript could be used for follow up activities.
Answers
b, f, a, c, d, e

Transcript Page 107 – Activity 6
– Vous écoutez *Kaléidoscope*, et l'émission d'aujourd'hui est consacrée à Paul Cézanne. Mireille Kaufman, elle-même peintre et auteur de plusieurs ouvrages sur Cézanne, est avec nous.
– "Cézanne était mon seul et unique maître! Vous pensez bien que j'ai regardé ses tableaux ... j'ai passé des années à les étudier ... Cézanne, il était comme notre père à tous". Ces paroles de Picasso nous indiquent l'importance de Paul Cézanne pour les artistes qui l'ont suivi.
Né en 1839 à Aix-en-Provence, Cézanne a commencé des études de droit, puis les a abandonnées en 1861 pour aller à Paris où il s'est inscrit à l'Académie Suisse. En 1863, il a

rencontré Manet au Café Guerbois, et ses liens avec les impressionnistes datent de cette époque-là. Aujourd'hui, il apparaît comme le pionnier le plus novateur de l'art moderne.

– Oui, c'est vrai. Considéré par ses pairs (Monet, Degas, Pissarro, Matisse ...) comme l'un des plus grands, Cézanne expérimentera sans cesse toutes les combinaisons de la peinture pour atteindre son but: recréer "une harmonie parallèle à la nature" sans chercher à l'imiter.

– Comment donc cherchera-t-il à atteindre son but?

– Eh bien ... dans les tableaux de Cézanne, la couleur remplace le dessin. C'est-à-dire qu'il repousse toutes les règles enseignées par l'Ecole des Beaux-Arts, parce que pour l'Ecole, la peinture c'était d'abord le dessin.
Mais pour les impressionnistes, la nature n'avait pas de lignes. Et dans les tableaux de Cézanne, la couleur donnera la forme. Le volume sera suggéré par la juxtaposition des couleurs et non par le clair-obscur traditionnel, et les formes ne seront plus cernées d'un trait mais liées entre elles par des passages de couleur abolissant la distinction habituelle entre le fond et la forme.

– Cézanne, est-il donc considéré comme un des Impressionnistes les plus importants?

– A vrai dire, Cézanne est plutôt post-impressionniste. Comme ses contemporains impressionnistes, Cézanne peint le paysage où il habite, surtout les environs d'Aix-en-Provence, ou des motifs simples, la pomme dans les natures mortes, par exemple. Et il s'applique à rendre les effets de la lumière sur les choses. Mais en plus, il omet certains détails dans ce qu'il voit. Il réduit chaque élément à son caractère essentiel. Il veut découvrir des formes géométriques dans la nature; ainsi la profondeur est aussi importante que la largeur et la longueur. Et il arrange le tout afin de présenter une composition solide et harmonieuse.

– Et on peut suivre le cheminement de Cézanne dans sa quête de nouvelles formes dans la série de tableaux de la Montagne Sainte-Victoire.

– Oui, exactement. Entre 1885 et 1890 l'artiste a représenté 60 fois cette montagne située dans les environs d'Aix-en-Provence. Il simplifie les formes à leur volume d'origine. Et à ces éléments stables, il oppose des zones colorées au moyen d'une touche régulière qui suggère les effets de la lumière sur la végétation.

● **Follow up activity**

For **homework**, students could complete the following vocabulary work:

Cherchez dans un dictionnaire le sens des mots suivants.
Il faut les expliquer en classe.
le pionnier novateur le volume la juxtaposition cerner
le fond la forme la nature morte
la profondeur une touche

It is important that students do not try simply to find a synonym, but rather to explain the sense of a word or phrase.

7 Having completed the reading activity, students could summarize the text, in English, to show that they have fully understood the meaning.

8 Students now listen to four people talking about artists whose work they admire, and giving reasons for their preference. They should refer back to page 105, and to the *Expresssions-clés* box, to help them note their answers.

Answers

(Example) **1** les peintures post-impressionnistes, surtout celles de Vincent Van Gogh; ses tableaux sont hauts en couleurs; il communique aux choses une vie intense, étonnante; il utilise des couleurs violentes; il applique la couleur par larges touches **2** Gauguin – ses tableaux sont baignés des couleurs et de la lumière; c'est une peinture pleine de couleurs vives **3** les peintures impressionnistes, surtout celles de Renoir; ce qui m'attire chez Renoir, c'est la lumière, la couleur; il a créé des tableaux très lumineux **4** les peintures expressionnistes, surtout celles d'Henri Matisse; il emploie des couleurs très vives

Transcript Page 107 – Activity 8

– Je suis attiré par les peintures post-impressionnistes, et celles de Vincent Van Gogh me touchent beaucoup ... Pour moi, il est un des grands. Euh ... Ses tableaux sont hauts en couleurs et ... il ... il communique aux choses une vie intense, étonnante, comme on peut le voir dans des peintures telles que *La Chambre à Arles* ou *La Moisson*.
Ce qui m'attire chez Van Gogh, c'est la couleur. Il utilise des couleurs violentes ... Et sa technique ... il applique la couleur par larges touches. Il exprime l'intensité, la force d'un sentiment presque insupportable.

– Je suis très attiré par les peintures de Gauguin. Ses plus belles toiles représentent des scènes de Tahiti, en Polynésie. Il y exprime son amour de la vie primitive, son amour des couleurs brillantes ... euh ... dans des tableaux très séduisants et baignés des couleurs et de la lumière des îles du sud. Et mon tableau préféré, c'est *Quand te maries-tu?* C'est une peinture pleine de couleurs vives, vraiment admirable.

– Je préfère les peintures impressionnistes, surout celles de Renoir. Ce qui m'attire chez Renoir, c'est la lumière, la couleur. Sa composition est plus ... plus étudiée que celle des autres impressionnistes, bien qu'il ait participé à la première exposition impressionniste. J'ai l'impression qu'il voulait peindre un monde souriant, plein de lumière ... Et il a créé des tableaux très lumineux, comme, par exemple, *Le Moulin de la Galette*. Dans ce tableau, il représente un monde vivant, ensoleillé ...

– J'aime bien les peintures expressionnistes, celles des fauves ... et surtout les tableaux d'Henri Matisse. Il emploie des couleurs très vives pour exprimer ses sentiments. Selon moi, c'est un coloriste extraordinaire ... Ses tableaux sont vraiment remarquables.

● **Feuille 18**

As preparation for activity 9, students should first complete *feuille* 18, which contains a detailed description of a painting and provides additional, guided tasks in the preparation of a painting commentary. Depending on the group, some students might simply complete the guided tasks on *feuille* 18, without moving on to the task in the Students' Book. Alternatively, some students could simply use the model given to prepare their own presentation, without completing the associated tasks.

1 Answer

Le Moulin de la Galette, 1876, Auguste Renoir

9 Finally, students have an opportunity to describe a painting that they particularly like. As students have only three minutes to give their presentation, they could do so in the style of an art gallery guide, i.e. talking about a particular painting. Alternatively, they could present it as part of a television discussion, which would provide an opportunity for their presentations to be recorded on video. It is essential that students work only from notes, and not from a script. For this reason, it is important that they have adequate time in which to prepare, plus support, if necessary.

PAGES 108–109

Les grands travaux, qu'en pensent les Parisiens?

Objectives

■ To learn about key architectural developments in Paris
■ To understand descriptions of buildings
■ To describe a building

● Background information

Begin with some information on the key *grands projets* of recent Presidents of France; for example: *Chaque président de la République marque sa période au pouvoir par un grand projet. C'est une tradition qui remonte jusqu'aux rois.*

It would be useful if students could have access to a map of Paris, for this task, in addition to the plan in the Students' Book. A list of post-war *grands projets* includes:

– la Maison de la Radio (Le général de Gaulle)
– le Centre Beaubourg (Georges Pompidou)
– la Cité des Sciences et de l'industrie de La Villette; le musée d'Orsay (Valéry Giscard d'Estaing)
– l'Opéra de la Bastille, l'Arche de la Défense, le Grand Louvre, la Grande Galerie de l'évolution, la Très Grande Bibliothèque, ou Bibliothèque nationale de France (François Mitterrand).

1 Answers

1 le Grand Louvre – c'est original, c'est hyper-design et très aéré. Il est important de travailler avec les beaux monuments qui existent déjà, au lieu de les remplacer par d'énormes édifices; **2** le Musée d'Orsay – c'est l'endroit idéal pour exposer de l'art; c'est vaste, l'éclairage est superbe; c'est calme; **3** la Bibliothèque de France – c'est ultra-moderne; il y a de la place pour tous les livres; on a gardé des espaces verts; **4** l'Arche de la Défense – on est attiré par la sobriété du bâtiment et la pureté des lignes; **5** l'Opéra Bastille – le bâtiment l'emporte sur les préjugés, c'est un bâtiment moderne

Transcript Page 108 – Activity 1

– Saviez-vous que la France est le seul pays régi par une loi déclarant l'architecture d'intérêt public?
– Non, je ne le savais pas. C'est intéressant, quand même.
– Alors, quel est votre monument préféré à Paris?
– Ben ... Ça doit être le Grand Louvre.

– Ah bon?
– Oui ... sans doute. C'est original, à cause de sa forme et des matériaux ... La Pyramide, en verre, c'est hyper-design, et très aéré.
– Et vous ne trouvez pas inopportun d'avoir associé quelque chose de tellement moderne avec l'ancien Louvre?
– Mais non, c'est pour ça que je l'aime ... Faire cohabiter la modernité de la Pyramide avec le classicisme du Louvre fait preuve d'une capacité, d'une volonté aussi, de compléter, de changer, de modifier quelque chose; de travailler avec les beaux monuments qui existent déjà, au lieu de les remplacer par d'énormes édifices ... Et en plus, le faire d'une façon qui a un sens.

– Et vous, madame ... quel est votre monument préféré à Paris?
– J'aime beaucoup le Musée d'Orsay. C'est mon musée préféré.
– Pourquoi avez-vous choisi le Musée d'Orsay... de préférence au Grand Louvre ou à l'Arche de la Défense, par exemple?
– Ben ... Selon moi, la restauration de cette gare, ainsi que de l'hôtel Orsay, nous a donné l'endroit idéal pour exposer l'ensemble de la production artistique française de la seconde moitié du 19ème siècle – ainsi que des premières années du 20ème. C'est une ancienne gare, donc c'est vaste, et l'éclairage direct est superbe. En plus, c'est calme. On peut regarder les tableaux en toute tranquillité ... et apprécier les couleurs, la vie des peintures ...

– Avez-vous un monument préféré à Paris?
– Eh bien ... j'aime bien le Musée d'Orsay ... mais je préfère la Bibliothèque nationale de France.
– Pour quelles raisons choisissez-vous cet endroit?
– Il était absolument nécessaire de construire une nouvelle bibliothèque. On n'a pas le droit de laisser les chefs-d'œuvre de la littérature française s'empiler dans la poussière dans des endroits inappropriés ... Dans l'ancienne bibliothèque, on n'avait plus de place pour les livres.
– Vous ne trouvez pas que c'est trop gigantesque?
– Non, pas du tout. La nouvelle bibliothèque, c'est vrai que c'est une réalisation ultra-moderne, mais on a de la place pour tous les livres, les documents, tout ce qu'il faut dans une bibliothèque de notre époque. En plus, on a essayé de garder des espaces verts. Je trouve que c'est un endroit approprié ... là au bord de la Seine.

– On parle des grands travaux à Paris: lequel des monuments préférez-vous?
– Euh ... c'est difficile, mais je crois que c'est l'Arche de la Défense.
– Et pourquoi la choisissez-vous?
– Eh bien ... c'est vrai, au début, je la trouvais un peu osée... un peu ambitieuse ... Mais finalement j'y vais tous les jours ...
– Vous travaillez là-bas?
– Oui, c'est ça ... Je me suis donc habituée ... et en plus, j'aime la sobriété du bâtiment, la pureté des lignes.

– Que pensez-vous des grands travaux à Paris?
– Je trouve qu'ils sont la preuve d'une culture française vivante. Paris, la capitale, ne se fossilise pas ... c'est plutôt une ville dynamique et moderne.
– Avez-vous un monument préféré?
– Pour moi, ça doit être l'Opéra Bastille.
– Ah bon? C'est intéressant. Et pourquoi le choisissez-vous?
– Eh bien, les gens considèrent toujours que l'opéra est une chose classique, mais on a décidé de construire un bâtiment qui l'emporte sur les préjugés, sur les idées reçues ....
– Vous ne pensez pas qu'un opéra doit être classique ... traditionnel?
– Euh ... oui, classique, traditionnel, mais pas ringard ... et surtout pas élitiste. L'opéra est vivant, dynamique, et en construisant ce bâtiment, on a essayé de lui donner un aspect populiste ...

● **Follow up activity**

Students who have visited Paris could say which monument or building they prefer, stating when they visited it, with whom, and what they thought of it.

● **Extension activity**

The transcript could be used for vocabulary building; it would also be useful for students to have a copy, against which to check their answers to **b**. They could draw up their own *Expressions-clés* for phrases used to express an opinion of a building and the reasons given.

2 Students now have an opportunity to build on the work in activity 1, looking at a particular building. The listening and reading text focuses on the problem that each new building causes: that of dividing opinion. Listening to the text gives an indication of the contrasting opinions, and should be an aid to completing the reading task.

This text also provides an opportunity for students to summarize a short extract in English for **homework**. It is important that they summarize the meaning and do not attempt to translate word for word.

Answers

b 1 on adore la forme innové; **2** on est attiré par la pureté des lignes; **3** … vont s'avérer parfaits pour les expositions; **4** la ligne s'intègre parfaitement à son environnement

Transcript Page 109 – Activity 2

– Grands travaux = grands débats.

Les grands travaux font toujours l'objet de discussions passionnées. En France, un bâtiment sur quatre fait l'objet d'une mise en compétition. Et à l'attribution de chaque projet, commence une polémique. On admire, on déteste le projet. On adore la forme innovée; on exècre sa forme étrange. On est attiré par la pureté des lignes; c'est un bâtiment sans style, sans forme. Les murs courbes vont s'avérer parfaits pour les expositions; le bâtiment se révélera peu fonctionnel. Le bâtiment proposé va défigurer le quartier; la ligne s'intègre parfaitement à son environnement … Bref … il est tout à fait impossible de construire un bâtiment public sans provoquer de vives réactions.

3 b Possible comprehension questions:

– *Quel est le nom de l'architecte de la BNF?*

– *Pour quelle raison estime-t-on que la BNF ne sera pas prête à ouvrir à la date prévue?*

– *Où se trouve exactement la BNF?*

– *Qui a proposé l'idée d'une bibliothèque de France?*

– *Et quelle était la date de l'inauguration?*

Answer

a les contraintes budgétaires

● **Background information**

Students might be interested to know that the Bibliothèque nationale de France has been the cause of much discussion and debate. If appropriate to the group, once students have completed the tasks in the book, they could be invited to suggest possible reasons for such conflicting opinions.

4 Answers

a le 14 juillet 1988 François Mitterrand annonce la création d'une nouvelle bibliothèque nationale; 1989 on attribue le projet à l'architecte Dominique Perrault; 1992 les travaux commencent; 1994 la Bibliothèque nationale de France est née; le 30 mars 1995 inauguration par François Mitterrand **b** quatre livres ouverts

Transcript Page 109 – Activity 4

– Mesdames, Messieurs, bonjour et bienvenue à la Bibliothèque nationale de France. Avant de commencer la visite, je vais vous fournir quelques renseignements importants concernant l'histoire de ce nouveau bâtiment. La Bibliothèque nationale de France n'est pas qu'une bibliothèque … c'est un symbole. Le plus coûteux et le plus contesté de tous les grands travaux, la Très Grande Bibliothèque, chère à François Mitterrand, continue à provoquer de vives réactions.

Quelle en est l'histoire?

En 1988, le 14 juillet, François Mitterrand a annoncé la création d'une nouvelle bibliothèque nationale qui réunirait la Bibliothèque nationale, rue de Richelieu, au cœur de Paris, et un nouveau bâtiment dans le 13ème arrondissement, le quartier Tolbiac.

Le concours pour la Bibliothèque nationale nous a donné plusieurs exemples d'architecture moderne, de bâtiments impressionnants, et en 1989, on a attribué le projet à l'architecte Dominique Perrault.

1992 a vu le démarrage des travaux de construction ici dans le quartier Tolbiac. Les habitants se sont vite habitués à ses quatre tours, métaphore de quatre livres ouverts. On a aussi cherché à conserver des espaces verts … on a même importé une mini-pinède de Normandie. La Bibliothèque est divisée en deux: un niveau pour les lecteurs, l'autre pour les chercheurs.

En 1994 la Bibliothèque nationale de France est née … l'ensemble de Richelieu et Tolbiac, et le 30 mars 1995, la BNF a été inaugurée par François Mitterrand.

5 Using their notes from previous activities, students now prepare a written description of a building they know and like. Depending on the group, it might be appropriate either to give them some more key language, or to include in the activity the task of researching any language they might need to describe a specific building. If providing the key language, ensure that students actively understand the meaning, perhaps by presenting it in the form of categories. Using their dictionaries where necessary, students categorize each phrase under the correct heading.

Possible headings: *matériaux; formes; construction.*

Possible words and phrases:

la façade rectiligne

– *l'architecte privilégie la courbe*

– *un bâtiment en marbres*

– *le cuivre de la coupole*

– *ils ont combiné l'inspiration gothique avec l'art italo-antique*

– *le château est un édifice majestueux aux lignes pures et aux proportions parfaites*

– *des colonnes verticales brisent la monotonie des lignes horizontales*

– *c'est un monument colossal inspiré de l'antique*
– *l'édifice est construit en forme de temple grec*
– *l'église date du Moyen Age*
– *le bâtiment combine certaines caractéristiques du style roman (l'arc rond) et du style byzantin (le coupole et le dôme)*
– *l'acier et le ciment armé, bien plus légers que la pierre, ont permis de bâtir des immeubles de plus en plus hauts*
– *les lignes simples et fonctionnelles*
– *il a été restauré plusieurs fois*
– *la cathédrale est vaste et très ornée*
– *l'équilibre de ses proportions et la pureté de ses lignes en font un monument splendide*
– *le bâtiment a été terminé en 1875*
– *il est en forme de croix*
– *le musée est du style gothique*
– *l'intérieur est très riche*
– *une des structures les plus hautes du monde*
– *c'est un bâtiment ultra-moderne*

Students could carry out the research requirements of the task as a **homework** activity, drafting their text in class, with support either from the teacher or from the language assistant. The final draft can either be hand written or word processed.

PAGE 110

Que pensez-vous de l'art contemporain?

Objectives

■ To express an opinion of contemporary art
■ To take part in a debate on an exhibition of contemporary art
■ To write an imaginative narrative

1, 2 Having looked at traditional art, the video extract provides an opportunity to consider contemporary art and to express an opinion of the works shown. Following the first section, students could express a brief opinion of the works of art shown. The opinions expressed – listed in the Students' Book as part of the second task – could be added to students' own *Expressions-clés*.

2 Answers

1 c, e; **2** b, f; **3** a, d, i; **l'homme** g, h

3 Students should be allowed to watch the extract several times, if necessary, to enable them to complete the task successfully.

Answers

a choisira; **b** la beauté, la vérité; **c** les vérités, d'artistes; **d** la réponse

4, 5 Briefly, students express their own opinion of contemporary art, based on what they have seen on the video extract. Once each student has selected a role, they work with other students presenting the same point of view to draw up a list of possible arguments to support their case. They will need to watch the video extract again.

● **Follow up activities**

– Students could take part in a class debate, after which a vote is taken. Which side wins the argument?
– Students could prepare a leaflet outlining their main arguments, referring back to unit 6, to revise strategies for promoting a product or an idea.

Video transcript Page 110 – Activities 1–5

– Que pensez-vous de l'art contemporain? Ces formes abstraites? Ces assemblages d'éléments posés à même le sol ... cet objet banal mais que l'on désigne comme œuvre d'art. Au Lac de la Vassivière, en Limousin, se trouve l'un des centres d'art contemporain les plus visités de France. Mille cinq cents visiteurs s'y rendent tous les ans. Mais que pensent-ils de l'art contemporain? Télé-Millevaches nous propose ce reportage

– Chaque été, ils sont près de 3 500 à venir prendre d'assaut ce grand îlot touristique que forme l'île de Vassivière. A pied en empruntant la grande digue de pierre, ou en train. Halte photo sur la digue, un coup d'œil sur le lac, ses planches à voile, ses bateaux.
Dominant cette vaste marée humaine aux couleurs de l'été, le Centre d'art contemporain fait désormais partie intégrante du paysage. Et même si on ne l'a jamais visité ici dans la région, on le connait bien, ce drôle de bâtiment tout en longueurs, fait de brique rouge, de granit gris, cette tour qui ressemble à s'y méprendre à un phare.
Avec ses 1 500 visiteurs par an, Vassivière est un des centres d'art, avec celui de Kerguenec en Bretagne, Voiron en Indre et Loire, les plus visités de France. Pourtant l'art contemporain est loin aujourd'hui encore d'obtenir le sentiment du public. Des salles plus souvent vides que pleines, des assemblages d'éléments posés à même le sol, des matériaux insolites voire inédits... "Ceci n'est pas un clou" mais une œuvre d'art. Un cartel pour désigner l'ensemble et voilà l'œuvre d'art baptisée, consacrée, grâce à la magie du nom "musée". L'art contemporain le plus souvent déconcerte, amuse ou rebute. L'art contemporain dans son ensemble est loin de faire l'unanimité. En témoignent les réactions des visiteurs:

– On n'y comprend rien. Enfin, ça nous amuse, c'est tout, c'était pas le but de l'art contemporain.
– Esthétiquement parlant, c'est très moche. En fait, c'est un peu trop vague, quoi. Ça veut tout dire et rien dire en même temps.
– Pour moi, enfin mon opinion personnelle hein ... l'art, il y a quand même à la base une recherche, une connaissance de techniques, euh, qui sont après utilisées ... faire la technique pour faire ce qu'on a envie de faire ... Mais je crois que ça doit inspirer quand même un certain respect pour le travail. Souvent des gens et moi aussi ... on a plutôt envie de dire "ce n'est pas sérieux, on se moque de nous"... et euh ... je cite des exemples euh, quelquefois on a une branche qui semble sortir tout droit d'une barbecue d'été, qui est un peu noircie, qui est présentée comme œuvre d'art. Je pense que là il faut pas exagérer ...
– Je trouve que c'est trop moderne. C'est un style tout à fait ... qui change totalement de notre région. Ça ne m'inspire pas, tout simplement.
Je ne retrouve pas, je ne retrouve pas notre région, je ne retrouve pas, justement ... c'est peut-être, peut-être un bien, quoi, de faire apparaître autre chose au pays, de vouloir

apprendre autre chose aux gens, mais moi pour le moment, je ne suis pas je ne suis pas convaincue …

– Télé-Millevaches poursuit le débat sur la valeur de l'art contemporain avec Henri Cueco, un artiste qui travaille dans la région. Quelle est sa conception de l'art moderne? Selon lui, c'est quelque chose de déroutant. Pour le comprendre, il faut s'informer, se cultiver … et puis réfléchir. Pour Henri Cueco, ce n'est plus la beauté qu'expriment les artistes de nos jours, mais la vérité … L'œuvre d'art est une question, une exploration de l'inconnu … et dans ce cas-là il faut parler non pas de *la* vérité … mais *des* vérités. Il y en a autant qu'il y a d'artistes. Ecoutons Henri Cueco …

– L'art contemporain, c'est quoi? C'est l'art qui se fait au moment où on est en vie. Il est déroutant parce qu'il est sur les limites, euh, du non-art, de ne pas être de l'art et je crois que le public avait ce ce ce … faisait ce raisonnement qu'on trouvait à la campagne autrefois, disant "je sais pas ce que c'est, mais ça vaut de l'argent" voilà … et dans la mesure où cette valeur, avec des guillemets, valeur … en tout cas valeur vénale est contestée, puisqu'il y a une double crise en ce moment, crise économique et crise des valeurs de l'art, les gens se mettent à avoir des doutes qu'ils n'avaient pas avant.

– Henri Cueco, comment répondriez-vous à un visiteur qui sort d'un centre d'art contemporain et qui dit "j'ai l'impression qu'on se fiche de nous, c'est pas de l'art, ça c'est presque rien". Qu'est-ce que vous lui auriez répondu …?

– Deux choses bien contradictoires … je lui répondrais que peut-être il a raison, pourquoi pas? Encore autre chose, que s'il arrivait devant des livres écrits en allemand, par exemple ou en anglais, donc une langue européenne proche, et s'il ne connaît ni l'anglais, ni l'allemand, pour lui ça resterait hermétique, les livres ne seraient pas plus intéressants que des morceaux de bois. Bon, je lui répondrais que dans tous les cas, il faut qu'il s'informe, qu'il se cultive et puis après il choisira.
Si au 19ème siècle les artistes cherchaient à faire de la beauté, on peut dire qu'à partir de Cézanne … et dans la diversité de leurs recherches, on a l'impression qu'ils cherchent plus la vérité. D'abord je devrais dire les vérités, c'est-à-dire autant de vérités qu'il y a d'artistes, ça veut dire ne pas chercher à se conformer à une exigence qui est extérieure à l'œuvre, mais être dans l'œuvre en quête de quelque chose qui est de l'ordre de l'émotion, de l'ordre de l'intelligence, de l'ordre de l'inconnu. Personne ne peut donner une réponse à ça, sinon l'œuvre. Si l'œuvre est une question, elle n'est elle n'est pas la réponse. Elle est encore une question qui redouble la question, c'est ça qui la rend passionnante.

Compétences: A vous de créer!

6, 7 As a preliminary activity, students work in pairs and make up a story about some of the characters in the painting, i.e. a third-person narrative. This will act as a stimulus for the main activity in the Students' Book, although it is also an additional writing activity. The activity could be set in the context of a competition, perhaps with a limit on the number of words allowed and with a prize for *l'histoire la plus amusante*.
The tasks in the Students' Book guide students through the necessary steps, not only to complete the task set, but also to develop strategies for checking the accuracy and content of their work. They should develop the habit of working in this way on all pieces of writing.

PAGE 111

Interlude: *L'Œuvre* de Zola

● **Background information**
This extract, taken from *L'Œuvre* by Emile Zola, focuses on the description of a painting by Claude Lantier, for which his friend, the writer Sandoz is posing. It is intended that students should simply read the text for pleasure and interest.

● **Suggested activities**
If appropriate, students could be set tasks to ensure that their reading of the extract has a focus. For example, in the opening paragraph, Claude is looking back at the work of Delacroix and Courbet. He says: *Maintenant, il faut autre chose …*
Students could summarize the paragraph, focusing on the "problems" linked to the work of the artists mentioned, and the way forward that he suggests. Alternatively, they could focus on the final paragraph, which contains a description of Claude's painting, and summarize it in English; or they could sketch an outline of the painting.

PAGE 112

Zoom sur le passé simple

Grammar
■ To introduce and practise the past historic and past anterior

1 This section introduces and practises the past historic. Additional explanations in English, and examples, are given in the *Grammaire* 16 (SB page 220).
Answers
a se trouva; **b** se dépêcha; **c** s'assirent; **d** enleva; **e** continua; **f** rit, demanda; **g** partirent, revint; **h** resta.

● **Feuille 23**
The bottom half of this repromaster provides further practice of the past historic, and also includes practice of the past anterior.
1 Answers
a allai; **b** visitâmes; **c** revint; **d** répondit; **e** fut; **f** retournâmes; **g** reçurent

3 Answers
a fut arrivé; **b** furent partis; **c** eus enlevé; **d** fûmes entrés

4 The final writing task requires students to draft an imaginative piece of writing, for which the opening sentence is given. Students should refer back to the *Compétences* activities on page 110 to help them complete this task.

Zoom sur les pronoms *y* et *en*

Grammar
■ To introduce and practise the pronouns *y* and *en*

2 The short text introduces the grammar section on the pronouns *y* and *en*.

● **Feuille 23**
Additional practice of the pronouns is provided on *feuille* 23 (top half).

1 Answers
a y; **b** en; **c** en; **d** y, en; **e** en

2 Answers
a nous/en; **b** s'y; **c** les/y; **d** leur/en; **e** m'y

PAGE 113
C'est quoi, l'urbanisme?

Objectives
■ To find out about the work of a town planner
■ To understand some background information to the redevelopment of a specific site

1, 2 This page (and succeeding pages) focus on the role of town planners and architects and the effect they have on the environment in which we live. Once students have correctly identified the order of the text, they could be asked to identify key points; for example:
– *L'urbanisme, quand est-il né?*
– *Quelle est la différence entre un projet urbain et une architecture?*
– *Les urbanistes, avec qui collaborent-ils?*
– *Identifiez les domaines concernés dans un projet urbain.*

1 Answers
A introduction; **G** introduction d'une idée;
B développement d'une idée; **F** exemple ou illustration;
H explication; **D** détails qui confirment un argument;
E résumé; **C** conclusion

2 Answers
1d, 2b, 3a, 4c

3 A straightforward vocabulary exercise, that enables students to develop strategies for identifying the correct definition of a word, according to its context.
The list could be developed further, for example:
reposer = rester immobile? être établi/fondé sur?
collaborer = travailler en commun? agir en tant que collaborateur?
répartir = partager? distribuer dans un espace?
Answers
entraîner = emmener; entendre = vouloir;
comporter = inclure

● **Feuille 24**

This contains a plan of the area under discussion in SB activity 4, and so should be completed as a preliminary task, before doing the activities in the Students' Book.
1 Answers
a quartier **A. b** c, g, d, f, a, e, b, h

2 c, e, f

4 The interview with a town planner, Jeanne Haushalter, from Reims gives an insight into the issues that need to be addressed, by town planners, when redeveloping an area.
Answers
a l'îlot était précédemment occupé par des activités industrielles; ils vont devenir du bureau et du logement **b** un investisseur privé, la ville de Reims et la SNCF **c** le but c'est de changer la destination du quartier: on va recréer une voirie qui va permettre de délester la rue; recréer du bureau avec l'installation de plusieurs entreprises privées; aménager une zone d'habitation qui sera réalisée par les organismes HLM; recréer des logements; redonner à ce quartier une nouvelle coloration **d** les conséquences pour les alentours: il faut recréer des écoles, des commerces et des équipements publics de proximité pour pouvoir fixer la population dans le quartier

Transcript Feuille 24; Page 113 – Activity 4
– Jeanne Haushalter, vous êtes urbaniste ici à Reims, pourriez-vous nous parler d'un projet d'aménagement sur lequel vous travaillez actuellement?
– Voici un plan qui illustre une opération d'aménagement de quartier et de réhabilitation notamment. Il s'agit d'un îlot relativement grand, enfin qui représente environ 5 à 6 hectares, très proche du centre-ville, situé derrière la gare et qui était précédemment occupé essentiellement par des activités industrielles, et une usine de gaz, à proprement parler, propriété de la ville.
Donc cette opération se fait avec plusieurs partenaires: un investisseur privé, notamment, qui est propriétaire de toute la partie, de la moitié, de la moitié de l'îlot; et l'autre moitié étant propriété de la ville de Reims. La SNCF intervient aussi dans le projet puisqu'elle-même prépare l'arrivée du TGV, donc qui va avoir aussi une incidence importante sur l'avenir du quartier. Ces bâtiments industriels sont en cours actuellement de réhabilitation pour devenir du bureau, du logement et feront aussi l'objet de travaux de voirie.
On va profiter donc de l'opération de réhabilitation pour recréer une voirie qui va couper l'îlot, qui va permettre de délester la rue, la seule, le seul axe qui desservait le quartier, l'axe principal qui desservait le quartier. Recréer du bureau avec l'installation déjà faite de plusieurs entreprises privées. L'arrivée dans un an de l'INSEE, enfin des services de l'INSEE qui sont des services relevant du ministère de la, des finances, et toute une zone d'habitation qui sera vraisemblablement réalisée par les organismes HLM, organismes HLM étant les organismes d'habitation à loyer modéré, c'est ça? Et le but justement c'est de changer la destination du quartier, qui était un quartier plutôt pauvre. Et avec l'arrivée du TGV, le but de la collectivité est d'y installer des logements, des logements de cadres. Pour agrandir le centre-ville déjà, puisque le centre-ville ça s'asphyxie et recréer des logements et redonner à ce quartier une nouvelle coloration. La seule, le seul fait déjà de transformer de l'activité industrielle en

bureaux va changer complètement l'image du quartier. Aujourd'hui on y trouve, par exemple, RSCG, qui est une grosse société de publicité. Enfin, il y a divers utilisateurs qu'on aurait jamais imaginés dans ce site et ni dans ce quartier il y a encore cinq ans. Et la difficulté pour les aménageurs, c'est d'arriver à attirer des utilisateurs dans le quartier, avec un quartier qui porte une mauvaise image et qui traîne derrière lui une image de, une image médiocre ...
– Une image négative.
– Une image négative, oui.
– Alors, le réaménagement de ce seul îlot induit des travaux périphériques relativement importants, notamment si on apporte ou s'il y a une grosse masse de population qui arrive dans le quartier, ce qui est déjà le cas puisque là je vous parle de cet îlot, mais la réhabilitation des alentours est en train de se faire également. Il faut recréer des écoles, recréer des commerces et des équipements publics de proximité pour pouvoir fixer la population dans le quartier.
Et ça, c'est une réflexion, et c'est, ça relève des compétences de la ville, essentiellement, de la ville et de son service de l'urbanisme qui a un rôle très important a jouer.

PAGES 114–115
La ville en question

Objectives
■ To learn about developments in architecture since 1945
■ To understand an architect talking about his approach to his work
■ To present, in simple detail, key priorities for redeveloping an area of a local town

1, 2 Before completing the tasks in the Students' Book, ask students to consider reasons why certain areas are now *quartiers en difficulté*. Give them certain information, for example: *Beaucoup de quartiers en difficulté se trouvent dans les banlieues. On habite de grands immeubles, des tours ou des barres, sans jardin, à l'extérieur des grandes villes. Pouvez-vous imaginer quelques raisons pour le sentiment d'exclusion ressenti par beaucoup d'habitants?*

● **Background information**
The first text gives some background information to the development of these areas, in the post-war period, including some information on Le Corbusier: *Charles Edouard Jeanneret-Gris (1887–1965), dit Le Corbusier, est célèbre pour ses ensembles d'habitations comme la Cité radieuse de Nantes, et aussi pour son église Notre-Dame-du-Haut à Ronchamp en Haute-Saône, au style ultra-moderne.*

● **Follow up activity**
You could use the text for straightforward comprehension questions:
– *Combien d'habitations à loyer modéré se trouvent dans les banlieues?*
– *Combien de logements ont été détruits pendant la Seconde Guerre mondiale?*
– *Il fallait remplacer les logements détruits, mais pour*

quelle raison était-il nécessaire d'augmenter le nombre de logements dans les villes?
– *Décrivez, en utilisant vos propres termes, les bâtiments construits dans le style de Le Corbusier.*
– *Pour quelles raisons ces grands immeubles ont-ils connu des problèmes?*

1 Answers
1E, 2C, 3B, 4D, 5A

2 Answers
a la construction de logements HLM ou sociaux; la construction de tours et de barres, c'est-à-dire, des grands bâtiments **b** des tentatives pour revaloriser les cités, par exemple la remise en état, des équipements, etc; **c** la réquisition d'immeubles et des logements provisoires

3 As a preliminary task, students could complete the following sentences, to show understanding of the text.

– *La ville européenne est ......, un rempart et ......*
– *Aujourd'hui, le marché est devenu ......, le rempart ...... et la democratie ...... fonctionnaliste.*
– *L'urbanisme progressiste envisage ...... entre quartiers de ...... et quartiers ....*
– *On construit des immeubles......, isolés et ...... d'espaces verts.*
– *On utilise ....*
– *Cette séparation des activités ...... provoquait ....*
– *Depuis 1983, ... des villes est placé sous la responsabilité des maires.*
– *On cherche à ...... les logements afin que les habitants .... de vivre là.*
– *Un immeuble ...... la vie quotidienne de ....*

Transcript Page 114 Activity 3
– Bienvenue à *Kaléidoscope*. L'invité d'aujourd'hui est Alain Bardet, architecte, avec qui nous allons parler des problèmes des banlieues.
– La banlieue est en crise. Inhumains, mal conçus, les immeubles d'hier sont condamnés à disparaître. Mais quelle est l'origine de cette crise? Et comment allons-nous décider que garder et que jeter? Alain Bardet, pouvez-vous nous expliquer les causes de cette crise d'architecture? Et y a-t-il des solutions?
– C'est vrai, les villes françaises s'effritent devant nous et nous commençons enfin à prendre conscience du désastre. La ville européenne traditionnelle, selon Max Weber, est un marché, un rempart et la démocratie. Aujourd'hui, le marché est devenu centre commercial, le rempart autoroute, et la démocratie ségrégation fonctionnaliste. En 1958, les ZUP, Zones à urbaniser en priorité, sont instituées par arrêt ministériel. Ces zones forment le cadre où se concentrera l'effort de construction en banlieue. Elles donnent aussi l'occasion à Le Corbusier d'y mettre en pratique les théories de "l'urbanisme progressiste".
– C'est-à-dire ... ?
– Ben ... l'urbanisme progressiste envisage la séparation entre quartiers de travail et quartiers d'habitation, avec le rejet de ces derniers à la périphérie des villes. On construit des immeubles hauts, isolés et entourés d'espaces verts et on utilise des matériaux modernes: de l'acier et du béton armé.

On rejette tout ce qui n'est pas "moderne".

– Et ces bâtiments modernes … on est maintenant en train de les dynamiter. Pourquoi?

– Eh bien, le temps passant, les urbanistes se sont aperçus que cette séparation des activités habituelles, cette dispersion, nuisait à la qualité de la vie et provoquait un sentiment d'exclusion. On ne parlait plus à ses voisins … et, dans certains cas, on avait peur de sortir – les routes aériennes étant sales et mal éclairées. En plus, les matériaux s'effritaient … Les grands immeubles souffraient des mêmes maux: concentration, manque de sens urbanistique, problèmes d'entretien, de sécurité … bref … de déshumanisation.

– Que fait-on actuellement pour sauver les quartiers en difficulté?

– Eh bien … pendant les années 1980, on a lancé des tentatives pour revaloriser les villes: remise en état, équipements, etc. Et depuis 1983, l'aménagement des villes est placé sous la responsabilité des maires. En plus, certaines communes, notamment les plus pauvres, bénéficient d'aides financières. Et le but? On cherche à aménager les logements afin que les habitants aient envie de vivre là. Il est évident qu'un immeuble influence la vie quotidienne de ses habitants. Il sera donc nécessaire de rompre avec cet urbanisme moderne et de revenir à une conception de la ville plus traditionnelle et européenne.

4 The interview with Jean Nouvel, one of the most influential architects of modern times, gives an insight into the way in which he works, and presents some of his solutions to the problems of *les banlieues*.

Answers

a l'Institut du monde arabe; **b** le verre, la tôle ondulée, les parpaings; **c** comprendre le monde dans lequel il vit, d'intégrer certains éléments de la culture ambiante; **d** il forme autour de lui une équipe des familiers de l'installation, qui peuvent lui conseiller; **e** ajouter une unité à une autre existante; substituer un élément; modifier quelque chose afin de compléter la ville; **f** agir sur la nature du logement, en offrant aux habitants de l'espace

● **Extension activity**

Students could discuss Jean Nouvel's proposed solutions and consider, with a partner, whether they think they would work. They could also draw up a list of requirements that they think are essential for a place or an area that they would like to live in.

5 This activity provides additional vocabulary-building work.

Answers

1ère question: construire; renover; se plier; exiger; intégrer

2ème question: s'entourer de; s'élaborer

3ème question: supprimer; révéler; modifier

4ème question: régler; générer

6 In addition to referring back to page 114, students could include the gap-filling activity (see above) to help them to summarize some of the key problems in *les banlieues* and some of the causes given. They might like to suggest some other possible causes.

7 This activity could be set as a **homework** task. Students 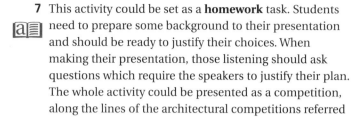 need to prepare some background to their presentation and should be ready to justify their choices. When making their presentation, those listening should ask questions which require the speakers to justify their plan. The whole activity could be presented as a competition, along the lines of the architectural competitions referred to earlier in the unit. A vote could be taken following the presentations to select the best plan.

PAGE 116
Quelle forme d'art est-ce?

Objectives

■ To take part in a debate

■ To write a letter in support of a proposal

1 Before listening to the recording, students could express 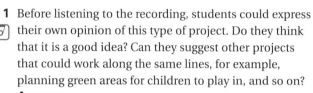 their own opinion of this type of project. Do they think that it is a good idea? Can they suggest other projects that could work along the same lines, for example, planning green areas for children to play in, and so on?

Answers

Pour: Jean-Jacques Blandin; Patrick Millet; Martin Doukhan

Contre: Philippe Olivier; Sonia Brahim

Pour et contre: Florence Chabrun

2 When completing activity 2b, students would benefit from having access to the transcript, to help them to compile their list of *Expressions-clés*.

Answers

a 1 Sonia Brahim; 2 Florence Chabrun/Martin Doukhan; 3 Philippe Olivier; 4 Patrick Millet; 5 Florence Chabrun; 6 Jean-Jacques Blandin

Transcript Page 116 – Activities 1, 2

– Jean-Jacques Blandin.

– De mon temps, on n'avait pas la possibilité de faire ce genre de projet. C'est bien que vous ayez la possibilité de vous exprimer sous cette forme. J'ai beau être vieux, je comprends ce genre d'art. Ce n'est pas ce que j'ai l'habitude de voir, mais il faut vivre avec son temps. Les jeunes ont du potentiel qui mérite d'être exploité et il est de toute façon préférable qu'ils s'occupent à décorer leur quartier et dépensent leur énergie de manière utile plutôt que d'aller galvauder à droite et à gauche et faire des bêtises. Si je m'en sentais capable, je leur donnerais même un coup de main. Ces bâtiments sont dans un état pitoyable, cela ne pourra que les embellir.

– Philippe Olivier.

– A mon avis, tout ce qui n'est pas de l'art classique, ce n'est pas de l'art. L'art obéit à des règles bien définies, et il est inconcevable que des jeunes qui n'ont pas fait d'études artistiques puissent mener à bien un projet pareil. J'espère que vous ne comptez pas sur le conseil municipal pour financer ce projet. Le genre de gribouillages qui en résulteront n'auront pour effet que d'inciter violence et délinquance. Ce dont ces jeunes ont besoin, c'est de dépenser leur énergie à des travaux d'utilité publique: au lieu de leur demander de peindre les murs, vous feriez mieux de leur donner une brosse et un seau et de leur faire nettoyer le quartier.

– Florence Chabrun.
– Moi je suis pour et contre à la fois. Grâce à ce projet, on va pouvoir améliorer le cadre de vie de la banlieue. En fait, je trouve que c'est chouette, les tags. C'est une forme d'art, euh… nouvelle, enfin … contemporaine. Et puis, les tags, ça appartient à la banlieue. C'est la culture de la banlieue. Donc je ne suis pas entièrement contre le projet, mais c'est pas la solution miracle non plus. Pendant trois mois, c'est sûr … y a des jeunes qui vont avoir du boulot mais ça sera pas définitif. Et puis … c'est pas des contrats de trois ou six mois qui pourront changer quelque chose aux problèmes de la banlieue.

– Patrick Millet.
– Ben, je crois que ce projet est une idée très intéressante parce que ça va permettre d'insérer des jeunes dans le monde du travail par le biais de la création artistique. Je pense qu'il y a plein de jeunes, ici, avec un potentiel de création énorme. Le problème c'est que tout ce qui vient de la banlieue a une connotation extrêmement négative pour la plupart des gens. Et donc on ne demande jamais aux habitants des banlieues de s'exprimer parce qu'on considère qu'ils feront quelque chose de moche. Et c'est ça qui est scandaleux. Parce que pour eux ce genre de projet représente vraiment une chance de s'en sortir, de faire quelque chose de positif, de gratifiant, au moins une fois dans leur vie.

– Martin Doukhan.
– Les tags, c'est une façon d'exprimer la colère, le dégoût de la société actuelle. Il y a plein de jeunes ici qui détestent l'endroit où ils vivent, et pour eux, peindre sur les murs, c'est une façon d'exprimer leur haine. Si grâce à l'art, ils peuvent améliorer le cadre dans lequel ils vivent, et dans lequel moi aussi, je vis, alors je suis d'accord. Peut-être qu'après, ils seront fiers de l'endroit parce qu'ils auront contribué à son embellissement. Ce projet, j'espère que beaucoup de jeunes y participeront. Peut-être auront-ils une façon plus positive de voir les choses à l'avenir. Quand on est positif, on s'en sort toujours mieux dans la vie.

– Sonia Brahim.
– On ne va tout de même pas légaliser le vandalisme! Ça reflète tout à fait la société actuelle: au lieu de punir les vandales, on encourage les jeunes à mal se comporter. On sait depuis toujours que les tags sont une forme de rébellion contre la société. Donc si on légalise les tags, on légalise la rébellion et puis quoi encore? Au lieu de peindre sur les murs, les jeunes ne devraient-ils pas plutôt chercher un travail? En plus, on se permet de parler d'art? Mais quelle forme d'art est-ce? En tout cas, moi, je n'appelle pas ça de l'art.

3 The time limit on the speaking task is intended to keep students focused on their own particular aims. Each group prepares together. Then students re-form in new groups of four, each group containing a representative from groups A, B, C and D. Their aim is to present their case. If possible, it would be useful if this task could be recorded on video, so that both the teacher and the students could assess and evaluate the success of each presentation, both in terms of convincing the other parties, and also in the language work.

4 The final task requires students to write a letter to the newspaper to express their point of view. Students should refer back to the task on creative writing on page 110, to ensure they follow the suggested steps for checking their work. This, and similar writing tasks, could be drafted and redrafted using word processing software.

● **Essay titles**
– D'après vos études, quelles sont les causes des problèmes dans les banlieues? Que pensez-vous des mesures proposées pour y remédier?
– "*Un chef-d'œuvre doit susciter le plaisir.*" Discutez, en vous référant aux tableaux que vous avez étudiés.

Unité 9 La France agricole

Topic
- Agriculture in France

Language
- Comparing past and present (p120)
- Expressing discontent (p124)

Grammar
- Concessional clauses (p120)
- Relative pronouns *lequel, laquelle,* etc. (p121)

Skills
- Summarizing texts (pp119, 123, 124)
- Using quotations in writing (p123)
- Translation into English (p128)

Video
- Farm diversification (p126)

Vie active
- Young farm workers (p121)

Feuilles à photocopier
- Feuilles 25 and 26 (after p119)
- Feuille 27 (after p126)
- Feuille 46 (English–French translation)

Survol
- Revision of units 7, 8, 9 (p129)

PAGE 117

La France agricole

Objective
- To provide an overview of metropolitan French agriculture

● Background information
The principal aims for this unit are to present an overview of agricultural France, exploring past and present practice and including an insight into some of the tensions evoked by the EU's common agricultural policy and the pace of change. The comparisons between the factual and literary past and the present facilitate contrastive tense usage.

● Preparation
Before students undertake activity 1, question them on some of the more evident and easily explained details in the statistics box; for example:
- *Quelles sont les regions où domine la culture de céréales?*
- *Qu'est-ce qu'on cultive surtout en Picardie? Essayez d'expliquer pourquoi.*
- *Quels sont les produits qui sont cultivés dans les régions du sud uniquement?*

In preparation for activity 2, divide the class into five groups; each group prepares their presentation on a different area of France, containing specified regions, as follows:
Group 1: la Basse-Normandie; la Bretagne; le Pays de la Loire; le Poitou-Charente
Group 2: le Limousin; l'Aquitaine; le Midi-Pyrénées
Group 3: l'Auvergne; le Languedoc-Roussillon; la Provence-Alpes-Côte d'Azur; le Rhône-Alpes; la Corse
Group 4: la Bourgogne; la Franche-Comté; l'Alsace; la Lorraine
Group 5: le Centre; la Haute-Normandie; l'Ile-de-France; la Champagne; la Picardie; le Nord-Pas-de-Calais

2 Before listening to the cassette, make sure that students have mastered the contents of the vocabulary box by asking them to produce examples which relate each phrase to a piece of information gleaned from the statistics; for example: *La Picardie, c'est une région qui produit beaucoup de betteraves.*
You could also practise key vocabulary and structures from the extract before students undertake the preparation of their own presentations.

Transcript Page 117 – Activity 2
– La Basse-Normandie et le Poitou-Charentes sont deux régions où on trouve un mélange de bocage avec agriculture générale et élevage. Dans le centre du Poitou il y a surtout des champs ouverts qui favorisent la production de céréales, surtout de maïs. La Bretagne comporte un mélange de bocage de polyculture et élevage et de prairies fourragères mais avec des secteurs où les sols sont médiocres ou boisés. En Haute-Normandie ce sont la betterave, le colza et le blé qui dominent. Sur les bords de la Loire on cultive des vignobles – les vins de la Loire.

● Extension activities
– Ask students to classify the vocabulary of this page into the following categories: **1** *l'élevage* **2** *la culture et la végétation* **3** *autres*.
– To revise the names of regions and their location, prepare photocopies of an outline of France, or put an outline on the board/OHP, for students to supply the region names.

PAGES 118–119

Panorama de l'agriculture française

Objective
- To provide an overview of the state of French agriculture

● Background information
The texts A to E briefly trace the development of French agriculture over the course of the last 200 years. Economic development masks rapid social upheaval which has resulted in a very uneven distribution of

wealth. In particular, the concept of the farm as an entity passed down through the generations is under threat, especially where small and inefficient farms are not capable of sustaining two generations living together. One result of this is that the population of peasant farmers (it may be worth exploring the social and semantic difference between 'peasant' and *paysan*) is aging and poor. Their poverty increases progressively as they are relatively low beneficiaries of the EU's common agricultural policy, in which the greater subsidies go to larger landowners. The French government has been trying to combat the rural exodus and maintain the age spread within the profession by giving incentives for smallholders to retire with a pension and by subsidizing young people to take their places.

1 The preparation of a graphic representation for each paragraph will encourage students to read the text intensively; the graphics themselves could be produced by computer using a draw program.
For those students who need help on how to represent the information graphically, the second paragraph might be portrayed by an image of a bank from which money flows into a barn full of machinery and sacks of fertiliser, while a farmer with empty pockets waves goodbye to his grown children who leave for the city. For paragraph three, symbols to illustrate the produce could be placed inside an outline map of France, etc.

2 Answers
a disparu; **b** investir; **c** rentable; **d** diversité; **e** moyen; **f** subventions

3 The graph could be produced using the chart function in a database programme such as Excel. It would be worth telling students at this stage about activity 7, which will also involve the production of graphics, so they will have an added incentive to produce good-quality graphs. Results could also be copied onto OHTs.

4 This activity gives students practice in speaking from notes. Some students might benefit from completing activities 5, 6 and 7 before doing the speaking task.

5 Simple paraphrases will suffice; for example, *a = les terres où on a peur de cultiver des produits agricoles ...*

● **Background information**
The Airbus is the passenger aircraft built cooperatively by EU member states.

6 Students may need help with some of the difficulties posed by the translation of text E; for example: past historic/imperfect usage, and the use of non-finite clauses in apposition (*Transformés et stockés ...*). The translation of clauses with present participles (*entraînant ... , étant ...*), meanwhile, may require a complete re-

working of the syntax in English. Make the point that some features of French syntax are closer to that of Latin than English, which was subject to more influences.

7 This can either be done by each student individually, or the material divided up so that small groups can collaborate on the presentation. If students have access to the appropriate software, graphic elements can be prepared on computer.

● **Feuilles 25 and 26**
This would be a suitable point to do *feuilles* 25 and 26.

● **Background information**
Lavender-growing still plays a significant role in the rural economy of this part of Provence. A number of towns have working perfume distilleries which can be visited (some incorporate local museums); perfumes and other derivatives from aromatic plants such as essential oils for aromatherapy are also on sale there.

1, 2 These activities give further practice in contrasting the past (imperfect tense) with the present.

5 This offers further practice on schematic note-talking and therefore complements the timeline activity on page 119.

7 Students convey understanding through English, as per a test type used in some syllabuses.
Answers
(Example)
a the natural basin (*cirque*); the differing shades of colour provided by the various varieties of lavender; the colour contrasts between the dark lavender and the golden corn
b lavender used to grow wild and haphazardly; now it is regimented in rows; it used to be harvested by hand-sickle (implying that harvesting is now done mechanically)
c the still used to be above an open fire, now it is steam-heated; plants used to be trampled by foot, now they are mechanically crushed (NB make sure that students answer this question accurately and do not include details about the process which have remained essentially unchanged)
d the *grande lavande* is used for varnishes and glazes; the *lavande fine* is used in perfumes and pharmaceutical products; *lavandin* is used to perfume soap and washing powders
e each type of lavender has different properties and requires different levels of heat and exposure time; the degree of ripeness of the flowerheads also needs to be calculated in order to get the heat and time right
f the plant stalks are used as fuel for the boilers

PAGE 120

La ferme des Cochemé

Objectives

■ To contrast past, present and future in relation to a small family farm

● Preparation

Before listening to the cassette, make sure that students understand vocabulary from the transcript which is likely to be unfamiliar; for example, the place names *Tardenois, Romigny, jachères, remembrement, charrues*. Ask students to check understanding also of the produce items they will have to listen for.

1 Students will need to listen particularly carefully to the entire script in order to identify correctly the item which is not mentioned.

Answer

maïs is not mentioned

2 Answers

(Example) **a** throughout all those years; **b** we had to re-group the layout of the fields; **c** remove (grub up) hedges, fill in ditches; **d** we had light machinery because the re-grouping of the land had not taken place; **e** none of those problems put me off at all; **f** even if you're farming and business is bad; **g** it's a job which gives you scope to look around you; **h** this is where my roots are

3 Replay the cassette once students are clear what they have to listen for.

Answers

(Example) **a** les céréales (qui comprennent du blé, de l'orge, de l'avoine et de l'escourgeon), et le colza; **b** beaucoup d'élevages; **c** a dû être modifiée; **d** choisissait les terres à laisser en jachère; **e** était relativement peu évolué

4 For some students, a further listening may be necessary before doing this activity, once they know what is required. Encourage students to take notes in French and then reconstruct them orally.

Transcript Page 120 – Activities 1–4

– Nous sommes dans la ferme de la famille Cochemé, en présence de M. Cochemé et de son fils Loïc.
– M. Cochemé, vous êtes agriculteur, ici, dans une petite région proche de la Champagne appelée le Tardenois, à 20 km de Reims. Quels sont les produits agricoles qui dominent dans cette région?
– Eh bien, les produits agricoles qui dominent dans cette petite région de la Marne, ce sont le colza, les céréales, les céréales qui comprennent du blé, de l'orge, de l'avoine, de l'escourgeon.
– Et votre exploitation, est-elle typique? En quoi consiste-t-elle?
– C'est une exploitation typique du tardenois euh, qui à l'origine comportait beaucoup d'élevages et avec la ... l'évolution de l'agriculture, la diminution des élevages s'est transformée en céréaliculture.
– Avez-vous toujours vécu ici dans cette région?

– J'ai toujours vécu dans cette région, puisque je suis né à Romigny-même.
– Donc je suppose qu'au cours de toutes ces années, vous avez connu beaucoup de changements dans votre ferme?
– J'ai beaucoup connu de changements dans la ferme euh ... surtout par la traversée de l'autoroute A4 qui traverse le terroir de Romigny, et qui a transformé un petit peu le paysage du terroir puisque l'on a été obligé de refaire un remembrement, un remembrement qui consiste à modifier un petit peu la topologie du terrain, c'est-à-dire, à supprimer des haies, à agrandir les exploitations, les champs, à supprimer des fossés, à recréer des fossés et puis à modifier le schéma général un petit peu de l'agriculture de notre pays de Romigny.
– Y avait-il des jachères à l'époque?
– A l'époque, du temps de mon père, il y avait déjà des jachères qui étaient libres, c'est-à-dire que chacun choisissait, qui n'étaient pas obligatoires, comme maintenant.
– Parlez-moi un peu de la main-d'œuvre. On embauchait beaucoup de saisonniers à l'époque?
– A l'époque, du temps de l'élevage, il y avait beaucoup de saisonniers embauchés ... pour les vaches laitières, pour les betteraves fourragères que l'on faisait pour la nourriture des animaux, et puis avec l'évolution des cultures, les saisonniers ont diminué et la main-d'œuvre a beaucoup régressé.
– Donc avez-vous encore des permanents, des gens qui restent actuellement et que font-ils, font-ils le même travail?
– Eh bien, sur mon exploitation j'ai gardé un permanent qui m'aide à cultiver la ferme.
– Et que dire du matériel agricole, est-ce qu'il a beaucoup changé, qu'aviez-vous à votre disposition il y a 20 ans?
– Il y a 20 ans, nous avions du petit matériel puisque le remembrement n'avait pas eu lieu et nous avions de petits champs et la technique agricole n'avait pas beaucoup évolué, nous avions des tracteurs de 20, 30 50 CV. Après le remembrement les champs étant plus grands et la mécanisation a évolué à grands pas, nous sommes passés dans des puissances de 100 CV, 120 CV, 150 CV, même 200 CV en traction, en moissonneuses-batteuses et les moissonneuses-batteuses ont beaucoup évolué surtout avec l'arrivée du matériel américain. Et puis les charrues, les outils de travail de sol ont beaucoup évolué par la recherche et nous avons totalement évolué, totalement changé.
– Finalement M. Cochemé, les choses ont-elles changé pour le meilleur ou pour le pire? On entend dire que les agriculteurs sont mécontents, est-ce votre cas?
– Bien écoutez, il y a un changement, mais je pense pour le meilleur car nous avons des conditions de travail qui sont bien améliorées avec l'évolution du matériel et puis les cultivateurs mécontents, moi je vais vous dire que je ne suis pas mécontent, on a tous des problèmes, je pense qu'il faut se placer globalement dans une société qui a beaucoup de problèmes, on a tous des problèmes, mais nous cultivateurs, on a encore la chance de vivre à la campagne, d'être à l'air libre, d'avoir des problèmes financiers, puisqu'on est fort endettés mais d'avoir encore la possibilité de s'auto-discipliner, de s'auto-travailler et moi je dirais que je ne suis pas mécontent de mon sort, euh ... bon parce que je me trouve dans une dans une ... dans un terroir où on peut travailler, on a des outils de travail tels que les coopératives les centres de gestion mais il est certain que dans certaines régions de France, l'agriculture souffre beaucoup. Mais personnellement, je pense que nous dans notre région de Champagne on peut se considérer heureux. Et moi je suis heureux, un cultivateur heureux!
– Bien, et vous Loïc, tous ces problèmes ne vous découragent-ils pas, qu'est-ce qui vous attire vers ce métier d'agriculteur?
– Tous ces problèmes ne me dérangent en aucun point. La Marne est le premier département français en matière de production céréalière, donc comme le disait mon père, nous sommes dans une région quand même privilégiée. Et les

raisons pour lesquelles je désire être agriculteur, déjà à la campagne il n'y a pas la pollution de l'air, c'est un contact permanent avec la nature, avec la nature et également avec un milieu environnant comme les coopératives qui sont généralement situées en ville, les centres de gestion. C'est un métier qui ne reste pas sur son simple terroir, mais qui permet aussi de voir, de voir aux alentours avec les différents, les différents contacts.

– Et qu'avez-vous fait pour vous préparer à ce métier d'agriculteur? Avez-vous fait des études en agriculture?

– Eh bien, pour me préparer à ce métier d'agriculteur, j'ai effectué un baccalauréat agricole et actuellement, je suis en BTS agricole où j'apprends plus particulièrement la comptabilité, la gestion.

– Nous avons parlé du passé et du présent, Loïc, comment voyez-vous l'avenir de l'agriculture? Et votre avenir?

– Je pense que l'avenir de l'agriculture déjà pour notre région sera bonne. En ce moment c'est vrai que pour l'agri ... enfin pour les petits agriculteurs, c'est difficile, mais ça ne pourra pas continuer éternellement. Il faudra bien un jour que cela change car il y aura toujours besoin de nourriture pour nourrir la planète et je pense que même si on est agriculteur et que la ferme tourne mal, on aura toujours une vache, un cochon et un mouton pour pouvoir se nourrir!

– Les agriculteurs avaient l'habitude de rester dans leur région auparavant, est-ce que vous avez l'intention de partir ailleurs, de vous installer en Europe, par exemple?

– Ben, c'est une décision assez difficile à prendre, car ... lorsqu'on n'a pas d'attaches dans la région où on habite, si on ne l'aime pas, si on la déteste, oui, pourquoi pas partir vers d'autres horizons? Mais vu que sur la région du Tardenois, il y a les terres pour pouvoir vivre et que j'ai mon attache, je ne pense pas m'éloigner.

Zoom sur les propositions de concession

Grammar

■ Concessional clauses

Answers

– En général il fait beau en Provence, quoiqu'aujourd'hui il fasse mauvais/même si aujourd'hui il fait mauvais.

– Certains agriculteurs profitent de la PAC tandis que beaucoup en souffrent énormément.

– Quoique les manifestations attirent l'attention du public, les politiciens restent inflexibles.

– L'agriculture française est très efficace malgré qu'/bien qu'elle soit atteinte de beaucoup de difficultés.

Refer students to *Grammaire* 8 (SB page 212). One of the activities on *feuille* 27 also provides additional practice.

PAGE 121

Les jeunes agriculteurs

Objective

■ To present a case-study showing how young people are reacting flexibly to the problems of the agricultural economy

● **Background information**

Given the difficulties associated with small-scale land owning and the increase in intensive and mechanized farming, one solution to enable the younger generation to remain working on the land in agricultural communities is for them to work for a co-operative which offers a salary and commission. This relieves them of the insecurity of raising capital while offering them a job with some career structure and prospects.

Such is the case of Martial, a young tractor driver-mechanic. Although not directly connected with the interview with the Cochemé *père et fils* on the previous page, this recorded interview with Martial revisits much of the same vocabulary and will thereby consolidate it.

1 Vocabulary is listed in categories for ease of retention. You might also introduce the phrase *un emploi à durée indéterminée*.

2 Answers

– Martial ne s'occupe pas des pannes importantes – il fait venir quelqu'un ou va chez le concessionnaire

– toute la journée (en été): chauffeur

– tôt le matin (ou vers minuit): réparations

– être disponible *certains* week-ends

– connaissances en élevage nécessaires pour travail de durée indéterminé

● **Background information**

Martial probably gained his BEPA qualification (*Brevet d'éducation professionnelle agricole*) after leaving his *collège* for a *lycée professionnel* for the equivalent of Years 11 and 12. Vocational education leading to specific career areas in France takes place in specialist schools (except for the *bac technologique*).

Transcription Page 121 – Activity 2

– Martial, vous êtes chauffeur-mécanicien, en quoi consiste votre travail?

– Je suis chargé de l'ensemble des travaux agricoles. En général l'après-midi je conduis des tracteurs ou d'autres machines: moissonneuses, ensileuses, presse à balles, ça dépend de la saison.
Le matin, je m'occupe de la maintenance courante de toutes les machines avec lesquelles on travaille, alors ... réglages, vidanges, changement de filtres à air, remplacement de pièces courantes. Pour les grosses pannes, je fais venir quelqu'un ou je vais chez le concessionnaire.
Mais en été, alors que la totalité de la journée est réservée aux travaux des champs, les réparations doivent se faire tôt le matin (peut-être même à six heures) ou bien très tard le soir (vers minuit).
Chaque dimanche matin, la Cuma (la coopérative par laquelle je suis employé – la coopérative d'utilisation de matériel agricole), ben ... en principe, le dimanche, ils planifient mon travail pour la semaine. Les fermes dans lesquelles je vais travailler, le travail à faire ...

– Quelles sont les qualités requises?

– Mmm ... je suppose que dans ce métier il faut être très "bricoleur": quand une panne intervient sur une machine en plein champ, il faut pouvoir réparer rapidement et avec peu de moyens, parce que le travail est programmé.

Il faut être très disponible, aussi. Les travaux agricoles sont très saisonniers et dépendent des conditions climatiques: le travail est quelquefois à faire sur une très courte période (battre le blé par exemple, tant qu'il ne pleut pas). Là, on me demande quelquefois de venir très tôt le matin, ou même de venir travailler le week-end. Mais, ça dépend du temps qu'il fait – ce n'est pas systématique. Alors, ou bien on me paie les heures supplémentaires, ou bien je les récupère dans la semaine. Ça, c'est à peu près les conditions dans lesquelles on travaille, quoi.

Et il faut aussi aimer le contact avec les gens, être à l'écoute des désirs des fermiers avec lesquels on collabore – même effectuer un travail qui n'était pas programmé sur la fiche de travail, par exemple.

– Etre souple, quoi.
– Exactement.
– Que faut-il faire pour devenir chauffeur-mécanicien?
– Acquérir un savoir-faire pratique est indispensable. Ce sera plus facile, je pense, pour un jeune qui a vécu dans un milieu agricole. Un jeune qui monte sur des tracteurs, des machines depuis l'âge de 12–14 ans aura beaucoup plus de facilité qu'un citadin.

On demande généralement un BEPA – un brevet d'études professionnelles agricoles. Alors, moi, j'ai fait deux ans de ça après la troisième, et ma formation, je l'ai effectuée en alternance entreprise-centre de formation.

Mais le matériel avec lequel on travaille, ça évolue tout le temps. Moi, je souhaite continuer à suivre des sessions de formation courte l'hiver – et cette formation est proposée gratuitement aux salariés agricoles. On apprend des choses au niveau de la connaissance des machines – électricité, électronique, soudage – il faut sans cesse se remettre à jour pour connaître son matériel.

– Le métier chauffeur-mécanicien en tant qu'emploi?
– Ce métier tend à devenir de plus en plus saisonnier. En ce qui concerne notre coopérative, par exemple, les trois quarts des embauches sont de mars à novembre et pour un emploi de durée indéterminée on demande souvent une personne très qualifiée en machinisme agricole, mais avec aussi des connaissances en élevage. Ainsi, lors des périodes creuses (l'hiver, par exemple), on pourra intervenir dans d'autres exploitations qui possèdent des élevages et non pas toujours en tant que chauffeur.

Si le métier devient de plus en plus saisonnier, d'un autre côté, quand un agriculteur est satisfait d'un chauffeur avec lequel il a travaillé, il a tendance à le reprendre régulièrement d'une année sur l'autre.

Zoom sur les pronoms relatifs: *lequel, laquelle,* etc.

Grammar
■ Relative pronouns

● **Preparation**
Martial uses a number of relative pronouns in the course of his interview. Some students may benefit from going through a graphic presentation of the examples on the board/OHP, in order to appreciate the reference to an item in the preceding clause. Refer students also to *Grammaire* 10h (SB pages 214–215).

3 If necessary, you could make this activity more accessible by stopping the cassette after each occurrence.

Answers
a lesquelles on travaille; **b** les fermes dans lesquelles je vais travailler; **c** dans lesquelles on travaille, quoi; **d** avec lesquels on coopère; **e** avec lequel on travaille; **f** avec lequel il a travaillé

4 Answers
a C'est un métier pour lequel il faut être qualifié; **b** une moissonneuse est une machine agricole avec laquelle on récolte le blé; **c** il y a des stages de formation grâce auxquels on peut devenir qualifié.

PAGES 122–123

Interlude: *Regain* de Jean Giono

This two-page spread contains extracts from *Regain* by Jean Giono. Although an *Interlude* is to be read essentially for pleasure, activities 1–4 ensure active and intensive reading.

1 This could be done as **homework**; in this way, students can read, look up vocabulary and write the summaries at their own pace. (Give weaker students one or two sections only to summarize, rather than all four.) The lesson itself can then begin with students sharing their summaries of each section.

2 A recurring technique with Giono, amply illustrated in these extracts, is to select similes and metaphors from the natural world. Examples to note include: the *fente* in the wall is *comme un arbre*; the ploughed earth steams *comme un feu*; the steam rises like *une colonne de neige*; the birds wheel like *de grandes feuilles emportées par le vent* and surround Panturle like *des débris autour d'une barque*; the awakening earth ripens *comme un fruit*; the cloud formation *a largué les amarres*; Panturle savours his joy *comme un mouton qui mange la saladelle du soir*, etc.

Compétences: Les citations, mode d'emploi

Students are taught how to use quotations from sources in their own writing; they will need to absorb this before tackling activity 4.

4 In their answers to **a–f**, encourage students to use the expressions in the *Compétences* box. Emphasize this by eliciting several versions for each quotation.

Une transition difficile – des agriculteurs en colère

Objectives
- To find out about some of the consequences of the Common Agricultural Policy on the rural economy
- To learn how to express opposition/discontent

● **Background information**

This text (taken from the *Nouvel Observateur*) deals with case of discontented farmers who appear to be working increasingly hard and efficiently, yet are being forced to take capital risks in order to conserve their profit margins. The article mentions the workings of the Common Agricultural Policy, whereby surplus production was kept out of the market, in storage, in order to preserve the market price once a threshold of production had been reached. But this policy began to change once the produce mountains grew out of control and the market price was allowed to fall. Georges Valayé is caught in a vicious circle: he has a finite amount of land; costs increase but market prices for his stock are falling; he must continually intensify his production to remain solvent. The consequence is that others like him cease trading and the rural community slowly dies or changes its character.

1 **Answers**
   a avoir été trop efficace; **b** 50 ans, je me sens trahi; **c** 20 vaches à viande; **d** ne cesse de se dégrader; **e** 40 000 francs; **f** il voudra y rester; **g** sont obligés de vendre pour régler leur dettes; **h** le curé est parti, les magasins ferment, les écoles perdent leurs enfants

2 Students paraphrase each of the completed sentences above in order to produce a summary of the article.

3 **Answers**
   (Example) **a** sauvegarder/conserver le prix du marché; **b** être obligé de faire un travail moins honorable/gaspiller ses compétences; **c** la Commission européenne, le gouvernement et les élus municipaux; **d** une situation ou les prix ne sont pas fixés artificiellement mais trouvent leur propre niveau; **e** se concentrer sur un secteur spécialisé du marché

4 After a period of preparation, you (or a French language assistant) will probably need to check the quality of the questions drawn up, and the intonation of the *Expressions-clés*.

5 Similar demonstrations have tended to occur frequently in France in recent years. If you have access to satellite TV, you might be able to record news reports of demonstrations by farmers, which you could then supplement by obtaining newspaper reports of the televised events.

La diversification: une solution pour l'avenir

Objective
- To find out about some solutions to the crisis in the rural economy

● **Background information**

This deals with an increasingly common solution to the problems outlined by Georges Valayé on the previous page. Farmers increase their income by diversifying their activity: taking paid work for part of the year or, in the case of these people, offering various forms of catering for tourists.

1 This matching activity gives students a purpose in accessing the text.

2 The discussion enables students to process the language associated with various forms of farm diversification. Encourage students to use a maximum of associated vocabulary, as the video activity which follows deliberately involves an overlap of language.

📹 Millevaches: agro-tourisme à l'écran

Objective
- To learn about diversification into 'agro-tourism'

● **Background information**

The video extract is from a local television documentary on farm diversification; it is in the form of a chaired round-table discussion featuring practitioners from various 'agro-tourism' businesses.

1 **Answers**
   a The "product" mentioned is: *fermes auberges*;
   b 1 *table d'hôte* indique essentiellement que les gens qui passent la nuit à la ferme peuvent prendre le repas du soir, tandis que *ferme auberge* implique que les gens peuvent venir manger à la ferme sans y passer la nuit – comme dans un restaurant; 2 *ferme auberge*, c'est un restaurant qui est situé dans une ferme et qui utilise pour ses recettes principalement des produits de la ferme

2 **Answers**
   b le veau, l'agneau et les champignons; **c** les fermes auberges et les restaurants ont la même clientèle; **d** 50% de son revenu global

3 **Answers**
   a accueillent; **b** goûter, cadre; **c** bovins, ovins; **d** marginale, exploitation

4 If you give students access to the video-cassette, some will be able to transcribe relevant sections directly; others will need a copy of the transcript.

Video transcript Page 126 –
Millevaches: agro-tourisme à l'écran

– Où passez-vous vos vacances? A la mer? Ou peut-être – comme de plus en plus de Français – vous préférez des vacances tranquilles à la campagne. Alors les fermes équestres et les fermes auberges sont là pour vous accueillir. Face à la crise dans l'agriculture, beaucoup d'agriculteurs cherchent à diversifier dans l'agro-tourisme, qui peut représenter jusqu'à 50% de leurs revenus. Télé-Millevaches a invité des agriculteurs de la région de Vassivière à venir en parler. M. Chatoux, par exemple, a transformé sa ferme en ferme auberge. C'est une nouvelle formule un peu différente de la traditionnelle chambre d'hôte – le "bed and breakfast" français. Ecoutons François Chatoux qui en explique la différence et puis nous parle de sa ferme et de sa clientèle.

– Ça, c'est la ferme équestre. Alors, il y a encore une autre forme d'hébergement ... c'est François Chatoux qui pourra davantage nous en parler. On a vu un peu ce que c'était qu'une chambre d'hôte, vous faites chambre d'hôte, table d'hôte et ferme auberge. Alors, c'est quoi, euh, les nuances entre tout ça?

– Je crois que, d'abord les chambres d'hôtes qui font table d'hôte sont des établissements où les gens qui couchent peuvent manger le soir ou à midi. Mais théoriquement les chambre d'hôtes/tables d'hôtes n'accueillent pas des gens extérieurs. Or, il y a beaucoup de gens qui sont en vacances sur le secteur de Vassivière ou ailleurs et qui ont envie de goûter des produits fermiers ... de manger des ... ces produits cuisinés dans un cadre traditionnel d'une ferme. Et c'est pour ça que ... est apparu, depuis maintenant une vingtaine d'années, la notion de ferme auberge. La ferme auberge, c'est un établissement de restauration, mais qui utilise des produits fermiers. C'est-à-dire que c'est un établissement qui a les mêmes contraintes qu'un restaurant, qui est soumis aux mêmes normes sanitaires, qui a une cuisine exactement la même ... qui a les mêmes normes d'hygiène et de sécurité, mais qui en plus doit, essentiellement, travailler les produits venant de l'exploitation. Par exemple, nous, dans notre cas, on est des producteurs de bovins et des producteurs ovins. Donc, ce qu'on fait c'est des produits à base d'agneau et à base de veau. On produit également des champignons, donc aussi ... des produits à partir de champignons.

– Alors vous dites que c'est un peu comme dans un restaurant mais les gens qui viennent dans une ferme auberge est-ce que ce sont les mêmes qui vont dans un restaurant; est-ce qu'ils ont la même démarche?

– Je crois que c'est les mêmes, mais ils ne viennent pas au même moment. Je crois que les statistiques montrent qu'en Limousin sur un séjour d'une semaine, les gens vont, je crois, une fois et demie ou deux fois au restaurant: ils vont venir une fois au ferme auberge et une fois dans un restaurant de type classique. C'est pas du tout le même produit qu'ils recherchent au même moment. Vous pouvez avoir envie d'aller manger une pizza à deux heures du matin à Vassivière et vous pouvez aussi avoir envie d'aller manger un dimanche dans une ferme auberge dans l'arrière-pays de Vassivière. C'est pas forcément le même produit que vous cherchez, mais ça peut ... c'est pas quelque chose qui s'exclut.

– Alors, là, un peu comme dans la ferme équestre, ça c'est pas une activité marginale dans dans ... le revenu global de l'exploitation, j'imagine?

– Non, non. C'est pas une activité marginale. Je pense qu'on peut penser à ... on est à, comme le précédent intervenant, à peu près 50% de revenus qui viennent de l'agro-tourisme.

● **Feuille 27**
Provides an additional text on a variation of the theme of "agro-tourism".

● **Background information**
The Beaufortin district of the Savoie is an upland pasture area where agriculture was under some pressure to be viable. Its remoteness and lack of good communications made it difficult to market dairy produce, which was already over-produced nationally. The solution arrived at was (in addition to diversification through agro-tourism mentioned in other texts in this unit) to attempt a cooperative marketing venture, which would give a brand image, quality and added value to their products.

1 This provides practice in oral comprehension, retrieval and summary, which is sometimes used in A/AS oral examinations.
Answers
a en Savoie/c'est une vallée de Savoie; **b** elle date de 1960; **c** parce que leurs produits ne se vendaient plus et les agriculteurs abandonnaient leur fermes; **d** des Tarine et des Abondance; **e** des cuves, du bois de hêtre, de la toile de lin (et du lait de vache!); **f** ils travaillent dans les stations de sports d'hiver; **g** le fait qu'ils ont été élevés en prairie et non pas en batterie; **h** ils découvrent la vie de la ferme

2 Provides further practice for concessive clauses introduced in the *Zoom* on page p120.

3 This could explore some advantages and disadvantages which are not mentioned in the text, but which have been raised in the other similar texts in the unit; for example, *être cantonnier de la nature*.

4 Students' contributions could be given more structure by encouraging individuals to take a specific line: one is very sceptical about the likelihood of success; another is wildly enthusiastic but does not see the potential risks; another is keen but also advises careful and cautious planning, etc. This activity is worth revisiting if first results are thin; after the first attempt, debrief and feed in more suggestions either for content or vocabulary.

5 This brochure-preparation activity provides an opportunity to draw together strands from the whole unit. If students have access to DTP software, texts and pictures can be laid out on screen.

PAGE 127
Le robots prennent le pouvoir
Objectives
■ To present language associated with high-tech farming
■ To consolidate the language of opposing/defending points of view

● **Background information**

Each of the high-tech developments described is based on a technology which has actually been discovered or invented.

1 Answers

1 hectare; **2** ampoules; **3** semences; **4** pellicule; **5** gobelets; **6** satellites; **7** granulés; **8** gène; **9** jumeaux

2 Students express their support/opposition to intensive and factory farming, using the language introduced in the unit. The lists drawn up will provide useful notes for the discussion.

PAGE 128

Compétences: La traduction en anglais

Objectives

■ To learn the principles and practice of translation into English

The "checklist for good translation" is in English – a rare occurrence in **Essor** – as it contains hints which students can most usefully process in their own language at this stage.

1 To keep learning as active as possible, students should tackle activity 1 before reading the checklist. Having read the promotional text *Mangez bien, mangez bio!* – in particular the first column – students go on to discuss the merits/demerits of the two attempts at translation. Suggested discussion points:

1 *Eat good, eat bio!*

This is an excessively literal translation at best and only renders the sense of individual words and phrases. It complies with step 1 (what do the words say?), but ignores steps 2 and 3 (what do they mean?; how would we put that in English?). Phrases which are collocations in French, are not always literal collocations in English; for example, *adopter certains gestes; répondre à une aspiration*. The only merit of the translation is that there are no evident misunderstandings (and therefore inaccurate renderings) of the French. However, the end result does not read like a piece of English and it would be evident to most readers that it is a poor attempt at translation from another language, whereas a good translation disguises the original language origin of the text.

There are some pointers to good translation:

– an infinitive placed initially in a French sentence is often well rendered in English by a present participle (gerund) rather than an infinitive;

– it is important to learn collocations of words, wherever possible, not just single words; hence the importance of a large monolingual dictionary at this stage.

2 *Do yourself a favour, eat organic!*

This translator has gone overboard on step 3 (how would we put that in English?) at the expense of faithfulness to the intentions of the author in terms of register and tone. The register of the original is personal, but essentially restrained and formal. The use of phrases like "yeah! tell me more!", etc. introduce a note of familiarity which, although perfectly acceptable in other contexts, are not present in the original French.

A satisfactory translation would, of course, lie somewhere in between the two examples given: remind students that good translation practice involves balancing all three recommended steps in order to produce "meaningful accuracy".

2 a Students should now be add words such as *registre* and *collocations* to their repertoire.

b They then put their reading into practice by producing their own translation and comparing versions with their peers.

c Points for students to remember when preparing their translations:

– the rendering of *venez* + infinitive in French by *come and* … in English;

– clauses in apposition are much more frequently found in French than English; for example, … *les acteurs de la bio, les plus compétents pour vous expliquer*, and often require a reworking of the syntax to be convincing in English: … *the key players in organic produce and those who can best explain* … .

– the translation of French infinitives often requires a reworking of the syntax also; for example, *les adopter, c'est contribuer activement à* … might be better translated as *if you make use of them, then you will make a significant contribution to* … .

● **Essay titles**

– *"La France agricole: richesse et variété."*
(Encourage students to draw on the first page of the unit, particularly the map and the work they did for activity 3.)

– Le Ministère de l'Agriculture veut encourager les jeunes à choisir l'agriculture comme carrière. Créez un dépliant publicitaire, adressé aux lycéens, qui expose les mérites et les possibilités.
(Encourage students to draw on: *La Ferme des Cochemé*, p120; *Martial, chauffeur-mécanicien*, p121; *Panorama de l'agriculture française*, pp118–9, but minimizing the drawbacks and stressing the opportunities.)

– *"Cultivateurs en colère."* Vous êtes cultivateur en difficultés financières. Ecrivez le texte de votre intervention où vous exposez vos problèmes devant la presse, lors d'une manifestation publique.
(Encourage students to draw on: *Panorama de*

l'agriculture française, pp118–9; and *Entendez-vous dans nos campagnes?*, p124. Students might also use the texts on diversification to make the point that farmers are being driven to "humiliate themselves" by taking in tourists.)

● **Feuille 46**
Before students undertake the prose, tell them that they will find revision of the following useful:
– p118 (A)
– p119 (C)
– *Zoom* p120 (*les propositions de concession*)
– *Zoom*, p121 (*les pronoms relatifs*)
– p124 *Entendez-vous dans nos campagnes?*
– p125 *La diversification*.

Survol 7, 8, 9

See page 8 for notes on using the *Survol* revision pages.

Revision points
■ making notes on a text (unit 7)
■ describing paintings and buildings (unit 8)
■ translation into English (unit 9)
■ summarizing texts (unit 9)

PAGE 129

1 a Simple phrases recycling those used on SB page 107 will suffice here.

b As well as providing translation practice, this text is also useful in preparation for **c**, which follows. Draw students' attention to examples of clauses in apposition, whose translation into English has been dealt with in unit 9; for example, *les yeux fixés sur ... > with their gaze fixed on ...* .

c It would be particularly useful if students could get hold of a reproduction of Monet's *Le pont de l'Europe* in an art book, as it gives them ample opportunity to rework a great many of the structures, words and phrases found in the text for **b**.

2 Results should be assessed using the photocopiable grid on page 151.

3 The purpose here is to practise intensively the use of the three major past tenses dealt with in the three units: the past historic, imperfect and pluperfect.

4 Activity **b** is designed to encourage students to reconstruct texts orally from their own notes, rather than referring back to the text itself.

PAGE 130

"Ça se discute" – une émission de télé de proximité

This simulation is a major collaborative piece of work in which students can be assessed on their individual performance. It involves extensive recycling of the vocabulary and structures presented in the three preceding units.

● **Background information**
The village of Vauvenargues is on the D10, east of Aix-en-Provence on the north side of the Montagne Sainte-Victoire. It is an unspoiled village, built on a steep valley side and composed of a few streets of stone-built, *provençal*-style houses with terracotta tiles. There is also a *château* (not open to the public) which is owned by Pablo Picasso's family; the artist himself is buried in its grounds.

1 The presenter's role is significantly different from that of the other group members: having received a *fiche d'intervention* (prepared in activity 2) from each of the participants, the presenter will need to establish the order of intervention and how to phrase their introduction; for example, *Nous avons invité sur le plateau Monsieur Jacky Simonet. Monsieur Simonet, vous êtes artiste et vous habitez ...* . A very able student should be able to manage the discussion after only a few minutes spent reading through the *fiches* in advance of the simulation itself; however, a weaker student will need more preparation time in advance of the lesson. You will need to bear this in mind when planning the timescale for this activity.

2 Students playing other roles will need a few days to revise the recommended pages and make their notes; they may also need to give a copy of their *fiche* to the presenter before the lesson in which the simulation takes place.

3 It would be particularly useful if the simulation of the programme could be video-recorded – not least to enable you to score the grid sheet for each student. You may need to play the video-cassette through a few times in order to assess accurately each student, particularly if there is a lot of "turn-taking" in the discussion.

Unité 10 La science propose ...

Unit objectives

Topic
- New technology, medical research

Language
- Discussing multimedia uses and the Internet (pp132–5)
- Exploring ethical issues (pp138–9)

Grammar
- Demonstrative pronoun (p133)
- *Celui-ci, celui-là*, etc. (p133)

Pronunciation
- Expressive intonation (p141)

Skills
- Monolingual dictionary use (p139)
- Using statistics and examples to support an argument (p137)

Vie active
- Reseacher (p140)

Feuilles à photocopier
- Feuille 28 (after p137)
- Feuille 29 (p139)
- Feuille 30 (after p137; p139)
- Feuille 47 (English–French translation)

PAGE 131
La science propose ...

Objectives
- To introduce the theme of the unit
- To introduce some key vocabulary of the unit

1 The opening activity reminds students that the opening page of each unit can be used for a brainstorming session. It also provides the impetus for beginning a new section of their folders, or a new vocabulary/phrases section, either in their folder or on a database. This unit contains a wide range of technical language, some of which students may not use productively.

2 Allow students time to read the opening page with a partner. Some of the vocabulary should be familiar, and students should be able to exchange some information; for example, whether they have a multimedia computer at home, or access to one. Many schools already have access to the Internet, so if students are fortunate enough to be in this position, this unit provides opportunities for them to develop further their understanding of the network and some of its implications.

PAGES 132–133
Les multidébats du multimédia

Objectives
- To learn about some uses of multimedia
- To discuss some advantages and disadvantages of using computers for studying

1 This type of activity can lead to a great deal of discussion and debate. Working with a partner, students could draw up a list of possible titles, focusing especially on the register of the text and the angle: humorous, serious, and so on. Students then put forward their suggestions to the rest of the group, justifying their choice. Encourage them to pick out one or two key phrases from the text which helped them to make a decision. The original titles were:
A *Pour changer d'air, changer de tête*; **B** *A la recherche des enfants disparus.*

2 This activity focuses on each extrait in detail. As **homework**, students could select one of the extracts and summarize it in English, using no more than 50 words. Restricting the number of words requires them to make choices about the essential information contained in the text.

Answers
a mouse; computerized; digitalizes; printer

3 Students now focus on using key language to express their own opinions on the use of multimedia computers, both at home and at school. As a result of their work on this task, they should evaluate their own use of computers that are available at school and, if appropriate, suggest ways in which they could increase their use to benefit their studies.

Answers
outils nécessaires: un ordinateur multimédia; une imprimante; des CD-Rom
informations disponibles: les définitions, des extraits de musique ou d'un discours, des séquences vidéo; des photos, des biographies, des commentaires et des extraits sonores
inconvénients du CD-Rom: il faut de temps pour lire toutes les informations; la lecture à l'écran est parfois difficile, fatigant
avantages du CD-Rom: une mine d'informations de nature très variées, des photos de qualité, des extraits sonores

Transcript Page 132 – Activity 3
– Avant j'allais à la bibliothèque, me plonger dans les bouquins, les revues, les dictionnaires, les encyclopédies ... Mais c'était le bon vieux temps des dinosaures!
Maintenant, il ne me faut qu'un ordinateur multimédia doté d'une imprimante et des documents électroniques traitant du sujet choisi ... c'est-à-dire, des CD-Rom. On peut trouver les définitions dans le dictionnaire, écouter un extrait de musique, d'un discours ... On peut regarder des séquences

vidéo, des photos, trouver des biographies ... même des commentaires et des extraits sonores.

Côté négatif: beaucoup de temps passé à regarder, à lire toutes les informations. Mais ça vaut le coup, tant les informations sont riches. Et si la lecture à l'écran est difficile, fatigante, on a toujours la possibilité d'imprimer les documents.

A la fin, on a une mine d'informations de nature très variée, des photos de qualité et des extraits sonores ... et, le plus important, un dossier plutôt réussi!

4 This speaking task could be followed up by students drawing up a +/– sheet for multimedia computer use, linked to their evaluation work (see above). Students should refer to the *Expressions-clés* to help them complete the task.

5 The text focuses on the use of computers in schools. As the text contains some technical language, students have opportunities for vocabulary-building work.

Answers

4, 1, 3, 5, 2

● **Follow up activity**

Additional tasks could be provided, for example:

Complétez les phrases suivantes ...

Paragraphe 1

– *La culture des jeunes est ...*

– *Un certain nombre de professeurs ...*

– *Les professeurs qui n'acceptent pas le multimédia risquent ...*

Paragraphe 2

– *En se servant du multimédia, on est à la fois ... et ...*

Paragraphe 3

– *Il faut lire un texte afin de ...*

– *Un enseignant peut ...*

Answers

une culture de l'image; sont hostiles à la télévison et aux jeux vidéo; de se couper des enfants et de leur culture; lecteur, auteur; de l'utiliser; utiliser un texte comme support supplémentaire ou comme support de restitution

6, 7 The final activities focus on vocabulary-building. Having added the list of *mots-charnières* to their files, students should make sure they try to use them in their own writing.

6 Answers

5, 1, 3, 2, 6, 4

● **Follow up activity**

Ask students to draw up their own list of IT terms (this could also be done as **homework**). They should be familiar with some, and could use this text as a starting point. Key vocabulary could include: *la souris, une imprimante, l'écran, le téléchargement,* and so on.

Zoom sur le pronom démonstratif: *celui*

Grammar

■ The demonstrative pronoun, *celui.*

Further examples are given in *Grammaire* 10i (SB page 215), and practice is provided later in the unit, on *feuille* 30.

PAGES 134–135

Etes-vous internaute? Vous êtes-vous connecté?

Objectives

■ To learn about the Internet

■ To discuss its advantages and disadvantages

■ To express an opinion on the Internet

1 Students who already have access to the Internet will be able to give a reasonable amount of information in answer to the first text. However, even if their knowledge is limited, the question provides preparation for the reading task that follows.

● **Follow up activity**

To provide support for students in completing their list, ask them to read and note information under the following headings: *l'origine d'Internet; le but d'Arpanet, et puis d'Internet; qui contrôle Internet?; le code de conduite; le coût d'Internet.*

2, 3 The first activity focuses on what the Internet is and what it does; the second activity focuses on personal reactions to it. Once students have completed this, they should listen to the recording again and draw up a list of *Expressions-clés* that they can use to complete activity 3, and to express opinions on other aspects of new technology. If appropriate, give students a copy of the transcript once they have completed the tasks, to assess and evaluate their work.

2 Answers

avantages: Thomas: on peut communiquer avec des gens partout dans le monde, pour se relaxer et pour les études; *Elise:* avec Internet, on peut apprendre beaucoup, en recueillant des informations sur n'importe quel sujet; on peut échanger des messages; on peut imprimer des textes et des images; *Christophe:* il est possible d'y trouver des jeux et des informations

inconvénients:

Christophe: ça coûte cher; il faut du temps; les communications sont ralenties par la lenteur de son modem; il préfère recevoir des lettres par courrier, c'est plus personnel.

Transcript Page 134 – Activity 2

– Aujourd'hui, nous parlons avec trois jeunes, tous amateurs d'informatique. Notre sujet: Internet – la cinquième dimension. Alors, Thomas, à ton avis, quels sont les principaux avantages d'Internet?

– Ben ... moi, pour moi, c'est surtout la possibilité d'entrer en contact avec les utilisateurs d'Internet, dans le monde entier. On peut converser avec la planète!

– C'est vraiment fascinant?

– Oui ... là sur Internet, je trouve tout ce qu'il me faut pour me relaxer mais aussi pour mes études.

– Et toi, Elise ... Internet, c'est aussi fascinant?

– Oui... parce que je crois qu'on ne se rend pas encore compte de ce qu'on peut apprendre par le biais de ce réseau mondial. Pour moi, Internet a transformé mes devoirs scolaires.

– Ah bon? Tu peux nous expliquer un peu?

– Eh bien ... on peut recueillir des renseignements sur tout ce qu'on veut! On y trouve plein d'infos ... par exemple, on peut y placer des messages dans les groupes de discussion et aussi lire ceux qui sont déposés par des gens qui s'intéressent aux mêmes sujets. En plus, on peut télécharger textes et images pour embellir ses exposés.

– Tout ça doit coûter cher, non? Christophe, qu'en penses-tu?

– Oui, c'est évident, ça coûte! Outre les sommes prélevées par le fournisseur ... World-Net ou France-Net, disons ... il faut ajouter le prix des communications de France-Telecom entre chez vous et le point d'accès à Internet ... et il ne faut pas oublier de couper la connexion en fin de consultation!

– Toi, tu t'intéresses à Internet?

– Euh ... oui ... je suis d'accord, il est possible de récupérer des jeux, ou des infos, mais il faut dire qu'il n'est jamais aisé de s'y retrouver ... Les communications sont parfois ralenties par un embouteillage sur les réseaux ... et chez moi, par la lenteur de mon modem! Et les messages, toutes ces conversations avec des gens de toute la planète ... personnellement, je préfère écrire et recevoir des lettres par courrier ... je peux les lire n'importe où ... et c'est plus personnel.

– Voilà. Nous avons entendu plusieurs points de vue très intéressants, et nous allons maintenant passer directement à la Foire du multimédia qui se tient actuellement à ...

4 The interview taken from *Les Clés de l'actualité* presents a negative point of view of a writer who is against the world-wide influence and use of the Internet. Students need to look more deeply at the possible implications of the Internet, and beyond the uses they may have already noted in the previous activities. In matching the questions and responses, students could be asked to identify one or two key sentences that helped them to make their choice. These sentences should contain the essence of each answer, and as such could be used by students when completing later tasks.

Answers

1D, 2B, 3A, 4C

5 This activity focuses in more detail on Paul Virilio's own point of view. Before completing the task, students could paraphrase each statement (**a–h**), to ensure that they have fully understood the meaning.

Answers

a, b, e, f, g

6 The final writing activity enables students to draw together the language they have been working with

throughout this section. It is important, as has already been stated earlier in the course, that students plan, draft and redraft their work, before submitting a final version for assessment purposes.

PAGES 136–137

Des progrès médicaux ... mais pas pour tous

Objectives

- To learn about some issues arising from medical research
- To use statistics to reinforce an argument

1 The second topic of the unit focuses on medical developments and current issues in health care and prevention. As a possible follow up task to the vocabulary work and as preparation for the subsequent activities, students could, in pairs, summarize the key points of each technique. Allocate one paragraph to each group of students, which they then summarize in a given time-limit, before reporting back to the group.

2 The recording focuses on the four techniques mentioned (activity 1) and gives additional information. As the emphasis in the unit is on current issues, students could follow up the listening by adding any further points that might be current.

Answers

1 fécondation in vitro +; **2** les greffes d'organes –; **3** la génétique +; **4** le développement de médicaments et de vaccins –; **5** la génétique +; **6** le développement de médicaments et de vaccins –; **7** le développement de médicaments et de vaccins –; **8** la génétique +

Transcript Page 136 – Activity 2

1 Grâce à cette technologie, les femmes peuvent désormais avoir des enfants après la ménopause.

2 Il y a quelques années, on a découvert des abus horribles. A cause du manque d'organes à greffer, des chasseurs d'organes cherchaient des donneurs, qui étaient la plupart du temps des paysans analphabètes d'un pays pauvre. Des patients riches pouvaient payer des sommes assez importantes afin de recevoir un rein. Ce genre d'activité est affreux. Il faut rompre le lien greffe-argent.

3 Il est maintenant possible d'identifier le sexe sur l'embryon grâce à une technique de biologie moléculaire. Les parents peuvent savoir s'ils vont avoir une fille ou un fils, avant la naissance.

4 Dans les pays développés, on se soigne de mieux en mieux et les maladies, hier incurables, sont vaincues ou en voie de l'être. Rien à voir avec la situation des pays pauvres. Là, le manque d'instruction et d'hygiène, l'absence de moyens financiers, tout concourt au développement des maladies.

5 Les explorateurs de l'ADN sont devenus de véritables ingénieurs du vivant dès 1972, quand ils ont réussi à modifier le patrimoine génétique d'une bactérie, en lui greffant un gène supplémentaire. Maintenant, on peut ajouter des caractères avantageux à une espèce vivante. Par exemple, en 1994, les Américains ont découvert dans leurs magasins la tomate MacGregor, qui ne pourrit jamais!

6 Certains produits, capables d'anéantir virus ou insectes il y a moins d'un siècle, sont aujourd'hui incapables de leur faire le moindre mal. Ces fléaux deviennent résistants.

7 Il est bien évident que certains vaccins présentent des dangers. Oui, ils sont efficace contre une maladie spécifique ... mais le patient est souvent atteint de symptômes, parfois encore plus graves.

8 L'analyze des chromosomes d'une personne permet de connaître, avant leurs manifestations, les maladies à venir. De même, pour l'enfant à naître, des tests avant la naissance peuvent révéler un handicap.

3, 4 This interview provides not only some useful information on issues such as prevention and education but also some cultural background to health care in France.

Answers

3 1f, 2g, 3d, 4b, 5a, 6c, 7e, 8h

4 **a** Les Français payent mais la Sécurité sociale les rembourse, soit totalement pour les opérations graves ou certaines maladies remboursées à 100%, par exemple, cancer, sida ..., soit partiellement. Dans ce cas, on paye 28% de la facture. Une partie de ces 28% peut être remboursée par une assurance privée. **b** Oui. Les tuberculeux ne sont plus traités dans des sanatoriums. Il ne faut que quelques antibiotiques. Les cataractes: le patient passe une journée en hôpital de jour, et rentre chez lui le soir. **c** Parce que l'on ne peut pas empêcher la mort, on ne peut que la faire reculer. **d** 82 ans en moyenne. **e** Des maladies de la peau; des problèmes dentaires; des problèmes psychologiques; la risque de donner naissance à des enfants prématurés.

Transcript Page 136 – Activities 3, 4

– Le budget de la santé préoccupe tous les Français. Et, dans ce domaine, l'écart entre riches et pauvres se creuse chaque jour, même si nos concitoyens dépensent en moyenne plus que les autres Européens pour se soigner. Combien les Français dépensent-ils pour se soigner?

– L'année dernière, ils ont dépensé 640 milliards de francs, soit 10% de la richesse nationale. Cela représente, en moyenne, un peu plus de 11 000 francs par an et par personne.

– Qui paye?

– C'est un système assez compliqué. Schématiquement, tout le monde paye et la Sécurité sociale rembourse. Soit totalement pour les opérations graves et les maladies remboursées à 100% (diabète, cancer, sida...). Soit partiellement: dans ce cas, les familles doivent payer 28% de la facture, et une partie de ces 28% peut être remboursée par une assurance privée.

– La médecine devient de plus en plus technique, cela signifie-t-il qu'elle devient plus chère?

– Autrefois, les tuberculeux étaient traités pendant de très longues périodes dans des sanatoriums. Le coût journalier actuel dans ces institutions est de 800 à 900 francs. Or, aujourd'hui, quelques antibiotiques suffisent à enrayer une tuberculose. Autre exemple, la cataracte. Cette maladie qui touche le cristallin de l'œil est très fréquente chez les personnes âgées. Les progrès de la chirurgie et de l'anesthésie permettent désormais d'opérer cette maladie en hôpital de jour. Le patient vient le matin et ressort le soir. Toute évolution dans les soins permet donc de réaliser des économies.

– La prévention peut-elle permettre de réaliser des économies?

– Non, sauf en ce qui concerne la surveillance de la grossesse et de la première année de vie. La prévention se justifie pour des raisons éthiques, pas pour des raisons économiques. On réduit la mortalité par la vaccination, le port de la ceinture de sécurité et du casque en moto, la lutte contre l'alcoolisme. On peut reculer la mort, pas l'empêcher. Si plus personne ne fumait, les coûts de santé ne diminueraient pas pour autant. Simplement, on mourrait plus tard, d'autre chose que du tabagisme.
En fait, la médecine ne compte que pour 15% dans l'augmentation de l'espérance de vie. Le reste est expliqué par d'autres facteurs: le mode de vie, l'organisation sociale.

– On dit que la santé des Français s'améliore, mais paradoxalement les inégalités en termes de santé s'aggravent ...

– C'est vrai. Les femmes françaises ont ainsi l'espérance de vie la plus forte du monde, 82 ans en moyenne. Mais parallèlement, on assiste à l'émergence d'un nouveau phénomène. L'écart social se creuse face à la santé. Par exemple, à 35 ans, la différence d'espérance de vie entre un manœuvre et un cadre supérieur est de neuf ans! Et cette différence entre classes sociales, non seulement ne diminue pas depuis 30 ans, mais elle augmente.

– On parle de plus de cinq millions d'exclus. Y a-t-il des maladies de la pauvreté dans les pays riches?

– Oui, la précarisation entraîne des pathologies particulières, de la peau notamment. Des problèmes dentaires aussi, qui ne sont pas soignés. Ces populations souffrent aussi de troubles psychologiques, ce qui entraîne une consommation plus importante de tranquillisants mais aussi de tabac et d'alcool. Par ailleurs, leur risque de donner naissance à des enfants prématurés est deux fois plus élevé que pour le reste de la population.

– La solidarité sur laquelle est fondée notre système de santé peut-elle résister encore longtemps?

– Aux Etats-Unis, 15% de la population n'est pas assurée. Ce pays a le système de santé le plus cher du monde. Et il ne se situe qu'au 17ème rang mondial en matière de santé.
En 1980, le Canada est passé du modèle américain à un système fondé sur la solidarité. Aujourd'hui, la situation sanitaire de ce pays, en terme de services et de coûts, est l'une des meilleures au monde.
Ces deux exemples sont frappants. Ils montrent bien que la solidarité est non seulement le système le plus juste mais aussi le plus efficace économiquement. On peut l'aménager, mais il serait absurde de le supprimer.

– Je vous remercie.

5 A possible **homework** activity, students compile a report on the situation in their own country, using their notes from the previous activities. This will require an element of research, and so adequate time needs to be allocated for successful completion of the task.

● **Extension activity**
Although a writing task, some students could be asked to present their findings at the beginning of the next lesson. This might require them to modify their written text, to make it appropriate for an oral presentation.

6 Before listening to the recording, ask students to 'translate' the information given in the form of statistics into statements. This could be done orally, in class. For example: *Dans les pays développés l'espérance de vie est 76 ans, mais dans les pays moins avancés, elle est beaucoup moins.*

Answers

a la lèpre, la tuberculose, la peste, la diphtérie, la malaria, le choléra **b** le sida; d'ici 2005, le nombre mondial des cas de tuberculose augmentera de 8,8 à près de 12 millions; elle tuera d'ici l'an 2000, 3,5 millions de personnes

Transcript Page 137 – Activity 6

– On croyait, grâce aux antibiotiques, avoir vaincu les maladies infectieuses. Mais les microbes reviennent en force et des infections oubliées resurgissent. De nouveaux virus, tel le sida, apparaissent. Faut-il craindre des épidémies incontrôlables?
Le professeur Céline Gaillard va nous parler du problème et de sa cause. Eh bien, ... faut-il craindre ces épidémies? Seront-elles incontrôlables?

– Il est bien évident que beaucoup de maladies, comme la tuberculose et la variole, qui faisaient jadis d'énormes ravages, ont été enrayées. Cependant, il est évident aussi que de nouveaux virus, tel le sida, comme vous avez dit, apparaissent. En plus, des maladies qu'on croyait en grande partie disparues ont tendance à réapparaître. Par exemple, la lèpre continue à régresser, certes, mais la tuberculose revient en force, résistant apparemment à tous les antibiotiques.
Selon l'OMS, d'ici 2005, le nombre mondial des cas de tuberculose déclarés grimpera de 8 800 000 à près de 12 millions. Et cette maladie tuera chaque année, d'ici l'an 2000, trois millions et demi de personnes.
Autre exemple, la peste du Moyen Age a tué quelques dizaines d'Indiens en 1994. La diphtérie, la malaria et le choléra réapparaissent avec des souches de plus en plus rebelles aux traitements connus.

– Les microbes deviennent résistants, alors?

– Il paraît que certains microbes, qui étaient éliminés par tel antibiotique, trouvent d'un seul coup le moyen de lui échapper. Le problème, c'est que les microbes les plus virulents peuvent devenir inoffensifs, comme les plus anodins se changer en tueurs.
Autre mécanisme: un antibiotique est efficace à 99% sur une souche. Alors, le 1% de rescapés, rebelles au traitement, va se multiplier et occuper la totalité du créneau. Le traitement efficace à 99% sera devenu à 100% inefficace.

– Il faut se méfier alors, de l'idée qu'on peut éliminer toutes les maladies infectieuses.

– Oui ... il est certain que non seulement nous ne contrôlons pas ces maladies ... mais en plus nous ne les contrôlerons jamais ... il faut vivre avec.

Compétences: citer des statistiques et des exemples ...

7 One of the skills focuses of this unit looks at the use of statistics and examples to reinforce an argument or point of view, or to summarize a particular point. Using this, students write a short report on the differences, illustrated here and on the recordings, between rich and poor. When planning and drafting their report, students should focus on factual information only.

● **Feuille 28**
This could be done as **homework**. The reading text develops further some of the ideas already touched on in the Students' Book.

1 Answers
(Example) **a** les virus, les bactéries, les rongeurs et les insectes deviennent résistants aux antibiotiques **b** les différences physiologiques entre individus de la même espèce **c** les rats sont dotés d'une grande capacité de résistance; quand on laisse un nouveau poison à un endroit, quelques heures plus tard, les rats ont appris qu'il ne faut pas y toucher **d** en donnant des médicaments aux

voyageurs, on risque de rendre le parasite plus résistant et plus dangereux pour les habitants

● **Feuille 30**
1 The top half of *feuille* 30 provides practice of the demonstrative pronoun *celui*, in the context of world health.
Answers
a ceux; **b** celui-ci, celle-là; **c** celles-ci; **d** ceux; **e** celles

PAGES 138–139
L'éthique médicale
Objectives
■ To discuss some ethical questions arising from medical research
■ To learn about the *Comité consultatif national d'éthique*
■ To prepare a presentation on a given ethical issue

1 Students will probably have views on some of the issues raised in the article and have an opportunity to express them, in discussion with a partner. Later, students will give a presentation either in favour of or against some of the issues raised. As they work through the tasks, they should be encouraged to draw together as much information and key phrases/vocabulary to help them prepare for the productive task.
Answers
a la détection de maladies génétiques; la possibilité de choisir un garçon ou une fille; la possibilité de tuer, avant la naissance d'un enfant, un nombre de maladies héréditaires.

● **Follow up activities**
– Students could list the questions posed by the reporter in the article. These can then be used as a stimulus for discussion of the issues raised.
– Students summarize the second paragraph in their own words. This can be done either orally, in class, or as a short written task.

● **Preparation**
2, 3 The recording presents different perspectives on many of the issues raised in the article. As preparation for the listening activity, give students a list of statements and ask them to prioritize, with a partner. Which do they think is the most important aspect to consider, when making decisions on the lines of those indicated in the text?
– *Le droit de conserver la confidentialité.*
– *Le droit des parents de choisir le sexe de leur enfant.*
– *Le besoin d'utiliser du matériel humain pour certaines recherches.*
– *La liberté individuelle.*
– *Le droit des parents à avoir un enfant qui n'ait pas d'handicap*
– *La possibilité de détecter des maladies génétiques.*

2 Answers

1 b, e, h; **2** d, g; **3** a, f, c

3 This requires students to draw up their own list of *Expressions-clés*, for discussing ethical questions. They should first do so by listening to the recording, as often as possible. They then check their list against a copy of the transcript.

● **Extension activity**

Students could select one of the three people interviewed and summarize what they say, in English. The task should be set in the context of being asked to prepare some information for their boss, who works in the field of medical research.

Transcript Page 138 – Activities 2, 3

– Jérôme Blandin.
– Je suis opposé à toute manipulation génétique de l'ovule, des spermatozoïdes ou de l'embryon. En plus, je crains qu'un dépistage des prédispositions à certaines maladies soit aussi imposé aux adultes. On dit que ce dépistage présente, théoriquement, l'avantage de permettre la personnalisation de la médecine préventive, mais il présente aussi des dangers. Révéler la survenue future d'un cancer ou d'une maladie héréditaire n'est pas sans gravité. En donnant accès à ce verdict, la génétique sera cruelle en dénonçant des maux inéluctables et incurables.
De plus, elle pourrait fournir aux compagnies d'assurances ou aux employeurs des moyens de connaître la future santé de leurs clients ou salariés. Ils pourraient ainsi refuser les ... leurs services à des gens malades ou les leur faire payer très cher. Un employeur doit-il savoir si vous êtes prédisposé au cancer? La police doit-elle être informée de votre prédisposition à l'alcoolisme? Cette discrimination existe déjà.
Il faut donc prendre des mesures. Aucune institution gouvernementale ou policière ne devrait disposer d'une information génétique sans l'approbation de l'individu concerné. A l'âge de la génétique, le droit de conserver la confidentialité d'une information est un élément essentiel de la liberté individuelle.

– Catherine Doisneau.
– Le désir d'avoir un enfant de tel ou tel sexe est un rêve constant de l'humanité. Dans certains pays déjà, le choix du sexe est systématiquement fait au détriment des femmes. Ces techniques de diagnostic prénatal peuvent être à l'origine de régressions éthiques les plus inimaginables, notamment quant au statut des femmes.
Même s'il est considéré comme scientifiquement absurde, l'eugénisme n'a pas quitté l'esprit de certains scientifiques. Il est malheureusement possible que les médecins prétendent un jour définir la qualité de l'espèce humaine. Un grand nombre d'enfants échapperont heureusement à ce tri et ne correspondront pas à l'idéal que s'est fixé la société. Il risque d'en résulter des discriminations qui mettront en cause le principe de base de la démocratie: l'égalité. On ne peut pas dire aujourd'hui si ces générations, déterminées dans leurs qualités physiques et intellectuelles, seront aliénées dans leur être. Mais le risque me paraît suffisamment grave pour ne pas être pris.

– Julien Favereau.
– C'est difficile de dire qu'il faut tout arrêter. Ce serait dommage. Mais il faut distinguer le traitement de la stérilité et la recherche. Même s'il faut être prudent dans chaque dépistage, il faut aussi reconnaître qu'ils sont tous différents. Pour le traitement de l'infertilité, avec plus de 10 ans de recul

et plus de 10 000 enfants, nous savons mieux apprécier les choses. Nous savons à quels couples cette technique s'adresse. Et on connaît les problèmes. Le médecin et le couple doivent établir un contrat. Je suis frappé par le contraste entre les fantasmes et la réalité. Les couples qui viennent nous voir cherchent simplement à avoir un enfant qui n'ait pas de handicap.
Pour la recherche, c'est différent ... la majorité des travaux ayant pour but le progrès des connaissances peut se satisfaire des expériences sur l'animal. Mais pour l'amélioration des techniques, par exemple congélation ou lutte contre la stérilité masculine, il faut pouvoir utiliser du matériel humain. Il est indispensable que le fonctionnement des centres de fécondation in vitro soit transparent. Les contrats et propositions de recherche doivent être soumis à l'avis d'un comité d'éthique. Un tel système souple permet de se prémunir contre les dérapages, sans les éliminer. Je suis contre la rigidité. La loi doit juste fixer des règles de conduite générales.

Compétences: servez-vous de vos dictionnaires!

4 Before completing the reading task, ask students to suggest any current issues that they think should be referred to the *Comité national d'éthique*. They could also be asked to undertake some research to find out whether a similar body exists in their country, and, if so, the members of the committee and how they are selected. If set as a **homework** activity, students could begin the following lesson by presenting their findings in a brief report.

5 Following the dictionary activity, students summarize the two items listed in the Students' Book.

● **Feuille 29**

1, 2 Before preparing their presentation (activity 6), students should complete the activities on *feuille* 29. The interviews were recorded on location in Reims, and provide additional language that students should add to their personal *Expressions-clés* (see above). Before listening, ask students to hypothesize whether the people interviewed will be for or against new advances in medical research, and for or against some form of control or limits.

1 Answers

a expériences; poussées; avancer; recherche médicale; des animaux; progresser **b** problèmes d'éthique; manipuler; recherche sur les embryons; les gènes; génétiques **c** laisser faire leurs expériences; les contrôler; la loi; des limites

2 Answers

2e interview: a, b, c, e
3e interview: b, d, e, f

Transcript Feuille 29 – Activities 1, 2

1 – Bonjour!
  – Bonjour.
  – Est-ce que je peux vous poser quelques questions?
  – Je vous en prie, allez-y.
  – Voilà, j'aimerais vous poser quelques questions sur la recherche, la recherche médicale. Certaines personnes pensent que certains chercheurs vont très loin et font des expériences et des recherches dangereuses. Qu'en pensez-vous?
  – Oui, il est certain que certains, certains chercheurs font des expériences qui vont très loin, qui sont très poussées, mais en même temps nous avons besoin de faire avancer la recherche médicale et je suppose qu'ils ont besoin de faire des expériences sur des animaux pour faire progresser la recherche médicale dont nous bénéficions, nous tout un chacun, lorsque nous sommes malades et que nous avons besoin de nous faire opérer.
  – Et quand il s'agit de recherches par exemple sur les embryons?
  – Oui, il est certain que ça pose certains problèmes éthiques. Est-ce qu'on a le droit de manipuler les embryons? Et là il faut aussi faire la différence entre faire une recherche, observer et puis manipuler. On peut peut-être faire de la recherche sur les embryons sans manipuler les gênes et donc sans faire des manipulations génétiques.
  – Certaines personnes pensent que il faudrait empêcher les chercheurs d'aller plus loin, parce que pour l'humanité, cela pourrait être dangereux. Donc vous maintenez votre idée que il faut les laisser faire leurs expériences?
  – Ah je crois qu'il faut les laisser faire leurs expériences mais qu'il faut aussi les contrôler. Donc je crois qu'il faudrait peut-être que la loi encadre la recherche médicale, qu'elle pose des limites à cette recherche médicale, je crois que l'éthique concerne tout le monde, et que les députés au Parlement sont les représentants du peuple et qu'il faut que le peuple se prononce à travers leurs députés.
  – Bien, je vous remercie.

2 – Pensez-vous qu'il faut imposer des limites aux chercheurs?
  – Euh ... je dirais que ça dépend des recherches qui sont faites certainement pour tout ce qui est armement, je pense que Hiroshima en a été un bel exemple, mais euh je ne serais pas aussi catégorique en ce qui concerne les recherches médicales qui sont tout de même absolument nécessaires à tout être humain.
  – Et même pour les recherches génétiques, les recherches sur les embryons?
  – Comme je ne sais pas ce qui a été fait sur les embryons, je n'irais pas jusque-là mais je sais que certaines recherches génétiques ont quand même amené d'énormes progrès au niveau de greffes, notamment la recréation de peaux artificielles qui pour des personnes étant grands brûlés, ou ayant subi des accidents quelconques sont quand même tout à fait remarquables.
  – Merci.

3 – Bonjour.
  – Bonjour.
  – Voilà de nos jours, il y a beaucoup de progrès dans les recherches médicales, pensez-vous qu'il faut encadrer ces recherches, leur fixer des limites?
  – Oui, personnellement je crois qu'il faudrait encadrer ces recherches dans la mesure où ce sont des recherches qui vont toujours nous servir plus tard, de nos jours comme à l'avenir, donc ce serait une très bonne idée de les encadrer.
  – Et particulièrement les recherches génétiques, les recherches sur les embryons, pensez-vous que si elles s'avèrent dangereuses pour l'humanité, il faut leur fixer des limites?
  – Oui, parce que dans toute chose il y a un bien, un mal.

Parce que dans la mesure où on se lance dans la recherche d'embryons, et tout ça, il pourrait être dangereux pour l'homme de d'arriver à un certain stade là où il ne pourra pas reculer, c'est-à-dire que les recherches pourraient le pousser à toujours vouloir innover et ça, ça pourrait être très néfaste pour nous. Il pourrait y avoir des conséquences très dangereuses.
  – Je vous remercie.

3 Through their work on the tasks both in the Students' Book and on repromaster, students should now have a comprehensive list of key phrases they can use. They should also be better able to express an opinion, given the information to which they have access. This writing task allows them to use the models on *feuille* 29 to express their own views. They can redraft the models given to complete the tasks.

● **Feuille 30**
The bottom half of this repromaster provides some guidance and key language for preparing their presentation. Students should be reminded to use notes rather than a script when making a presentation. It can be a good idea to ask students to show you their notes or headings before making their presentation; if this is possible at an early stage, it allows for difficulties and problems to be dealt with there and then, rather than at a later stage in the planning.

6 Students are now ready to prepare their presentation. As a preparatory step, all students draft a list of the advantages of, and the problems posed by, the advances in genetics. This group activity should ensure that all points are covered. It would be appropriate for students to plan their presentation in pairs; they could also present them in pairs, as you wish. As suggested in previous units, students should ensure that they keep a log of the work completed when working in this way, so that it is clear that both partners have undertaken an equal amount of work.
Remind students of the criteria used when assessing their work, to help them successfully to complete the task. If possible, it is useful to video some of the presentations, if not all, both as an aid to evaluating students' performance, but also for purposes of self-evaluation.

PAGE 140
Métiers d'avenir à découvrir

Objectives
■ To learn about some new professions, linked to new technology
■ To find out about the work of a researcher

1 As part of this straightforward reading task, ask students to note the key sentence or phrases (two, maximum) that helped them to identify the correct job for each description.

Answers

A Communicateur technique; **B** Infographiste;
C Journaliste spécialisé; **D** Juriste

2 Students should reread the texts and answer the
following questions:

– *Quelles sont les qualités et les aptitudes nécessaires
pour un communicateur technique?*
– *Un infographiste, que fait-il exactement?*
– *Pourquoi les journalistes spécialisés deviennent-ils
aussi nombreux?*
– *Quelles sont les qualités nécessaires pour avoir du
succès dans ce métier?*
– *Le juriste, que fait-il exactement?*

3 In translating text C into English, students need to focus
not only on the words, but also on the meaning, register
and style of the writing. Before doing so, they could read
the French text aloud. Doing this can help give a clearer
indication of key phrases and emphasis. As with other
writing tasks, students should draft and then redraft their
work, before submitting their final version.

4 The interview with Christophe Bliard was recorded on
location in Reims. To help students complete the task
successfully, they should copy the phrases 1–5 before
listening, as this gives a clearer idea of what they are
listening for, rather than simply reading the phrases in
the book.

Answers

1d, 2i, 3a, 4c, 5h

● **Follow up activity**

Students listen to the interview again and complete the
following sentences.

– *Christophe Bliard s'occupe actuellement ...*
– *Selon M. Bliard, la recherche fondamentale et la
recherche appliquée sont ...*
– *Il affirme qu'il existe ...*
– *M. Bliard ne veut pas l'existence ...*

Answers

de deux domaines qui touchent la chimie des plantes; de
plus en plus mélangées; une éthique de travail; de règles
à court terme

Transcript Page 140 – Activity 4

– Quels sont vos domaines de recherches actuels?
– Nous travaillons sur deux domaines qui touchent
traditionnellement la chimie des plantes. Le premier
domaine plus traditionnel était la domaine qu'on appelait la
pharmacognosie, c'est-à-dire, la connaissance des composés
pharmaceutiques issus des plantes. Le second est un
domaine vers lequel nous nous dirigeons plus actuellement
qui est l'utilisation des ressources agricoles pour des
domaines de matériaux thermoplastiques, matériaux
polymère d'emballage biodégradables et des biocarburants.
– Dans quelle mesure vous occupez-vous de la recherche
fondamentale, c'est-à-dire de la recherche qui ne va pas
servir immédiatement dans l'industrie?

– Alors, les deux domaines, recherche fondamentale et
recherche appliquée, qui étaient traditionnellement utilisés
par soit les industriels d'un côté pour la recherche appliquée,
soit les académiques pour la recherche fondamentale, est de
plus en plus mélangée et s'imbrique de plus en plus
actuellement. On ne peut pas faire l'une sans l'autre: la
recherche industrielle dynamise la recherche académique et
la recherche académique est nécessaire pour les industriels
de plus en plus. Donc, je crois qu'on peut parler actuellement
d'un plus grand mélange entre les deux domaines.
– On parle beaucoup d'éthique actuellement. Est-ce que, vous-
même, vous devez obéir à des règles d'éthiques strictes?
– Alors, nous ne devons pas obéir à des règles d'éthiques
strictes et réglementées écrites, mais il existe une éthique de
travail que les, que les chercheurs et les scientifiques suivent
implicitement pour leur domaine de recherche.
– Souhaiteriez-vous l'existence de règles clairement définies?
– Je ne souhaite pas l'existence de règles à court terme tant
qu'il n'y a pas eu de réflexion entre les gens de la profession,
les scientifiques, et l'ensemble du public avec les éducateurs
et les utilisateurs, consommateurs.
– Mais à l'heure actuelle, est-ce qu'il n'y a pas un risque de
débordement de votre part ou de la part des industriels?
N'allez-vous pas aller trop loin dans vos recherches?
– Alors, les industriels clairement doivent, euh ... doivent obéir
à des règlements, mais on ne peut pas non plus faire trop de
règlements pour cause de licenciements économiques et de
non-rentabilité économique. Du côté de la recherche plus
fondamentale dans les laboratoires, on s'inquiète toujours
d'un nouveau domaine, des implications d'un nouveau
domaine de recherche. Je crois que ce sont des questions qui
restent posées pour les, pour la recherche plus fondamentale
et tant qu'on n'a pas travaillé sur un domaine, je crois qu'on a
du mal à reconnaître les implications.

PAGE 141

📹 Le Futuroscope

Objectives

■ To find out some information about Futuroscope
■ To develop pronunciation and intonation

1 The style of commentary of this extract makes its purpose
very clear, from the opening words. However, watching it
without the sound makes its purpose slightly ambiguous,
so students need to watch the extract carefully in order to
complete the task. Having watched the extract, ask
students to give reasons for their choice of answer.

Answer

un film de promotion

2 The second task also requires students to watch the
extract without the sound. On this occasion, students
have some phrases in front of them, many of which can
be matched to the visuals shown on screen. It is only
when they have completed this task that students listen
to the sound, while viewing the extract for the third time.

Answers

d, f, h, j

3 Having completed this, students could use the
information they now have about Futuroscope as
stimulus for some follow up activities.

● **Follow up activities**

Students imagine that they have been asked to summarize, in English, the key attractions and facilities available at Futuroscope, for their employer. In response to this, their employer asks them to write for further information on:

– the capacity of each of the three cinemas featured
– the range of films shown
– whether any market research or surveys have been carried out to elicit information on preferences, and most/least successful films. Students write a formal letter in French, asking for the above information.

Video transcript Page 141 – Le Futuroscope, Activities 1–4

– Le Futuroscope – un parc d'attraction pas comme les autres! Le Futuroscope est situé près de Poitiers, à deux pas des châteaux de la Loire. C'est le parc européen de l'image – et vous y trouverez toutes sortes de cinémas et de jeux-vidéos extraordinaires.
Plongez dans l'image! Grâce à des écrans hémisphériques, l'image est perçue en trois dimensions. Survolez le monde! en regardant des paysages filmés du ciel! Et dans un cinéma nommé Panoramique 360, l'image est partout – devant et derrière.
Regardez! Comme on dit dans ce petit film, "Préparez-vous à vivre totalement, passionnément, intensément toute l'émotion du monde"!

– A des années lumières d'Alpha du Centaure mais à deux pas des châteaux de la Loire et des vignobles du bordelais, entrez dans l'univers fascinant des images et préparez-vous à vivre totalement, passionnément, intensément toute l'emotion du monde.
De l'autre côté du miroir le monde est en relief, le spectacle est total ... Plongez dans l'image, bienvenus dans la troisième dimension.
Amerissez, atterrissez, le transport ici est gratuit, tout est prévu pour les plus petits et pour bien vous persuader que vous avez réintégré le monde de la réalité, nos boutiques vous proposeront les souvenirs dont vous rêvez.
Emprisonné dans un crystal, l'émotion restituée attaque. C'est le plus grand écran du monde, ouvrez les yeux, vous êtes cernés.
Que jouent ces orgues? Nouveau mystère ... la symphonie en couleurs de paysages vus du ciel. Survolez un monde nouveau à la poursuite d'un papillon.
Sur la musique ou bien sur l'eau, trépidant, sautant et dansant c'est le paradis des enfants.
A 45 mètres au dessus du parc, envolez-vous, évadez-vous, le point de vue est fantastique. Comme sur l'écran de l'Omnimax, le panorama est grandiose.
Si vous n'avez pas pu tout voir, si la journée ne suffit pas, reposez-vous, restaurez-vous, le rêve continuera demain. Cent ans d'images – la machine à remonter le temps est une nacelle qui vous promène dans les coulisses du cinéma. Panoramique 360: elle est derrière, elle est devant: vous êtes au milieu de l'écran, au cinéma 360 la vision enfin est totale. La galaxie Futuroscope: c'est encore trois univers qui juxtaposent sur un même site: la formation et la recherche, la communication et l'entreprise, le spectacle et les loisirs.
Accrochez-vous, vous embarquez pour la plus folle des équipées: rires et sensations et secousses!
Le casque distribué à l'entrée saura trouver les mots qu'il faut, il parle la langue que vous parlez. Si les chiens ne sont pas admis, c'est que le chenil est gratuit. Venez-y comme vous le souhaitez, les accès sont facilités.

Et prochainement sur cet écran, un nouveau Palais des Congrès et une nouvelle féerie par un magicien du cinéma, un film signé Jean-Jacques Anneau, en omnimax et en relief. Le Futuroscope, le parc européen de l'image: vous y viendrez!

Ça se dit comme ça!

5, 6 Students also use the video extract for language and pronunciation work.

PAGE 142

Interlude: Le premier siècle après Béatrice

The extract taken from *Le premier siècle après Béatrice* by Amin Maalouf, refers students back to one of the issues raised on pages 138–139: the possibility of identifying the sex of a baby before birth, and the implications this might have in the future. Students might be interested in some background information on the author, who was awarded the Prix Goncourt in 1993 for *Le Rocher de Tanios*.

● **Background information**
Né au Liban en 1949, Amin Maalouf vit à Paris depuis 1976. Après des études d'économie et de sociologie, il entre dans le journalisme. Pendant une douzaine d'années, il a effectué des missions dans plus de 60 pays. Aujourd'hui, il consacre son temps à écrire ses livres.

● **Essay titles**
– *"Les technologies nouvelles comme Internet sont à la fois un progrès et un dégât possible".* Dans quelle mesure êtes-vous d'accord avec cette affirmation? Justifiez votre position.
– Vous participez à un débat sur l'avenir des comités d'éthique: *"Faut-il continuer à consulter ces comités?"* Que pensez-vous du rôle des comités d'éthique? Faut-il augmenter ou diminuer l'importance de ces comités?

● **Feuille 47**
Before students undertake the prose, tell them that they will find revision of the following useful:
– p132 *Les multidébats du multimédia*
– p133 *Le rôle éducatif du multimédia*
– *Zoom,* p 133 *(le pronom demonstratif)*
– p140 *Métiers d'avenir à découvrir.*

Unité 11 Tous égaux!

Unit objectives

Topic
- Racism and other forms of inequality

Language
- Discussing an aspect of human rights (immigration) (pp146–7)
- Attacking prejudice (racism) (pp148–9)

Grammar
- Possessive pronouns (p147)

Skills
- Writing a well structured essay (p153)

Feuilles à photocopier
- Feuille 31 (after p145)
- Feuille 32 (p147)
- Feuille 33 (after p151)
- Feuille 48 (English–French translation)

PAGE 143

Tous égaux!

Objectives
- To introduce the theme of the unit
- To stimulate discussion on some issues

The texts on the opening page act as an index to the topics that will follow. Introduce the unit by telling students about the *Déclaration des droits de l'homme* (text **A**).

● Background information
1789: Déclaration des droits de l'homme et du citoyen. Le premier article résume les droits fondamentaux des individus. Les révolutionnaires français donnent à la Déclaration des droits de l'homme et du citoyen une valeur universelle. Ils s'appuient sur la philosophie des humanistes français du XVIIème siècle (par exemple, Montesquieu, Voltaire, Rousseau).
1948: Ces droits entrent en application sur le plan international en 1948, grâce à l'Organisation des Nations unies et à sa Déclaration universelle des droits de l'homme.
Les traités internationaux:
1948: Cette résolution (voir ci-dessus) n'a qu'une force morale, mais elle reste la référence fondamentale.
1966: Deux pactes sont signés (le pacte relatif aux droits civils et politiques et le pacte relatif aux droits économiques, sociaux et culturels), destinés à préciser et à rendre obligatoires les dispositions de la Déclaration de 1948.

Ask students if they know of any agencies who work to ensure that human rights are respected and help them with some examples:

Amnesty International, *créé en 1961. Cette organisation fonde ses activités sur la protection des prisonniers et*
détenus politiques. Elle compte aujourd'hui plus d'un million de membres dans plus de 170 pays.
La Ligue des droits de l'homme, *créée en 1898. La Ligue intervient "chaque fois qu'une injustice, un abus de pouvoir ou une illégalité lui sont signalés, au détriment des individus, des collectivités ou des peuples". (Statuts de la Ligue des droits de l'homme). Elle compte plus de 12 000 membres. Actuellement, elle concentre surtout sur la lutte contre la renaissance de l'extrême droite.*

Text **B** highlights the issue of racial intolerance and acts as an introduction to the later section on attacking prejudice. Students could read the text aloud, as if recording a voice-over for a promotional video or television programme.

The third issue to be highlighted is that of the role of women (text **C**), and their rights. Having completed unit 10, students will already have discussed potential problems posed by parents being able to choose the sex of their baby, focusing on the desire to have a son. In this unit, students will also look at the role of women in other areas: politics, economics, and so on. Having read the "headline" ask students to suggest areas in which they think that women still lag behind in terms of equality, either in their own country or generally.

The final text (**D**) focuses briefly on the issue of trading with countries who have a poor record of respecting human rights. Ask students to suggest other areas not covered here; for example, *Les droits de l'enfant.*

PAGES 144–145

La France vue par les Français

Objectives
- To learn about some key issues current in France
- To discuss some common problems facing society

1 Before completing the task in the Students' Book, conduct a poll, orally in class, posing similar questions to those included in *L'Express*. Using the responses and information given, revise with students different ways of expressing facts and statistics. Refer back to unit 10 (SB page 137).

Answers
b 93% disent que les valeurs traditionnelles de la France sont une raison d'être fier de son pays (*graphique 2*)
c 87% disent que la démocratie est importante (*graphique 2*) **d** 65% disent qu'il y a en France des choses qui rendent la vie plus difficile (*graphique 3*) **e** 63% disent que le chômage les font craindre de ne plus vraiment être heureux d'être français (*graphique 4*) **f** 41% disent que la montée de l'intolérance est une menace (*graphique 4*) **g** 32% disent que la montée de l'égoïsme est assi une menace (*graphique 4*) **h** 2% disent qu'ils ne sont pas du tout heureux d'être français (*graphique 1*)

2 The listening activity focuses on the language introduced
in activity 1. Three young people are interviewed and asked
similar questions to those presented in the Students' Book.

Answers

a le chômage, la montée de l'égoïsme, la montée de
l'intolérance; **b** on ne s'occupe que de soi; 15% des
Français ont voté pour le Front National qui veut
renvoyer tous les immigrés **c** à cause du chômage, on
voit une montée d'inégalités entre ceux qui ont un travail
et ceux qui ne l'ont pas; **d** oui, ça existe, mais dans le
monde entier; pour trouver une solution, il faut
continuer à parler, à négocier

● **Follow up activity**

Students work in pairs, to interview each other, using the
interviews on cassette as a model. Possible questions are:

– *Diriez-vous que vous êtes heureux d'être ......?*
– *Pour vous, quelles sont les menaces les plus graves?*
– *Voyez-vous une montée de l'intolérance dans votre pays?*
– *Croyez-vous que les ...... sont de plus en plus inégaux?*
– *Est-ce que vous pensez que la montée du terrorisme
posera un problème à l'avenir?*

If possible, students should work with a copy of the
transcript.

Transcript Page 144 – Activity 2

– Pour commencer, êtes-vous heureux d'être français?
  Stéphane d'abord.
– Moi, oui ... quand on regarde ce qui se passe dans différents
  pays du monde, j'ai vraiment l'impression que nous avons de
  la chance d'être français.
– Et Laure?
– Moi aussi... On est libre, on a le droit d'aller à l'école ... bref,
  on a de la chance d'être français.
– Et toi, Etienne?
– Moi aussi, je dirais que je suis assez content d'être français ...
  mais j'ajouterais qu'il y en a d'autres qui ne le sont pas. Si on
  pense aux problèmes dans les banlieues, au racket à l'école,
  ... il y a des problèmes, même ici en France!

– Alors, pour vous, quelles sont les menaces les plus graves?
– Pour moi, c'est le chômage ... on voit partout des jeunes qui
  n'ont pas de boulot ... qui n'ont aucune confiance en l'avenir
  ... et qui n'ont rien à faire. Ça va être un gros problème ...
– Moi, je dirais que c'est la montée de l'égoïsme ... Selon moi,
  on a de moins en moins un esprit de communauté ... on ne
  parle plus avec ses voisins, même dans les petits villages ... et
  pourquoi? Parce qu'on ne s'occupe que de soi.
– Je suis d'accord avec Laure, mais je dirais que ce genre
  d'égoïsme mène aussi à une montée de l'intolérance. On ne
  s'occupe que de soi, et on devient de plus en plus intolérant
  vis-à-vis d'autrui.

– Stéphane, tu vois aussi une montée de l'intolérance?
– Ben oui, surtout en ce qui concerne l'immigration. Quand on
  pense que 15% des Français ont voté pour le Front National
  qui veut renvoyer tous les immigrés! Avec un tel message, on
  a l'impression que l'on est autorisé à mépriser ceux qui sont
  d'une nationalité différente.
– Oui ... et en plus, on est autorisé à dire des bêtises du genre:
  "ils prennent notre travail", "sans eux, il n'y aura plus de
  violence, plus de crime ..." C'est tout à fait faux.

– Alors, croyez-vous que les Français sont de plus en plus
  inégaux?

– Moi, je dirais que oui. Ceux qui ont un travail, qui ont des
  papiers sont séparés de ceux qui n'en ont pas ... Le niveau de
  vie d'un grand nombre de familles a diminué ... à cause du
  chômage. En toute période de crise, il y a toujours beaucoup
  plus de familles qui ont besoin d'aide, pour se loger par
  exemple.

– Et pour terminer, est-ce que vous pensez que la montée du
  terrorisme posera un problème à l'avenir?
– Ben ... l'année dernière, il y a eu plusieurs attentats à Paris,
  c'est vrai, et aussi en Corse. A mon avis, il faut trouver des
  solutions à nos problèmes en parlant ... en discutant des
  problèmes à surmonter. Si on veut vraiment résoudre nos
  problèmes, on y arrivera et on verra une diminution du
  terrorisme.
– Je ne sais pas, moi. Parce que partout dans le monde, on voit
  des attentats: à Londres, à New York, même aux Jeux
  Olympiques de 96. Ce n'est pas un problème uniquement
  français. S'il y a des gens qui veulent protester, s'ils sont contre
  un pays ou un système de gouvernement, s'ils luttent contre ce
  système, et qu'ils veulent le faire en posant des bombes, il est
  difficile de les en empêcher ... Actuellement, il y a des groupes
  qui protestent par le biais de la violence ... Mais ça ne veut pas
  dire qu'il faut que ça continue. Peut-être, comme a déjà dit
  Stéphane, qu'il faut continuer à négocier avec ces groupes.
– Bien sûr, il faut négocier ... C'est en parlant qu'on arrive à
  résoudre des problèmes, que ce soit en famille ou que ce soit
  entre pays. Mais il faut le faire, si on veut vraiment que les
  choses s'améliorent.

– Merci à vous tous.

3–5 These short texts focus on three examples of the types of
problems highlighted in the text from *L'Express*.

3 Answers

a many graves were desecrated; **b** May 1990; **c** no, but
some people have been arrested; **d** the body of Alain
Germon's cousin was exhumed by the perpetrators of the
crime, and he is now taking action against the state

4 Answers

a à la dérive; **b** les paperasses; **c** les chiottes; **d** ronéotés;
e trimbaler

6 The list provided in the Students' Book summarizes
those covered in the texts, but also adds a few more. This
should be used as a list of useful phrases for students to
use in later activities; encourage students to add others.
The first part of the activity (**a**) could be completed orally
in class, while **b** requires students to work in pairs to
invent a title for each article. This type of activity, as
mentioned elsewhere, can stimulate a lot of discussion.
Students should indicate the key phrases which helped
them to reach their decision.

Answers

(Examples) **A** l'antisémitisme; **B** le chômage, la crise du
logement; **C** la montée de la criminalité, l'intégrisme
islamiste, la délinquance; la crise dans les banlieues

7 Students now draw up their own list of problems
currently facing people in their country. They could be
asked to present these as if submitting a list of issues to
be covered at a conference on social issues, and justify
their list of priorities. The activity then becomes a writing
task, and could be completed at home.

● **Extension activity**

 As **homework**, students could write a short paragraph expressing how they feel when they see a homeless person begging:

Quand vous passez devant un SDF dans une petite allée de votre ville, et qu'il vous demande de la monnaie, comment réagissez-vous? Ecrivez un paragraphe sur vos sentiments à ce moment-là.

● **Feuille 31**

The texts on *feuille* 31 focus specifically on the issue of violence in schools. The group activity provides an opportunity for students to discuss together. They should draw up a list of problems mentioned, indicate whether they are also problems in schools in their country, and add any others that are not mentioned. One member of each group presents the results of their discussions to the rest of the class.

PAGES 146–147

Devenir français: un droit?

Objectives

■ To learn about immigration legislation

■ To discuss an aspect of human rights (immigration)

● **Preparation**

Before working on the tasks in the Students' Book, introduce the theme of these pages by asking students to express an opinion on nationality, using the introduction as a stimulus for discussion: *La nationalité: certains disent qu'on l'acquiert par le sang de ses parents, d'autres, en vivant dans le pays. Qu'en pensez-vous?*

Introduce the item on the "*lois Pasqua*" with the following text from *Les Clés de l'actualité*, n°205, May 1996:
"Pays des droits de l'homme", la France n'est pas exempte de tout reproche. Notamment au sujet des immigrés. [...] Les défenseurs des droits de l'homme s'inquiètent des conditions d'application des lois Pasqua-Méhaignerie de 1993 qui visent à limiter les possibilités d'entrée et de séjour aux étrangers et aux immigrés. Les procédures d'expulsion des clandestins (étrangers entrés dans le pays sans autorisation), ou le sort réservé aux demandeurs d'asile se traduisent souvent dans les faits par de nombreux excès.

Ask students to suggest why it might be considered necessary to introduce legislation to limit immigration.

1 The activity focuses on the problems that the legislation has caused for some people, as well as giving some information on the requirements now introduced by the new laws.

Answers

a on ne sait pas; **b** vrai; **c** vrai; **d** faux; **e** faux; **f** vrai; **g** vrai; **h** faux; **i** on ne sait pas

● **Follow up activity**

Students work in pairs, each selecting one paragraph of the text. They summarize in French, in their own words, the key issue of their paragraph.

2 As preparation for the task in the Students' Book, play the recording and ask students to identify who is for and who is against the legislation. They should justify their answer. Then, without looking at the printed statements, students identify the key points made by each person, noting what they say. Finally, having listened to the recording two or three times, they should be ready to complete the task in the Students' Book.

Answers

b, c, d, e, f, g, h, i

Transcript Page 146 – Activity 2

– La nationalité, qu'est-ce que c'est? Si on est né dans un pays, a-t-on le droit d'acquérir la nationalité de ce pays? C'est une question qui nous touche tous. Il y a en ce moment un débat sur les lois qui gouvernent le droit d'acquérir la nationalité française. C'est un débat qui divise les hommes politiques et aussi les lycéens. Aujourd'hui, cinq lycéens nous donnent leur opinion.
Alors, je vous rappelle que depuis 1993, les jeunes nés et vivant en France, mais ayant des parents tous deux étrangers, doivent, entre 16 et 21 ans, accomplir une démarche volontaire auprès de l'administration, pour obtenir la nationalité française. Pour les plus de 18 ans, s'ils ont été condamnés à une peine de prison de plus de six mois, la nationalité française leur sera refusée.
Certains disent qu'il est normal d'exprimer clairement sa volonté, si on veut acquérir cette nationalité. En accomplissant cette démarche, on affirme que l'on adhère à certaines valeurs républicaines, démocratiques et laïques. Pour d'autres, cette démarche obligatoire va au contraire à l'encontre de l'intégration et s'inscrit surtout dans une démarche globale hostile aux immigrés. Alors, vous, qu'en pensez-vous?

– Moi, je ne comprends pas pourquoi on les oblige à faire cette démarche pour devenir français. S'ils vivent dans le pays, s'ils parlent la langue française et ont été éduqués comme des Français ... c'est bien qu'ils sont français!

– Ben ... je ne suis pas tout à fait contre ce genre de démarche ... Selon moi, cette loi donne aux jeunes étrangers la liberté de choix. Après tout, s'ils se sentent plus près de la nationalité de leurs parents que de la nationalité du pays où ils vivent, je ne vois pas pourquoi ils auraient le droit d'acquérir automatiquement celle-ci.

– Peut-être que tu as raison ... mais cette démarche m'inquiète un peu. Si on oblige tous les jeunes étrangers à la faire, ils vont forcément se remettre en cause, se demander s'ils sont français ou algériens, tunisiens, et cetera. Et ils n'auront plus de repères. Ils vont être complètement perdus.

– Moi j'irais même plus loin. A mon avis, cette loi est carrément discriminatoire. Après avoir vécu dans un pays pendant 18 ans, les jeunes beurs vont être obligés de faire leurs preuves pour devenir vraiment français.

– Et en plus, si j'avais à faire cette démarche, je me sentirais presque humilié ... comme si on me soupçonnait de ne pas être un bon français.

– Contrairement à vous tous, je ne trouve pas cela choquant. Vous voyez, je ne me sens pas totalement français. A la maison, on parle moitié en français, moitié en arabe ... et moi je parle les deux langues. Alors, forcément, je me sens un peu des deux: français et algérien!

– Moi non plus, je ne me sens pas français à 100%. Mais il est bien évident que j'ai besoin d'avoir la nationalité française, d'abord pour limiter les problèmes pendant les contrôles d'identité, et surtout pour trouver du travail … bref, pour pouvoir vivre ici sans que cela soit trop compliqué. Alors, je la ferai, cette démarche.

– Quand on vous entend parler, on a l'impression que le mot "nationalité" ne veut pas dire grand-chose. Sans doute parce que vous êtes à cheval entre les deux …

– C'est vrai que pour moi, la nationalité, cela ne veut pas forcément dire grand-chose. Quand j'étais petit, et on ne parlait que l'arabe à la maison, je croyais que j'étais algérien. A l'école, on m'a dit que j'étais français … et je me suis dit: "je suis français". La vérité, c'est que je ne suis ni français ni algérien, mais entre les deux.

– Moi non plus, je ne me sens pas forcément française avec un grand "F". Mais je n'aime pas qu'on me définisse simplement par ma nationalité. Si je vivais aux Etats-Unis, je serais américaine. Pour moi, être française, c'est une simple conséquence du fait que je suis née et que je vis en France … et en plus, qu'on m'a enseigné la culture française.

– Mais la nationalité, c'est une histoire, une tradition, des tas de choses. Et on l'acquiert en vivant sur le sol du pays. Et voilà pourquoi je trouve injuste cette loi, cette démarche. Les objectifs de cette loi sont politiques … avec l'objectif de limiter l'immigration. Ce n'est pas un secret!

– Et si on ajoute aussi cette condition de ne pas avoir fait six mois de prison, on fait payer les gens deux fois: la prison et ensuite la privation de la nationalité française.

– Or, on sait bien que dans les banlieues, beaucoup de jeunes font des bêtises … D'accord, ce ne sont pas de petits saints, mais se retrouver expulsé dans un pays où l'on n'a jamais vécu, loin de sa famille … c'est une punition trop dure.

– En fait, comme on n'arrive pas à intégrer tous ces jeunes dans les banlieues, et que cela devient un problème, on vote une loi qui permettra de les expulser plus facilement!

– Il faut penser aussi aux problèmes posés à l'intérieur des familles d'immigrés. Certains parents pourraient empêcher leurs filles de faire des démarches pour devenir françaises, pour mieux les garder sous leur autorité …

– C'est vrai que certains parents immigrés vivent un peu dans le passé. Ils voient leurs enfants faire les démarches pour devenir français et c'est comme s'ils reniaient leurs origines, les trahissaient … Avant, quand c'était automatique, ils ne se posaient pas trop la question. Ce nouveau code, ça risque de leur faire mal.

– Merci à tous les cinq de nous avoir fait part de vos opinions. Malheureusement, l'émission est terminée et nous devons nous arrêter là. Si vous les auditeurs voulez continuer le débat, nous vous invitons à le faire par lettre, fax ou courrier électronique. Je vous rappelle nos coordonnées …

3, 4 These two activities provide an opportunity for students to reflect on the reasons why people might wish to leave their own country, and also why host countries might wish to limit the number of immigrants. Following activity 3, it would be useful to compare notes with the whole group, thus allowing students to exchange ideas and draw up a more complete list of possible reasons. If appropriate, do the same following activity 4. If working in this way, in class, set a time limit on each activity, with some brief exchange of ideas following each one.

● **Feuille 32**
Support for preparing the two roles in SB activity 5 is given on *feuille* 32.

5 The final activity sets up a debate on whether immigration should be controlled. It can sometimes be a good idea, particularly in a group where partisan views are prominent, to ask students to present the arguments for the opposing side, speaking against the views they themselves currently hold. This requires a greater effort in preparing their arguments and more reflection of the key issues, and can involve students in a more meaningful way.

Zoom sur les pronoms possessifs

Grammar
■ Possessive prononuns

Further explanations and examples are given in *Grammaire* 5b (SB page 210).

6 Answers
b le vôtre **c** la nôtre **d** les leurs **e** le tien **f** le mien

PAGES 148–149

Combattons le racisme!

Objectives
■ To learn some background to the rise of racial intolerance
■ To learn the language of attacking prejudice

● **Preparation**
As preparation for activity 1 in the Students' Book, ask students to consider a series of questions, for example:
– *Qu'est-ce que c'est le racisme?*
– *Est-ce que notre pays devient un pays raciste?*
– *Avez-vous été témoin d'actes de racisme dans la vie quotidienne?*

1 Answers
 f, c, a, d, e, b

● **Follow up activity**
In addition to the listening activity in the Students' Book, you could present questions on the board/OHP.
– *Est-ce que Nancy Gouin croit que la France devient un pays raciste?*
– *Selon le journaliste, quels problèmes sont mélangés par le Front National afin de gagner des voix?*
– *Qu'est-ce qu'il faut faire afin de combattre le racisme?*

2, 3 Having completed the first listening activity, students focus on some strategies used by the *Front National*. Initially, they note the slogans given in the Students' Book and say, in their own words, why these arguments can become powerful, particularly in times of recession. Students studying history could also be asked to identify other countries and contexts where similar problems have arisen. They then listen to the interview again and read the short text in order to complete their lists.

2 Answers

La priorité d'emploi aux Français

Transcript Page 148 – Activities 1–3

– Alors, il s'agit du leader du Front National, Jean-Marie Le Pen. Il parle ouvertement d'inégalité entre les races et il a aussi du succès aux élections. Est-ce que vous croyez que la France devient un pays raciste?

– La question du Front National, c'est un peu complexe parce qu'en fait il mélange les problèmes d'emploi qui étaient l'argumentaire des communistes avant, le partage de l'emploi et c'est vrai qu'en France avec le chômage c'est un gros problème, mais derrière il met aussi une préférence nationale: ce qui veut dire que les personnes qui sont au chômage depuis longtemps peuvent avoir l'espoir qu'en fait en mettant une préférence nationale, elles vont retrouver un emploi. Donc comme il mélange les deux, ce n'est pas facile à analyser.

– A votre avis, qu'est-ce qu'on peut faire contre le racisme?

– En France?

– En France, oui.

– Faire en sorte que les arguments de M. Le Pen ne puissent plus tenir, en donnant de l'emploi, justement, pour qu'il n'ait plus d'accroche sociale parce que sinon au niveau historique, la France a toujours oscillé entre 5 et 10% au maximum de racistes depuis bien avant la révolution. Les idées qu'on voit, au niveau des philosophes, ça représentait à peu près un courant minoritaire qui a toujours existé mais qui a toujours été très minoritaire. Avec Le Pen, le problème c'est qu'il s'appuie sur des problèmes sociaux pour faire passer son message. Et les personnes en fait votent pour lui en prenant la première proposition, sans voir forcément ce qu'il y a derrière. D'où les taux records de 20 à 25% atteints dans certaines villes.

– Donc, selon vous, c'est d'abord le devoir du gouvernement de prendre des mesures pour l'emploi?

– Oh oui! Je pense qu'à partir de là, il n'aurait plus d'argumentaire et qu'il devrait donc avoir un discours plus clair, plus affirmé sur le racisme et qu'il va revenir au niveau des 10% historiquement rencontrés en France.

– Merci beaucoup.

4 The interviews for activities 4 and 5 were recorded on location in Reims. It is intended that students should use the transcripts to develop their own list of *Expressions-clés*, in order to acquire the language they need for attacking prejudice. For this reason, it will be useful for students to listen in order to identify the correct solutions, and then write out the sentences in full as a phrase list.

Answers

1b, 2g, 3c, 4a, 5j, 6e, 7i, 8f

Transcript Page 149 – Activity 4

1 – Bonjour.
– Bonjour.
– Le leader du Front National parle ouvertement d'inégalité entre les races. Croyez-vous que la France devient un pays raciste?
– Non, je … bon je pense qu'il y a assez peu de racistes en France si on prend la définition du racisme telle qu'elle est, c'est-à-dire la haine des gens de couleur. Je pense que chez M. Le Pen ça va beaucoup plus loin, c'est de la xénophobie, c'est pour moi quasi une maladie mentale, je dirais il est dangereux, et je ne pense pas que les gens qui votent pour lui soient des racistes dans l'âme, mais plutôt des gens qui dans la conjoncture actuelle cherchent une image, quelqu'un qui leur fait croire à quelque chose et

notamment les valeurs que M. Le Pen prône sans arrêt lors des meetings. Je pense que c'est plus ça que du racisme, je ne pense pas que la France soit un pays raciste. Je pense qu'il y a actuellement une énorme proportion de Français qui en ont marre, parce que … bon ben la France subit les problèmes sociaux que bien d'autres pays en Europe subissent également et c'est vrai que ça atteint quand même des sommets. Donc je pense que c'est plus là le fond du problème que le racisme.

– Je vous remercie.

2 – Bonjour.
– Bonjour.
– Voilà, le leader du Front National a déclaré récemment qu'il y avait des inégalités entre les races, et croyez-vous que la France devient un pays raciste?
– Non, je pense pas. Je pense qu'il y a de l'espoir au contraire, parce qu'il y a un mixage des races qui est en train de se faire, on voit maintenant beaucoup de noirs qui sortent avec des blancs, ainsi de suite, surtout chez les jeunes, donc l'espoir, il vient de là, il faut attendre encore un peu, et puis normalement la situation devrait s'améliorer, selon moi en tout cas. Mais c'est vrai que les adultes, les gens qu'ont pas, les gens qui connaissent pas, qu'ont pas vu des étrangers depuis tout petits, qui sont pas habitués en fait, ils ont encore un réflexe raciste, oui, c'est sûr.
– Et en cas de développement du racisme, pensez-vous que le gouvernement devrait légiférer, devrait prendre des mesures?
– Bien sûr, c'est obligatoire. On n'a pas le droit d'insulter quelqu'un sur sa race. C'est impossible, c'est même pas pensable, quoi, on est avec une telle couleur, on n'est pas responsable de la couleur avec laquelle on naît.
– Merci.
– De rien.

3 – Bonjour.
– Bonjour.
– Le leader du Front National parle ouvertement d'inégalités entre les races. Est-ce que vous pensez que la France devient un pays raciste?
– Personnellement oui, parce que … oui et non, parce que nous les étrangers nous rencontrons de jour en jour de nouveaux problèmes, et on peut pas dire que nous sommes dans une situation stable, c'est-à-dire que chaque jour il y a de nouvelles lois qui sortent et tout, donc on est plus ou moins, on se sent plus ou moins quelquefois acceptés quelquefois non acceptés, donc c'est vraiment dur pour nous quoi.
– Et pensez-vous que si le racisme se développe, il faut que le gouvernement intervienne, fasse des lois …?
– Oui. Parce que pour un pays quand même, là on prône la liberté d'expression et la démocratie, je crois qu'il serait préférable que le gouvernement intervienne, dans la mesure où nous devons … c'est un pays de droits de l'homme, donc ces genres de problèmes ne devraient pas exister, en principe.
– Merci.

5 Before listening to the interview, ask students to read the sentences and to try to work out what the missing word might be. This could be done in pairs, within a short time limit.

Answers

1 réaffirmer; **2** démocratique; **3** racistes; **4** exploitent, voix; **5** problème du chômage, étrangers; **6** dénoncer; **7** immigration

Transcript Page 149 – Activity 5
– Bonjour!
– Bonjour.
– Est-ce que je peux vous poser quelques questions?
– Allez-y, je vous écoute.
– Voilà, le leader du Front National a parlé récemment de façon ouvertement, d'inégalité entre les races. Et croyez-vous que la France devient un pays raciste?
– Je pense qu'en France certaines opinions racistes s'expriment, mais je crois aussi que c'est l'occasion de réaffirmer qu'il n'y a pas de différence entre les races, que la notion de différence entre les races n'a aucun fondement, absolument aucun, et que il faut réaffirmer justement que la France est un pays démocratique, qui doit donner ses chances à tout le monde et où l'assimilation de tous, des immigrés doit se faire.
– Avez-vous été témoin de propos racistes, d'actes de racisme dans la vie quotidienne?
– Oh, je crois qu'on est témoin d'actes racistes ou de propos racistes tous les jours, dans les magasins, dans les bus, dans la vie courante. Je crois aussi qu'à la télévision, on entend justement les leaders extrémistes, les hommes politiques qui sont extrémistes, on les entend proférer de tels propos tous les jours.
– Et comment expliquer cela? Parce qu'il y a plus d'élus Front National ou parce que la période s'y prête ou parce qu'il y a trop d'immigrés?
– Je crois qu'il faut distinguer plusieurs choses: il y a d'une part des hommes politiques qui exploitent le racisme comme quelque chose qui leur peut rapporter le pouvoir, leur amener le pouvoir, leur rapporter des voix, et puis il y a le Français de la rue, qui lui, parfois, est confronté au problème du chômage, au problème de … à son problème de logement et qui peut reporter ses problèmes sur la présence d'étrangers en France ou d'enfants d'étrangers aussi qui sont français parce qu'ils sont nés en France, mais qu'il ressent lui comme étant des étrangers dont on lui dit aussi qu'ils lui mangent son pain, qu'ils lui prennent son travail.
– Oui … et voyez-vous une solution pour essayer de contrer ces idées racistes?
– C'est compliqué. Je crois qu'il faut continuer à les dénoncer, il faut continuer à les combattre. Je crois aussi qu'il faut réaffirmer que l'assimilation est quelque chose d'important, que l'immigration a toujours apporté quelque chose dans les pays où elle s'est produite, que on a parmi nos chercheurs des gens qui sont fils d'immigrés, qui sont allés à l'école républicaine, qui ont appris, qui ont fait des études en France, et qui sont aujourd'hui devenus des prix Nobel, par exemple, ou de très grands écrivains, de très grands chercheurs et que à travers ces exemples-là il faut montrer que l'assimilation à la française existe bel et bien et il faut surtout pas à mon avis calquer le modèle américain.
– Je vous remercie.

6 Before beginning their planning for the pair work task, spend some time brainstorming possible approaches with the whole group. For example, they might wish to use humour to get their message across, or they might wish to present their message in the style of a political advertisement. Refer students back to unit 6 (SB pages 79–90) for ideas on presenting their message. It is also important to make sure that students understand the criteria on which their work will be assessed. With this type of activity, it is useful to present a model, perhaps from a French magazine such as *Le Point*, with which students can work.

● **Extension activity**
As an additional language task, students could present a short presentation on what young people can do in their schools to combat racism. Set the context with the following information:
1998: Année européenne contre le racisme. Au programme, différentes manifestations parmi lesquelles: un concours sur le thème de la tolérance, des mini-colloques dans les établissements scolaires du secondaire sur le thème: "Le racisme et les jeunes: vivre en banlieue", une marche européenne contre le racisme, une semaine du cinéma européen antiraciste …

Tell students that their task is to make a short presentation on their ideas for combatting racism in school. They should be encouraged to present their arguments in a short but interesting manner, and have seven minutes in which to make their mark. They could do this in pairs, as a **homework** activity.

PAGES 150–151
Faut-il croire aux idées reçues?
Objectives
■ To compare two articles on the issue of immigration
■ To discuss the rights and duties of immigrants and host countries

● **Preparation**
In preparation for the activities in the Students' Book, present some examples of *idées reçues* that are particularly connected with immigration. Students discuss each point briefly in pairs or in groups and state whether they agree or disagree. Counter arguments are then presented to counter or accord with their preconceptions. Suggestions:
– *Le chômage: est-ce vrai que les étrangers prennent notre travail?*
– *Le coût économique: est-ce vrai que les étrangers coûtent chers, par exemple, en ce qui concerne la Sécurité sociale?*
– *Le nombre d'immigrés: est-ce vrai que la proportion d'étrangers dans la population augmente sans cesse?*
– *La délinquance: est-ce vrai que le taux de délinquance des étrangers est supérieur à celui d'autres groupes?*

The following article, taken from *Les Clés de l'actualité*, presents counter arguments to those listed in activity 2:
Le chômage: en général, le chômage frappe plus durement les étrangers. En plus, il faut affirmer que les immigrés sont aussi créateurs d'emplois et d'entreprises et génèrent des emplois.
Le coût économique: on peut aussi affirmer que les étrangers salariés cotisent, comme tout le monde. Donc, en travaillant, ils peuvent bénéficier des prestations du système de protection sociale.

Le nombre d'immigrés: En France, la proportion d'étrangers dans la population est comprise entre 6 et 7%. La délinquance: on peut aussi affirmer que les étrangers font plus souvent l'objet de contrôles, et en conséquence, sont de plus nombreux à être en détention provisoire. Et la délinquance, n'est-elle pas liée à la situation sociale, souvent défavorisée? Il est possible que là, c'est le problème, pas la nationalité.

2 Answers
1, 2, 6, 7

3 This article is taken from *Minute*, a newspaper that reflects some right-wing views, particularly on the subject of immigration. In contrast to the views expressed in the previous article, the reporter presents an opposing view.

4 Students now draw up a list of rights and responsibilities, both for immigrants and host countries. Although working in pairs, allow time for an exchange of ideas, in order to build up a class list which draws together the views of the whole group. This is likely to lead to a certain amount of discussion and possible disagreement.

● **Feuille 33**
This focuses on the sequence of tenses after *Si* and the use of the future tense following *dès que, aussitôt que, quand* and *lorsque*. It is followed by a writing task, in which students draw up a list of things that they would do if they were President. This could be a **homework** activity.

1 Answers
a auras; **b** serons; **c** aurez; **d** voudra; **e** arriveront; **f** rentrera; **g** partiront; **h** irez; **i** changera; **j** deviendra

2 Answers
a4, b8, c10, d2, e1, f5, g9, h3, i7, j6

● **Extension activity**
Students complete the following task:
"En publiant son étude sur l'«acquisition de la nationalité» entre 1993 et 1994, le ministère de la Justice nous rassure. Sur notre santé. Pas sur celle de la France."
Pourquoi l'intégration des jeunes immigrés est-elle considérée mauvaise pour la France, par certains gens? En utilisant vos notes, écrivez une explication.

PAGES 152–153
Un monde toujours plus inégal

Objectives
■ To consider facts and figures on inequalites between men and women

■ To write an essay on a key issue arising from the topic

1 The final section of the unit provides an opportunity for students to transfer much of the language they have learnt previously in a new context. The focus here is on inequality between men and women, both worldwide and in their own country. The newspaper article taken from *Ouest-France* focuses on a report published by the United Nations on progress that has already been made, and proposed steps to improve the situation still further.
Answers
a leur accès progressif à l'éducation va de pair avec une meilleure rémunération de leur travail; **b** dans tous les pays du monde, les femmes restent à la traîne par rapport aux hommes; **c** la vie sociale du monde ... ne saurait se réduire à des statistiques; **d** en dépit d'indéniables progrès, aucun pays ne traite les femmes à l'égal des hommes; **e** si, globalement, les femmes rattrapent peu à peu leur retard dans les principaux domaines du développement social, il n'en va de même pour leur accès aux responsabilités politiques et économiques

2 Students should use their monolingual dictionaries to complete the vocabulary task. The task could be further developed by introducing other phrases from the text for students to explain in their own words. For example:
– *Dans l'ensemble, les femmes ont bénéficié de ces progrès.*
– *... les femmes rattrapent peu à peu leur retard dans les principaux domaines du développement social ...*
– *... la France elle-même apparaît comme singulièrement attardée ...*

3 Before changing the expressions, students should complete the table of fractions.
Answers
b 70% sont des femmes; **c** 10% des élus sont des femmes; **d** 33% sont des adolescentes; **e** presqu'un tiers des élus sont des femmes; **f** 33% des femmes ont été victimes d'abus sexuels

4 The interview with a journalist focuses on inequalities in western countries. Having listened to the recording, students could compare, with a partner, the problems that face women in developed countries with those that face women in poorer countries. Students could be asked to suggest reasons for the differences, and propose solutions.
Answers
a parce qu'il existe toujours des inégalités; **b** le droit à l'avortement et la participation au pouvoir politique et économique; un nombre de fanatiques s'oppose à l'avortement et créent des problèmes; sur le plan politique, la majorité des élus, des gens au pouvoir, sont des hommes; **c** une féministe est quelqu'un qui veut changer les injustices du monde; **d** elle veut discuter

pour changer la situation; elle veut un monde mixte, où tout le monde a la possibilité de participer, de partager

Transcript Page 153 – Activity 4

– Ce matin, Annick Loriot, auteur de nombreux articles consacrés aux femmes parus dans la presse française et américaine, va nous parler du féminisme et du rôle des femmes au début du 21ème siècle. Alors, Annick Loriot, le féminisme, est-il toujours d'actualité?

– Moi, je dirais que oui. Il est bien évident que les femmes ont acquis des droits, mais comme tous les droits, ils sont fragiles.
Il faut dire que nous, les Françaises, sommes privilégiées, car dans le monde les femmes ont bien rarement la maîtrise de leur fécondité. Mais même chez nous, rien n'est acquis. Il reste toujours des situations dans lesquelles les femmes, surtout les plus pauvres, sont exclues. Si je suis féministe, c'est que je demande l'égalité et la justice, tout simplement.

– Alors, dans quels domaines le féminisme est-il d'actualité?

– Le féminisme est – hélas! – toujours d'actualité dans deux domaines surtout: le droit à l'avortement et la participation au pouvoir politique et économique. Tant qu'un petit nombre de fanatiques – ils sont moins d'un millier! – s'opposeront par la violence à l'application de la loi Veil qui légalise l'avortement, il faudra défendre ce droit démocratiquement gagné.

– Et sur le plan politique?

– Tant que la France sera gouvernée, dirigée, représentée par une caste presque exclusivement masculine, les féministes auront du pain sur la planche pour faire comprendre que ce n'est pas normal, que ce n'est pas conforme à l'idéal républicain, et qu'il faut changer cette situation.

– Et alors, qu'est-ce que les femmes peuvent faire?

– Beaucoup se débrouillent comme l'ont toujours fait les femmes, et elles supportent les injustices de notre monde. D'autres veulent que ça change pour les générations suivantes: ce sont des féministes.
Les féministes comme moi ne veulent pas une plus grosse part du gâteau, elles veulent discuter avec les hommes pour changer la recette du gâteau et ensuite, bien entendu, le partager à égalité. Elles veulent un monde vraiment mixte, dans lequel la mixité ne soit pas alignée sur le masculin comme c'est le cas aujourd'hui, mais soit tissée d'échanges et de partages dans le respect de l'autre.
Nous savons tous qu'à l'école un garçon qui séduit trois filles est admiré comme un "tombeur", tandis qu'une fille qui embrasse trois garçons est traitée de "pute". En général, les femmes sont jugées plus sévèrement que les hommes. Pour ces raisons et pour bien d'autres, le féminisme est plus que jamais d'actualité.

– Annick Loriot, merci beaucoup.

5 Students now focus on the situation in their own country. The discussion suggested above (activity 4), provides some preparation for this task. In order to be able to discuss the issue in an informed way, students will need to carry out some research. It might, therefore, be appropriate to set the research element as a **homework** task, in preparation for the discussion that follows. The information that students research will also be useful for the essay-writing task that follows.

Compétences: Cinq étapes pour rédiger une dissertation bien structurée

6 Writing a good essay requires students to keep to the main point and to answer the question that has been set. The task in the Students' Book should be assessed at two levels: how well students have planned as well as the final essay. The preparation task presents some possible themes, paragraph by paragraph. Students write out the list of themes in the order which they consider most appropriate, but they do not necessarily need to include all the themes. It is important to allow some time for an exchange of ideas; this could be done in pairs or as a whole class activity, and students should be encouraged to justify their choice of sequence. It is important to stress that there is not necessarily one "right" order and students should recognize that they can make their own choices about their essay plan.

7 The final task requires students to produce an essay, in answer to the question set. They should use as much, or as little of the paragraph headings (activity 6) as they wish. However, it is expected that most students will use the headings given as a guideline for their own work. As with other writing tasks, students should be encouraged to use word processing both for drafting and redrafting their work.

PAGE 154

Interlude: *L'Etranger*

Students who are studying *L'Etranger* as one of their chosen texts will already be familiar with the themes of the novel. As well as the theme of tensions between the French and Algerians, mentioned in the introduction to the extract, the novel examines the role of Meursault as an *étranger*, cut off from those around him.

● **Essay titles**

– *"Etre femme et immigrée c'est être doublement exclue."* Dans quelle mesure êtes-vous d'accord avec cette constatation de la Ligue des droits de l'homme?

– *"Il ne faut pas faire de l'antiracisme une mode, il faut faire de l'antiracisme une habitude de vie."* (Pierre-André Taguleff, 1997). Est-ce possible de combattre le racisme en utilisant des slogans, tels que "Touche pas à mon pote"?

● **Feuille 48**
Before students undertake the prose, tell them that they will find revision of the following useful:

– p136, *Des progrès médicaux … mais pas pour tous*
– p145, text B
– p152 *Un monde toujours plus inégal*

Unité 12 Solidarité bien ordonnée

Unit objectives

Topic
- Humanitarian aid

Language
- Analyzing problems and difficulties (p157)
- Suggesting a course of action (p159)
- Encouraging support (p159)

Grammar
- Contrasting constructions (p160)

Pronunciation
- Colloquial pronunciation (p162)

Skills
- Designing a poster or leaflet (p161)
- Recognizing and understanding colloquial French (p162)

Video
- Médecins sans frontières (p166)

Vie active
- Voluntary aid workers (p165)

Feuilles à photocopier
- Feuille 34 (after p161)
- Feuille 35 (with p165)
- Feuille 36 (with video, p166)
- Feuille 49 (English–French translation)

PAGE 155

Objective
- To introduce the main themes of the unit

● Background information
The title of the unit is based on a proverb: *Charité bien ordonnée commence par soi-même*. Ask students to find an equivalent in their own language ("Charity begins at home").

At present it is preferable to refer to *le tiers-monde*, when talking about Third World countries. The term *pays sous-développés* is no longer acceptable and it is better to say *pays en voie de développement*. Journalists also often refer to *les pays défavorisés or la division Nord-Sud*.

The documents on page 155 introduce the following themes:
- the need for aid, both overseas and at home
- the importance of *solidarité* and *aide humanitaire* for French teenagers
- the potential dangers of aid
- long-term aims of charities such as *Vétérinaires sans frontières*
- marketing, for example, impact of slogans and photos.

Specific information on the documents themselves:
Les Restos du cœur furent lancés en 1985 par Coluche, l'humoriste célèbre (mort dans un accident de moto en 1986).
Leur mission est de donner aux plus démunis le minimum pour survivre: de quoi manger, surtout en hiver. En 1994, 5,50 millions de repas gratuits sont fournis dans 1 400 centres de distribution. Le nombre de personnes servies étaient de 450 000 et toujours croissant. Les Restos se sont diversifiés pour ne plus intervenir dans le court terme uniquement. Il existe maintenant les Jardins du cœur *et les* Ateliers du cœur *pour tenter de réinsérer certains par des contrats de travail (emploi-solidarité). L'association fonctionne avec une dizaine de permanents, les autres sont tous bénévoles.*

After looking through the documents on this page, ask students to:
- explain the headline about Senegal (top left) and the VSF slogan *Travailler à se rendre inutile* (bottom left)
- look at the world map and pick out anything that surprises them
- put the list of *valeurs de la jeunesse* in order of importance for them; they could collate this information for the class and draw up a table of percentages to compare with those on the page
- find out what the *Restos du cœur* are (top right, with a photo of Coluche, and see notes below) and present their notes to the class. Why are such charities necessary?
- give their reaction to the UNICEF leaflet (bottom right). What do they think makes a good campaign leaflet for a charity (photo, slogan, etc.)?

PAGES 156–157

La fin de la faim?

Objectives
- To analyze the problems associated with humanitarian aid

1 Answers
la lutte contre le chômage; la faim dans le monde; la pauvreté en France; la recherche de la paix; l'aide au développement du tiers-monde

2 Answers
 a la pauvreté; la pauvreté en France; les intégrismes; la guerre; la misère; **b** le Téléthon; les Restaurants du cœur; Médecins sans frontières; Médecins du monde; Pharmaciens sans frontières; Action internationale contre la faim; **c** Une bonne œuvre humanitaire doit être utile de façon directe et immédiate. Elle doit s'adresser au plus grand nombre sans aucune distinction.

Tapescript Page 156 – Activity 2

1 – Dans le domaine de l'humanitaire, quelle cause vous préoccupe le plus?
   – Euh, la pauvreté, le fait qu'il y ait encore des enfants qui meurent de faim surtout en France, ça devrait pas exister, surtout en France ...
   – Est-ce que vous soutenez une cause particulière, une organisation caritative particulière par des dons ou d'une autre manière?
   – Euh, le Téléthon, je participe tous les ans au Téléthon, euh, mais c'est tout, le Téléthon, oui ...
   – Bien, je vous remercie beaucoup.

2 – Dans le domaine de l'humanitaire, quelle cause vous préoccupe le plus?
   – Euh, le quart-monde, c'est-à-dire la pauvreté en France.
   – Et est-ce que vous soutenez cette cause par des dons ou d'une autre manière?
   – Oui, je soutiens par des dons et puis un peu de bénévolat au *Restaurant du cœur*.
   – Euh ... A votre avis, qu'est-ce qui constitue une bonne œuvre humanitaire, quels sont les critères?
   – Euh, les critères, ma foi, je pense que c'est, c'est difficile à dire... disons que quand elle peut être utile de façon directe et immédiate, disons ...
   – Bien, je vous remercie beaucoup.

3 – Dans le domaine de l'humanitaire, quelle cause vous préoccupe le plus?
   – Ben en ce moment c'est l'Afrique, l'Afrique, les intégrismes, enfin tout ce qui ... tout ce qui fait que les gens vivent dans la guerre, dans la misère, euh alors que ça pourrait être autrement.
   – Est-ce que vous soutenez une cause humanitaire particulière par des dons ou d'une autre manière?
   – Alors ça oui, beaucoup ... mais alors là, pour énumérer ... je ne sais pas ... euh oui beaucoup ... il faut énumérer et dire à qui on envoie de l'argent?
   – Si vous avez quelques noms ...
   – Rien ne me vient, mais alors c'est très régulier, et un de mes enfants participe aux actions de *Médecins sans Frontières* et *Médecins du Monde*.
   – Je vous remercie beaucoup.

4 – Dans le domaine de l'humanitaire, quelle cause vous préoccupe le plus?
   – Alors les problèmes internationaux, surtout faim dans le monde, problème de santé dans le monde.
   – Et est-ce que vous soutenez une cause particulière, par des dons ou d'une autre manière?
   – Oui, *Pharmaciens sans frontières* et *Action internationale contre la faim*.
   – A votre avis, qu'est-ce qui constitue une bonne œuvre humanitaire?
   – Celle qui s'adresse au plus grand nombre sans aucune distinction.
   – Bien, je vous remercie beaucoup.
   – De rien.

3 Students will probably not be involved in supporting a cause financially; you could ask them to imagine that they are asked to participate in something worthwhile, and say what it would be and why.

● **Preparation**

For activities 4 and 5, your students might need background information on the conflict in former Yugoslavia. You could provide them with material from French newspapers and magazines, or let them do some

individual or group research and report to the class (in French!).

● **Background information**

Note: the last line of the letter, *Si tous les gars du monde* ... is part of a line in a poem by Paul Fort (1872–1960): *Si tous les gars du monde voulaient se donner la main ...*

4 **Answer** 1d, 2a, 3b, 4c

5 Ask questions to assess comprehension:
   – *Que faut-il faire pour ne pas "faire n'importe quoi"?*
   – *Comment peut-on définir les besoins réels de la population?*
   – *Pourquoi un coup de téléphone était-il si extraordinaire pour le Croate?*
   – *Pourquoi est-il important de ne pas simplement se "débarrasser" de son surplus?*
   – *Quelles doivent être les qualités d'un bénévole?*
   – *Quels sont les problèmes associés au voyage?*
   – *Qu'est-ce qu'en retirent les bénévoles?*

6 Some of the points made here also appear in M. Diverrès' letter on page 156.
   Ask students (as **homework**, or orally in groups) to think of examples to illustrate each rule, for example:
   – *Il faut que ce que l'on donne soit réellement utile aux destinataires: pas question d'envoyer des conserves de porc dans un pays musulman!*

   Students' suggestions could be word processed and combined to produce a short handout.

7 Ask students to add other negative points to the opinions given here. They could then look for counter-arguments in the *compte rendu* or come up with their own ideas.

PAGES 158–159

Les jeunes passent à l'action

Objectives
■ To find out about a group of young aid workers
■ To present a plan of action and encourage support

1 You could divide the class into four groups, each looking at a question and reporting back. Alternatively, students work in pairs and compare their answers before you recap with the class.

2 Students could "perform" their prepared dialogues to the group. Those playing the role of friend or parent should think up some reasons for not participating or not allowing their son/daughter to participate. Provide ideas on cue cards if necessary, for example: *le danger d'une mission dans un pays en guerre, les problèmes de temps, ça empêche de travailler aux études*. Initially, students could work with others taking on the same role and plan their ideas together.

● **Preparation**

Students might need to research what happened in Rwanda in the mid-nineties to understand the recording for activity 3. Either provide them with texts on the issue, from *L'Express, Le Nouvel Observateur*, etc., or ask them to do their own research and report to the class.

3 Answers

a appréhender = avoir peur, être partant = être pour, faire évoluer = changer; **b** *1* Deux; dix jours/une dizaine de jours; une équipe de télévision; *2* difficiles; les gens ne cachent pas leur misère; *3* elle ne jouait plus en leur faveur; *4* parrainer un village, reconstruire, réhabiliter, rétablir les infrastructures; *5* beaucoup de villages étaient minés, et les maisons étaient très éparpillées; *6* reconstruire des écoles et des centres de formation (dans l'archidiocèse de Kigali); **c** L'engagement humanitaire apporte un équilibre, une maturité; c'est une chance de mettre en application ce que l'on apprend en classe; c'est un enrichissement complémentaire.

Transcript Page 159 – Activity 3

– Arthur Da Silva, président de *Jeunesse sans Frontière*, est parti en mission au Rwanda, en août 94, avec Stéphanie Billon, de Poitiers. Ils y ont passé une dizaine de jours pendant lesquels ils ont été suivis par une équipe de télévision, pour la chaîne Arte.
Leur mission? Aider au retour des réfugiés dans leur pays, plus particulièrement dans un petit village près de la capitale, Kigali.
Arthur, tu es parti au Rwanda pour JSF. Est-ce que tu appréhendais ce voyage?
– J'étais assez inquiet, malgré l'expérience que j'ai du danger en Bosnie, mais j'étais partant pour cette mission. C'était une première en Afrique, tant pour moi que pour JSF.
– Quel a été votre accueil là-bas, et quels contacts avez-vous eus avec la population?
– Les contacts étaient difficiles. Au Rwanda, les gens ne cachent pas leur misère; elle est visible de l'extérieur, alors qu'en Bosnie, les gens cherchent à conserver une tenue correcte et à cacher leur tristesse.
– Quelle était ta réaction devant cette misère?
– J'étais impressionné mais pas choqué. J'ai surtout essayé de comprendre les gens, ce qu'ils ressentaient, comment ils nous voyaient, mais c'était difficile.
– Ta jeunesse a-t-elle été un handicap pour cette mission?
– En Croatie, le gouvernement semblait au départ réticent à la présence de jeunes dans le monde humanitaire. Au Rwanda, on ne peut pas vraiment savoir, compte tenu du fait qu'on était tout le temps suivis par deux journalistes, ce qui nous rendait plus crédibles vis-à-vis des autorités locales et des autres ONG.
En revanche, quand on arrivait dans un camp, le contact avec la population était rendu plus difficile à cause de la caméra; et l'avantage de notre jeunesse, que j'avais ressenti en ex-Yougoslavie dans mes rencontres avec les réfugiés, ne jouait plus en notre faveur.
– Quel était votre projet avant de partir?
– Au départ, notre projet était de parrainer un village aux alentours de la capitale, Kigali, de reconstruire, réhabiliter, rétablir les infrastructures. Nous voulions que les rapatriés puissent facilement se réintégrer dans la vie sociale.
Mais le projet était difficilement applicable, compte tenu du fait que beaucoup de villages sont minés, et que les maisons sont très éparpillées.

– Quel est donc le résultat de votre mission? Qu'avez-vous entrepris face à cette réalité?
– Nous avons fait évoluer notre projet pour qu'il prenne en charge l'archidiocèse de Kigali, où nous projetons de reconstruire et de réhabiliter des écoles et des centres de formation pour faciliter le retour des réfugiés et leur réinsertion sociale, particulièrement dans le domaine scolaire. D'après le gouvernement local, l'urgence consiste à stabiliser le pays le plus vite possible. Cela nous a paru raisonnable.
– Et vos études dans tout cela?
– L'association est formée de collégiens et lycéens volontaires. Certains parents sont inquiets pour leurs enfants. Ils pensent qu'ils consacrent trop de temps à JSF.
Si tel est le cas, c'est qu'ils sont mal organisés. Car notre engagement apporte un équilibre, une maturité. C'est donc une chance de mettre en application si vite ce que l'on apprend parfois en classe: prendre des notes dans des réunions, parler anglais, tenir des postes de responsabilité. Avoir une activité humanitaire, c'est un enrichissement complémentaire à celui que fournissent les études.
– Arthur, merci.

4 This is an authentic competition set up by the *Conseil Régional du Nord-Pas-de-Calais* in 1995. Ask students to work in groups and to plan a project, following these steps:

– choose one of the countries listed (or another French-speaking one, if they prefer) in need of humanitarian aid
– identify specific needs in that country, within the areas suggested
– contact the press office of an ONG (see addresses below) to ask for information and advice
– present their project as a written document using a word processor or DTP program, if available
– present their document orally to the class, trying to convince them that their project is the best and that they should all contribute to it.

This project work should allow students to reuse many of the skills and functional language learnt in previous units of **Essor**: researching; using texts as a source of ideas and vocabulary; telephoning; writing a letter, a paragraph, a brochure, an essay; verbal reporting; using statistics and examples to support an argument; persuading; expressing opinions and intentions; suggesting possible actions; getting round difficulties; making a case for something, and so on.
Ask them to think of the skills and language areas they will need before referring them to appropriate places in the book.

● **Background information**

For contacts:
Action Nord-Sud, 14, avenue Berthelot, 69 007 Lyon, tél: 4 78 69 79 91.
Croix-Rouge, 1, place Henri Dunant, 75384 Paris Cedex 8, tél: 1 44 43 11 00.
Ecole sans Frontières, BP 466, 83514 La Seybe Cedex, tél: 1 94 30 09 10.

Vétérinaires sans Frontières, 14, av. Berthelot, 69007 Lyon, tél: 4 78 69 79 59.

Equilibre, 14 bis, bvd de l'Artillerie, 69007 Lyon, tél: 4 78 69 61 41.

Médecins sans frontières, 8, rue Saint-Sabin, 75011 Paris, tél: 1 40 21 29 29.

For information on the Third World:
Ritimo, 21ter, rue Voltaire, 75011 Paris, tél: 1 44 64 74 14.
Centre de documentation de l'UNICEF, 3, rue Duguy-Trouin, 75006 Paris, tél: 1 44 39 77 26.
Etudiants et développement, 1, place Valhubert, 75013 Paris, tél: 1 45 86 78 69.

PAGES 160–161

Le marketing du cœur

Objective
■ To design a poster or leaflet

● **Background information**
The purpose of the "Charity business" text is to alert students to the dilemmas that advertising poses for many relief agencies. Read the text with students before going on to the *Zoom* and the activities.

Zoom sur l'opposition

Grammar
■ Contrasting constructions

1 Answers
(Example) **a** Doit-on refuser d'utiliser la publicité? Elle permet *pourtant/cependant/toutefois* de toucher de potentiels donateurs./Doit-on refuser d'utiliser la publicité *même si/ alors qu'/tandis qu'elle permet de .../bien qu'/quoiqu'/encore qu'elle permette* de ... ; **b** Le public réagit-il favorablement aux slogans publicitaires? Ils sont pourtant culpabilisateurs en général./Le public réagit-il favorablement aux slogans publicitaires *alors qu'/tandis qu'/même s'ils sont ...*/bien qu'/quoiqu'/encore qu'ils soient ... ; **c** Doit-on éviter de "vendre" la misère humaine? Les ONG ont *pourtant/cependant/toutefois* besoin de fonds. Doit-on éviter de "vendre" la misère humaine *alors que/tandis que/même si les ONG ont ... / bien que/quoique/encore que les ONG aient ...*

2–4 As **homework**, students try to determine what posters on the page work or don't work and why, before class discussion. Ask them to find other examples in magazines (even if they're not French magazines) and to bring them in for discussion.

5 If your students haven't worked on the project on page 159, ask them to choose a well known relief agency such as Oxfam and to write a French publicity campaign for them.

Advise students that to help them with the content of their text, they could look back to the material in the early pages of the unit (the figures given on the opening page, the pros and cons of aid, the examples of young people's initiatives, etc.).

Students' work could be produced on word processor and/or DTP, if available.

● **Feuille 34**
This could be used at this point. It introduces the work of Danielle Mitterrand's *France-Libertés* foundation. (Another episode in Danielle Mitterrand's life appears in unit 14, page 191.)
Answers
1 a vrai; **b** faux; **c** vrai; **d** faux; **e** faux
2 a Si vous faites allusion ... de se manifester; **b** Si demain nous n'arrivions plus ... cesser ses activités

PAGES 162–163

T'as pas 10 balles?

Objectives
■ To find out about homeless people in France
■ To recognize and understand colloquial French

 1 Answers
a Elise; **b** Nicole; **c** Jean-Michel; **d** Jérôme

2 Answers
Chapsa: f, h; Armée du salut: a, e; Poterne: b, g; Saint-Martin: c, d

● **Extension activity**
Ask students to take more detailed notes on each centre and to write a few lines about each, pointing out its advantages and disadvantages according to the users.

● **Preparation**
Before activity 3, read the *Compétences* notes at the bottom of the page. You might also want to point out:
– the use of a pronoun to reinforce the subject: [Jean-Michel] *les gens, ils comprennent pas...*
– the use of *que*: [Nicole] *savoir comment qu'on arrive ici*; [Jean-Michel] *à l'heure qu'on veut* (instead of *où*), *après que j'ai perdu* (instead of *après avoir perdu*).
NB: there is more on non-standard French in unit 15 – the diversity of French in various French-speaking countries.

3 Answers
a la police = les flics; le repas = la bouffe; dormir = pioncer; le travail = le turbin; mendier = faire la manche; francs = balles; un copain = un pote; gratuit = gratos
b c'est pas compliqué; c'est pas terrible; faut pas se faire d'illusion; c'est pas le Club Med

📼 Ça se dit comme ça!

Objective
■ Colloquial pronunciation

4 Work through the explanations together and listen again to each person recorded, pausing the tape at appropriate points.

Transcript Page 162 – Activities 1, 2, 3, 4
– Nicole.
– Bon, euh … C'est à moi?
– Oui oui, allez-y!
– Bon, ben, euh … Ben, moi, c'est Nicole, voilà. J'ai 55 ans, euh … Bon, alors, ici, on est à Nanterre, hein … Vous voulez savoir comment qu'on arrive ici?
– Oui, expliquez-nous.
– Ben, c'est pas compliqué … le bus des "bleus", (des flics, quoi, enfin, de la police hein!) eh ben, i' passe tous les soirs pour nous ramasser et nous mener ici, au centre … On attend l'heure de la bouffe dans la cour ou ben dans la salle télé où y a des bancs. Quand c'est l'heure de dormir, ben, on va au dortoir, voilà.
– Et comment vous trouvez le centre?
– Oh, ben, c'est pas terrib', hein … on est plus de 200 dans les dortoirs, alors … ben, ça pue quoi. Et pis y a toujours du bruit, hein … C'est moche et triste ici, hein, faut pas s'faire d'illusion … Mais bon, ben, c'est gratuit et c'est quand même mieux d'être ici que d'être à pioncer dehors dans la rue, hein, surtout l'hiver. Bon ben, c'est sûr, c'est pas le Club Med, hein! L'matin, attention, hein, on nous réveille à 5 heures! Après, il faut attendre des fois jusqu'à 9 heures pour que l'bus i' vienne.
– Il vous amène où le bus?
– Il nous ramène au périph', quoi … et pis, ben moi, j'retourne dans mon métro hein … c'est là que j'passe mes journées, on peut dire. C'est mon turbin, faire la manche dans le métro!!! Et pis, ben, le soir, le bus me ramasse à nouveau pour r'tourner au centre …

– Jérôme.
– Nous sommes au centre Espoir de l'Armée du Salut, à Paris. Ici, nous avons rencontré Jérôme. Vous pouvez nous dire quelques mots sur le centre?
– Ben, j'viens pas toujours ici en fait, hein, parce que c'est 10 francs la nuit, et moi, les 10 balles, eh ben, j'les ai pas toujours! Mais quand j'peux, ben j'viens parce que c'est bien ici quand même.
– A quel point de vue?
– Ben la bouffe est bonne, ça on peut pas dire, c'est toujours bon. Et pis, ici, les gens sont super sympa … Y a la télé là, dans le coin, ça aussi, c'est sympa. J'ai vu un film avec Clint Eastwood ce soir. C'est un peu le luxe ici par rapport à d'aut' centres, hein … Mais ben, l'problème, c'est qu'c'est souvent plein. Y a que 42 places. Faut venir s'inscrire vers 2 heures d'l'après-midi si on veut avoir sa place. Euh …
– Comment ça se passe dans ce centre?
– Ben, on peut rester 15 jours mais i' faut voir une assistance sociale, c'est la condition.
Et pis, ben y a des draps dans les lits, c'est le luxe ça quand on dort depuis plus d'six ans dans la rue comme moi! Y a d'l'eau tiède, on peut s'laver … on a l'café l'matin. A 8 heures, i' faut partir. Ça va, c'est pas trop tôt, ça, 8 heures. Dans des endroits, c'est bien plus tôt qu'i'faut sortir. Après ça, les journées sont longues quand on a rien à faire … parce que pas d'domicile fixe égale pas d'boulot, hein. Personne veut d'vous, euh … quand vous êtes SDF. Des fois, je vais dans des garages pour voir s'i z'ont du boulot (ouais, pass'que j'suis mécanicien, moi), mais dès que j'dis que j'ai pas d'adresse, fini, hein, i'sont peu intéressés.

– Jean-Michel.
– Nous parlons maintenant à Jean-Michel qui est à l'entrée du relais Poterne des Peupliers, dans le 13ème arrondissement à Paris. Jean-Michel, pourquoi la Poterne?
– Ben, surtout, c'est qu'ici, y a un chenil pour mon chien. Dans les aut' centres, les chiens sont interdits … les gens, y comprennent pas que ce chien, c'est mon seul copain … j'en ai b'soin, moi, de c'chien. Je l'quitterai jamais. C'est comme un vrai pote, quoi!
Et pis ici, c'est vraiment bien comme centre. Même que la première fois, j'me suis dit: c'est pas pour toi ici, c'est trop beau! C'est propre, y a des chambres à quat', une salle de musculation même … et tout ça gratos, hein. Y a un grand self où on peut bouffer à l'heure qu'on veut. Le matin, on peut s'lever à l'heure qu'on veut … Et surtout … ouais surtout, on se fait bien traiter ici, le personnel est vraiment sympa … c'est pas partout comme ça, j'peux vous l'dire, hein …
– Vous avez fait beaucoup de centres d'hébergement?
– Ah là là! Si j'en ai fait des centres! Ça fait 18 ans que j'suis dans la rue, moi, hein ! Après que j'ai perdu mon poste à la mairie du 20ème. Alors, tu parles que les centres, moi, ça m'connaît! D'ailleurs, j'me souviens d'y a 15 ans de ça à peu près, c'était l'horreur, les centres: on était traités comme des animaux, comme des rats, ouais, d'la vermine, quoi! C'était dur hein, ça, se sentir humilié comme ça … C'est encore dur mais ça s'est amélioré, quand même un peu, hein, faut pas dire. Mais bon, je m'sens toujours un moins que rien!

– Elise.
– Nous sommes à la cité Saint-Martin, un foyer du 4ème arrondissement, avec Elise, qui a 30 ans. Elise, dites-nous, la vie dans ce foyer, c'est comment?
– Bien, ben, la vie dans un foyer, c'est jamais drôle, hein! Surtout quand on est en couple. Moi, le soir, j'peux pas être avec mon copain parce qu'on n'a pas le droit d'être en couple dans les dortoirs … y a presque pas de mixité dans les foyers. Alors si on veut être ensemble, ben, on passe la nuit dans la rue, ou on essaie de trouver un squat quelque part.
– Et Saint-Martin en lui même?
– Oh, c'est pas mal, en tout cas, c'est gratos! C'est propre, c'est bien décoré, y a des plantes vertes, c'est agréable, y a même des distributeurs de boissons à la réception; le personnel est souriant … très cool, même en général. Le soir, y a pas d'heure fixe pour arriver: c'est entre 4 heures et 10 heures. Ça laisse du temps si on veut chercher un boulot. Ça, c'est bien. Moi, j'voudrais bien trouver un boulot, n'importe quoi! Juste de quoi pouvoir vivre une petite vie normale, avec mon pote, dans un appart., des gamins, tout ça, quoi. Mais non, rien … le chômage, la rue, ou bien, des nuits dans les centres. Le problème, à Saint-Martin, c'est qu'on a le droit de rester que sept jours de rang … après, ben … c'est à nouveau l'angoisse de pas savoir où on va dormir le soir!

● **Background information**
The newspapers mentioned at the top of page 163 have similar aims and selling methods to those of *The Big Issue* in the UK.
Le RMI: cette allocation a été beaucoup décriée, parce que si elle est la bienvenue chez les plus démunis, elle ne leur permet pas l'insertion promise: les contrats de travail sont en général de courte durée, sous-payés et le côté "formation" est en général absent.

5 Answers argent = pognon; petite somme = bagatelle; illusoire = bidon; exagérer = tirer sur la ficelle; en grande quantité = en ribambelle

6 It may be better with some groups to ask these questions in English.

Answers

a Revenu de misère identifiée; contre; c'est un système truqué qui coince/contrôle les gens qui l'acceptent, ce n'est pas un vrai travail qui est offert, ça enlève aux SDF la dignité qui leur reste.

b Ils ne comprennent pas, ils les accusent de se comporter comme des goujats.

c Pour que la société capitaliste puisse paraître moins égoïste.

d Qu'il faut apprendre à respecter les SDF et s'abstenir de les juger.

e C'est de n'avoir absolument rien, d'avoir faim, froid et soif.

f Il l'accepterait; il paraît désespéré, il a faim et soif, il a froid.

g Non, il ne voit aucun moyen de s'en sortir, et il dit qu'il ne peut plus supporter sa croix.

h C'est un message de souffrance, qui demande de la pitié. Il n'a ni la dignité/la fierté, ni la colère/l'indignation du texte de J.M.

7 An imaginative and mature approach to the writing task is required here; encourage students also to recycle the language introduced in this spread.

PAGE 164
C'est pour une bonne cause...

Objectives
■ To exploit linguistically two reading texts about voluntary work
■ To explore ways of helping in students' own areas

1 Answers
Introduction: lutter contre, s'engager; *A:* bonne volonté; *B:* le troisième âge; *D:* collecter, militer, mal-voyants, non-voyants; *E:* démunis; *F:* marginal, héberger

4 This should encourage students to revisit the language and skills acquired in the early pages of the unit (the pros and cons of aid, experiences and reactions of the homeless, etc.) and apply them to a real context, close to home. (If they get enthusiastic, why not suggest they approach the local authority or local action groups to see if their ideas could be implemented?)

As always with this type of task, students can draft and redraft their work more easily on a word processor.

● **Extension activity**
You might like to exploit this further by setting up a simulation with three groups: *les démunis, les volontaires, la municipalité*, all discussing one project that has come up in activity 4. Set up difficulties such as an "ungiving" local authority, persons in need reluctant to be helped, etc. Each group has to use arguments and counter-arguments, making the most of all language covered so far.

PAGE 165
Les nouveaux missionnaires

Objectives
■ To discuss the qualities needed to work in the humanitarian aid field and write the CV of a prospective aid worker
■ To find out about a regional aid agency in France

1 Extend this by asking students to supply further qualities they might consider essential for those going on an overseas aid mission

3 Students may have written out simple CVs earlier in their studies. Models can be found in good dictionaries, but as a minimum, you could supply the following checklist:
Curriculum vitae
Nom, adresse, nationalité, né(e) le ...
Formation et diplômes
Expérience professionnelle
Divers

CVs can, of course, be more easily designed on computer.

5 Answers
a (C'est une association dont le but est) d'aider les paysans de l'Afrique de l'Ouest à créer leur propre développement agricole; **b** Il a travaillé en Afrique; il a été enseignant dans le Sud Cameroun; **c** Non. Comme presque tous les membres de l'ACCIR, il est bénévole et il a une autre activité professionnelle. Il consacre ses soirées et ses week-ends à l'ACCIR; **d** Il accueille les partenaires de l'ACCIR chez lui, dans sa maison. De cette façon, sa femme et ses enfants peuvent partager concrètement ce qu'il vit dans l'association.

Tapescript Page 165 – Activity 5
– M. Danet, vous êtes secrétaire de L'ACCIR, pourriez-vous nous expliquer ce que cela signifie?
– Eh bien l'ACCIR, cela veut dire *Association champenoise de coopération inter régionale*. Cela fait beaucoup de mots mais euh ... pour donner le sens, c'est une association composée essentiellement de personnes du monde rural, donc d'agriculteurs, qui ont décidé, dans les années 70, de fonder une association pour aider des paysans de l'Afrique de l'Ouest à créer leur propre développement agricole, chez eux.
– Qu'est-ce qui vous a amené à vous intéresser à cette association?
– Alors, j'ai travaillé en Afrique, c'est ce qui m'a amené à venir à l'ACCIR. J'avais été coopérant euh ... en tant qu'enseignant euh ... dans le Sud Cameroun et donc j'ai découvert là, euh, je dirais, un peuple africain, celui qui vit dans la forêt tropicale, euh, avec des bons côtés, essentiellement c'est bien pour ça que je souhaite y revenir de temps en temps.
– Quel est votre rôle au sein de l'association?
– Euh, je suis comme donc quasiment tous les membres de l'ACCIR un bénévole, c'est-à-dire que j'ai un travail par ailleurs dans une organisation professionnelle agricole et je consacre donc des soirées ou des week-ends, des fins de semaines, je devrais dire, à cette association et à donc la relation avec des partenaires mais même étant secrétaire général, je ne peux pas tout faire. Donc moi je m'occupe

d'une part en tant que membre du bureau, de l'organisation générale, et plus particulièrement de la Commission Sénégal, c'est-à-dire des projets que l'on suit au Sénégal.

– Vous vous rendez quelquefois sur place?

– Oui, oui, oui, heureusement! C'est aussi une de mes motivations euh … donc je vais régulièrement bon à peu près tous les deux trois ans, sur place et puis j'accueille, je fais partie de ceux qui accueillent aussi les partenaires ici, en France, donc chez moi, dans ma maison, mes enfants, ma femme, je veux dire euh … peuvent aussi concrètement partager un peu ce que je vis dans l'association. Je dirais que je prends assez de temps sur la famille pour pouvoir aussi lui faire partager ce que je vis dans l'association, euh … et je crois que ces échanges, ces voyages sont utiles pour pouvoir se rendre compte dans le temps que le développement, ça n'est pas quelque chose que l'on réalise à travers un projet de deux ou trois ans et surtout pas à travers une action ponctuelle mais à travers un échange long qui permet aussi de changer les mentalités.

● **Feuille 35**

This gives further listening practice with another extract from the interview with M. Danet about the work of ACCIR.

Answers

1 a & b: *3* (à l'ACCIR, tout le monde est bénévole), *6* (on attache moins d'importance à la réalisation d'un puits qu'à l'organisation des paysans)

2 a 6,000 members; **b** West African countries – especially Burkina Faso, Senegal and Mali; **c** there is only one paid member – all the others are voluntary; **d** every year; **e** every year

3 a *1* les échanges; *2* la sensibilisation; *3* le respect mutuel; *4* les partenaires africains; *5* nos points communs; *6* connaître des cultures différentes; *7* les rapports Nord–Sud; *8* la création de jardins potagers; *9* l'élevage; *10* la réalisation d'un puits

4 L'ACCIR signifie *Association Champenoise de Coopération Inter Régionale*. C'est une petite association qui comprend environ six mille membres, tous bénévoles. Chaque année, des voyages sont organisés.
L'association a deux types d'action: d'une part, elle soutient des projets de développement en Afrique de l'Ouest (plus particulièrement au Burkina Faso au Sénégal et au Mali): elle essaie d'apporter un appui à l'organisation paysanne de ces pays. D'autre part, elle cherche à sensibiliser les agriculteurs de la région Champagne-Ardenne aux rapports Nord-Sud et aux relations entre pays développés et pays sous-développés. Les échanges se font donc dans les deux sens: d'une part, les Champenois se rendent régulièrement en Afrique de l'Ouest. D'autre part, ils accueillent chaque année, au moins un des partenaires d'Afrique de l'Ouest.
L'association estime qu'il est important de connaître des cultures différentes, de rencontrer des gens sur place, de voir comment ils vivent, de se rendre compte des différences et des points communs. On peut ainsi parler de respect mutuel.

Tapescript Feuille 35

– Vous pourriez nous parler des membres de votre association? Qui sont-ils?

– Alors, nous avons actuellement environ 6 000 membres qui sur la région Champagne-Ardenne, en France, apportent leur contribution à la, à l'association et au développement de nos partenaires africains. Et chaque année, nous organisons un voyage au Burkina Faso ou au Sénégal ou au Mali pour justement favoriser une rencontre entre les membres de l'ACCIR et les agriculteurs africains et pour qu'il y ait un échange direct qui est le fondement d'un échange durable d'entente. Alors, je dirais à l'ACCIR, tout le monde est bénévole. Et donc c'est par rapport à une organisation comme par exemple l'OXFAM qui existe en Angleterre, et qui est composée à la fois de salariés et de bénévoles, nous, nous n'avons qu'un seul permanent et tous les autres membres sont des bénévoles, nous sommes une petite association. Mais nous travaillons avec d'autres associations comme l'OXFAM ou Christian Aid, qui euh … je dirais sur des projets limités, de façon à être impliqué de façon importante. Nous n'avons pas de bénévoles qui partent pendant un an, deux ans sur le terrain, mais nous avons des bénévoles qui font partie d'une commission qui suit un projet et qui, une fois par an, va aller sur le terrain visiter les partenaires qui eux travaillent, là-bas, en Afrique, euh… et échanger avec eux, voir les besoins, évaluer ce qui s'est fait, et poursuivre la dynamique de développement.

– Donc vous aidez les paysans d'Afrique …

– C'est cela. En fait nous répondons essentiellement dans le choix des projets, à des groupements de paysans, qui sont eux-mêmes organisés. C'est-à-dire que nous sommes là pour apporter un appui je dirais à l'organisation paysanne, autant qu'à la production c'est-à-dire que on attache moins d'importance à la réalisation d'un puits qu'à l'organisation d'une … des paysans autour d'une production, autour d'une activité comme l'élevage, autour de la formation de, de leurs membres, de la création de jardins potagers par exemple, et pour nous il est plus important je dirais de favoriser cette structure paysanne que de vouloir chercher je dirais une productivité en premier. L'association a, je dirais, deux types d'actions: d'une part, le soutien à des projets de développement en zones rurales en Afrique de l'Ouest, on l'a évoqué tout à l'heure, le deuxième point c'est la sensibilisation, ici en Champagne-Ardenne, au rapport Nord-Sud et aux relations entre pays développés et pays sous-développés. Et c'est un élément important quand on parle de mondialisation à propos de l'économie, de … je dirais des voyages, tout le monde bouge dans tous les sens. Il est important de pouvoir connaître des cultures différentes, de savoir les apprécier et de savoir qu'on n'est pas seul à vivre sur sa planète.

– Comment les échanges se déroulent-ils?

– Alors, je dirais il y a deux types d'échanges. Les échanges, je dirais, sur un plan professionnel où là on va discuter avec nos partenaires, de leurs projets, du financement, des besoins réels et donc on va avoir une attitude un peu de type professionnel. En disant, ben, peut-être que sur tels investissements vous allez trop loin, ou vous aviez déjà projeté telle chose et ça n'est pas réalisé, est-ce que vous pensez qu'il faut aller jusque-là, etc. L'autre mode de relation, je dirais, il est plus amical, hein, il est lié à ce que je disais sur la sensibilisation, où là on va rencontrer les gens sur place, voir comment ils vivent et se rendre compte, je dirais aussi, de nos différences et puis de nos points communs et donc de créer un échange plus amical.

– Est-ce que ces gens viennent en France?

– Tout à fait. Ça fait partie quand vous parliez d'échanges, ça fait partie du mode de relation que nous avons avec eux. C'est-à-dire que nous avons donc des voyages en Afrique de l'Ouest et nous accueillons, chaque année, au moins un des partenaires d'un des différents pays avec lequel nous travaillons.

– Quel est le but des échanges, exactement?

– Il est de, je dirais, de bien se comprendre à tout point de vue. D'une part sur le plan amical que je citais, et puis d'autre part sur un plan professionnel donc de développement de leur organisation et de leur pays à travers leur action ...

– Quel est le plus gros problème à surmonter?

– Je crois que le problème le plus difficile pour tous ceux qui sont bénévoles et qui avant de rentrer dans l'association n'avaient pas été en Afrique, c'est de prendre conscience justement des différences et de ne pas tomber non plus dans un côté, je dirais généreux euh ... facile, c'est-à-dire, que il y a ces noirs qu'il faut aider et que pour lesquels nous allons donner, etc. C'est ... on a parlé d'échanges, donc d'abord de respect mutuel et à partir de là il faut aussi accepter les différences et accepter de se regarder à travers l'image que nous renvoient les autres qui ont une vue différente de la planète, de la vie, etc.

PAGE 166
Interlude: Xavier Emmanuelli

● **Suggested activities**

Ask students (individually or in pairs/groups) to do some research on a personality in the aid sector and to prepare a portrait of him/her (for example Coluche of *Les Restos du cœur*, Mère Teresa, etc.).

They could write it out, translating from English documents if necessary, and/or do an oral presentation to the rest of the class.

Alternatively, they could prepare a *reportage* (written, audio or video) about someone working in the aid sector in their own locality.

🎥 Médecins sans frontières

Some simple questions on this video sequence appear here, with more detailed work and follow up activities on *feuille* 36, which should be used in conjunction with this page.

● **Feuille 36**
Answers

2 *Afghanistan:* un mois de marche, il faut nourrir 100 hommes et une centaine d'animaux; *Pérou:* distribuer des tentes, une saison des pluies; *Mauritanie:* la campagne nationale de vaccination, une chaîne de froid sans faille; *Guinée:* réhabiliter les structures de santé, un hôpital complètement désaffecté

4 a médecins; **b** s'occuper des problèmes administratifs et logistiques; **c** 48 heures; **d** un mois de marche; **e** est monté, 25 000; **f** kits d'intervention; **g** des vaccins par des températures de 40 degrés; **h** dictature

5 a siège; **b** intervenir; **c** mission d'urgence; **d** 50; **e** action; **f** appui; **g** matériel; **h** disponible; **i** désastres; **j** improvisation; **k** mise en pratique; **l** acheminement **m** médicaments

Video transcript Page 166 – Médecins sans Frontières

– Pour compléter notre dossier sur les associations humanitaires, je vous propose de regarder un extrait d'un film réalisé par *Médecins sans Frontières*. Comme vous le savez sans doute, le but de cette association est d'apporter une aide médicale et sociale aux populations en détresse, où que ce soit dans le monde.
L'association a été créée en 1971 par un groupe de jeunes médecins. Au début, c'étaient les médecins eux-mêmes qui prenaient en charge l'organisation des missions d'urgence ... L'association a vite compris que pour permettre aux médecins d'intervenir rapidement, il fallait une équipe spécialisée dans tous les problèmes administratifs et logistiques.
Aujourd'hui c'est le service logistique qui s'occupe de l'expédition de médicaments, de l'acheminement de vivres, même de la reconstruction d'hôpitaux ... et tout ceci dans les conditions les plus difficiles. Vous allez voir ... En Afghanistan, au Pérou, en Mauritanie et en Guinée: ce film nous montre le travail varié du service logistique dans quatre régions différentes du monde.

– Au siège de *Médecins sans Frontières*, un télex tombe le vendredi soir. Aussitôt la décision est prise d'intervenir. Une nouvelle mission d'urgence s'organise ...

– A l'époque héroïque de *Médecins Sans Frontières*, le médecin partait, il s'occupait de son visa pour le pays, s'occupait de son matériel, s'occupait des autorisations et partait sur le terrain avec ses médicaments le plus souvent ... et tous les problèmes de fret ... et la plupart du temps c'étaient des missions d'urgence ... bon, pas mal de problèmes soit politiques et soit diplomatiques et ... ils se sont rendus compte que ... que ... ils perdaient un temps énorme et qu'ils ne pouvaient pas faire de médecine. Alors ils ont pensé il y a quelques années à faire faire ce travail à quelqu'un qui ne serait pas médecin, quelqu'un qui s'occuperait de tous les problèmes administratifs et logistiques. Alors il a été créé un secteur en logistique.

– Chaque année, 700 médecins sans frontières partent dans plus de 50 missions dans le monde. Leur action n'est possible que grâce à un appui logistique permanent, un matériel spécialement préparé, toujours disponible, et une solide base arrière en France. Devant l'immensité des désastres et la diversité des situations rencontrées, aucune improvisation n'est possible. En 15 années, des stratégies et des techniques d'intervention ont été élaborées et mises en pratique sur tous les terrains. Malgré les risques et les difficultés, l'acheminement des vivres, du matériel et des médicaments est primordial. Aujourd'hui il est possible de répondre aux urgences en moins de 48 heures, quel que soit le lieu où elles se passent.
En Afghanistan, depuis 1980, les missions d'assistance aux populations civiles dans les zones tenues par les résistants afghans n'ont jamais été interrompues, malgré la pression militaire soviétique.

– On est obligé de développer des techniques tout à fait nouvelles à MSF pour pouvoir ravitailler nos missions en Afghanistan, qui sont à plus d'un mois de marche à l'intérieur du pays. A la difficulté physique de la marche, s'ajoute le fait qu'il n'y a pas beaucoup de nourriture en chemin. Tous les jours il faut nourrir 100 hommes et une centaine d'animaux ... quel que que soit l'endroit où on est.

– Pérou 1986 ...

– Au Pérou, une saison des pluies beaucoup plus longue que prévue et plus, beaucoup plus importante et le lac Titikaka est monté et il y a eu 25 000 personnes de déplacées. On est allés là-bas pour distribuer des tentes, des couvertures. On s'est rendu compte que beaucoup de dons étaient entassés dans des hangars et la distribution se faisait plutôt mal, quoi. On a décidé de distribuer nous mêmes. Ça a été beaucoup plus long, ça a été beaucoup plus pénible et on est resté un mois et demi.

– Pour répondre immédiatement aux demandes des missions, des kits d'intervention vérifiés, renouvelés en permanence, sont tenus prêts dans des entrepôts sous douane à Paris et à Narbonne. Des listes types de matériel et de médicaments pour chacune des situations rencontrées sont établies à partir des expériences acquises durant 15 années de mission. Ce savoir-faire est partagé avec *l'Organisation Mondiale de la Santé* pour diffuser ces techniques d'intervention. Mauritanie 1986 ... *Médecins Sans Frontières* participent à la campagne nationale de vaccination. Il est impératif d'organiser une chaîne de froid sans faille pour la conservation des vaccins par des températures avoisinantes 40 degrés.

– Guinée, Conakry 1986.

– On est arrivé tout au début pour ouvrir la mission, moi j'ai découvert donc comme ça ... et puis un hôpital qui est complètement désaffecté, tout était à l'abandon puis ... (ça) marchait pas du tout.

– Dans un pays anéanti par 25 ans de dictature, il est indispensable de réhabiliter les structures de santé. Pour mener à bien ces missions de long terme, les logisticiens de *Médecins sans Frontières* se font bâtisseurs ...

● **Essay titles**

– En soulageant la tragédie, l'aide d'urgence contribue-t-elle à la faire durer ?

– Les ONG doivent-elles, en plus de contribuer à résorber l'injustice, la dénoncer et porter témoignage?

– Doit-on médiatiser l'aide humanitaire (par exemple, Téléthon, *Comic Relief*)?

– Le soutien des vedettes est-il bénéfique à une cause ou simple publicité personnelle? Justifiez par des exemples.

– Se lance-t-on dans l'humanitaire par altruisme ou égoïsme?

● **Feuille 49**

Students might find it useful to remind themselves of the vocabulary encountered in the unit, especially pp156–7, and to go through the *Zoom sur l'opposition*, p160.

Survol 10, 11, 12

See page 8 for notes on using the *Survol* revision pages.

PAGE 167

Revision points

■ discussing new technology/letter writing (unit 10)

■ writing a structured essay (unit 11)

■ analyzing problems (unit 12)

■ writing a tract or leaflet (unit 12)

■ contrasting constructions (unit 12)

4 Answers

(Example) *1* Est-il nécessaire d'utiliser du matériel humain pour certaines recherches même si cela pourrait permettre l'élimination de certaines maladies? *2* A-t-on le droit de construire une famille idéale bien que l'on craigne l'élimination des filles? *3* Doit-on continuer à développer les techniques de la génétique quoique l'on risque d'établir une discrimination contre les gens prédisposés à certaines maladies? *4* Est-il possible de décider quels sont les "bons" et les "mauvais" gènes tandis que les parents auront le droit d'éliminer un embryon handicapé?

PAGE 168

1–3 The group task, based on the information given in the article on page 167, requires students to prepare roles for a television documentary on the problem of medical costs and research. If possible, each documentary should be recorded on video; if time allows, the whole group could watch each documentary and evaluate their colleagues' performance in terms of interest generated and information covered.

The student taking the part of the journalist could prepare a list of questions, or the whole group could be asked to brainstorm the questions before preparing the other roles. As a group, they then select the best questions.

Unité 13 Evadez-vous ...

Unit objectives

Topic
- Leisure: cinema, theatre, reading

Language
- Talking about leisure activities (p170)
- Describing a film or a book (pp171, 173, 178)
- Writing a film or book review (pp171–3, 179)
- Persuading someone to see or read something (p173)

Grammar
- Prepositions (p177)

Skills
- Recognizing register (2) (p173)
- Preparing and giving a presentation (p179)

Vie active
- Theatre director (p175)

Feuilles à photocopier
- Feuille 37 (after p170)
- Feuille 38 (with p175)
- Feuille 39 (after p177)
- Feuille 50–52 (English–French translation)

PAGE 169
Evadez-vous...

Objectives
- To set the theme of the unit

● Preparation
As with many opening pages of units in **Essor** the introduction to this unit provides an opportunity for students to reflect on a general theme before working on specific aspects of the topic in hand. As a **homework** activity, it would be a good idea for students to read the page and to prepare some suggestions for the tasks. In this way, the opening lesson on the topic could begin straightaway with some brief discussion, in small groups, on the theme of leisure.

1 Text **A** reintroduces some key language of leisure activities, focusing on the number of French people who have taken part in each activity listed at least once in the preceding year. Students could suggest other activities to add to the list, focusing in particular on any that are of interest to them.

Text **B** focuses more specifically on summer leisure activities. Again, students could suggest others.

Text **C** should stimulate some interesting discussion about the ideal location for viewing a favourite film. Encourage students to be imaginative: perhaps they could suggest a place or even a country where they think it would be most suitable to see their favourite film.

Text **D** focuses on some of the many festivals that take place in France during the summer months. Students have further opportunities to work within this topic later in the unit.

PAGE 170
Quelle est votre passion?

Objective
- To talk about leisure activities

1 The main objective of this page is to talk and write, in some detail, about a favourite leisure activity. The opening text gives information about a troupe of *lycéens*, focusing on a play that they have just performed for the last time. The text provides some key language for talking about working together as a team, expressing opinions on how well a group of people get on together, as well as some useful expressions for developing a factual text. The activity in the Students' Book looks specifically at vocabulary connected to acting in and producing a play.

● Follow up activity
Use the text for additional language work: select other words and ask students to identify the meaning of each word in the group, following the steps set out for activity 1. For example, *les coulisses, les comédiens en herbe, souder, se profiler*, etc.

2 Paraphrasing some of the key language of the text, using the first person, provides a model for describing an activity and an event, which students can use to complete subsequent tasks.

Answers
h, b, c, a, f, d, g, e

● Extension activity
Using the information given, students imagine that they were one of the young actors and write a short text either on their feelings when they played the piece for the final time or when they visited Oberursel.

3 Students have had opportunities for translating short texts into English in earlier units. They should now be familiar with strategies for ensuring that they translate the meaning of and the emotions behind the text, rather than simply translating words. Students could refer to page 128 for guidance.

4 The note-taking activity builds on the language work already completed, and is an additional stage on the way to talking about students' own leisure activities.

Answers
Nicolas: le sport, la télévision, la lecture; passe-temps préféré – le handball, depuis 5 ans; c'est un sport dur mais il aime jouer en équipe; il a la possibilité de se faire de bons amis.

Camille: la musique; elle joue du piano depuis l'âge de six ans et du saxo depuis l'âge de 14 ans; elle adore le jazz et elle aime jouer avec ses amis; on s'amuse beaucoup ensemble.

Laure: le dessin, la peinture; elle adore jouer avec les couleurs et elle aime illustrer des histoires, illustrer l'imaginaire; c'est un passe-temps solitaire mais parfois il faut aussi travailler en équipe, par exemple avec l'auteur d'un texte ou le rédacteur du journal.

Transcript Page 170 – Activity 4
– Nicolas.
– J'aime bien être actif, je fais beaucoup de sport ... Mais j'aime aussi me relaxer devant le petit écran ... ou en lisant un bon livre.
Bon, ben, mon passe-temps préféré, c'est le handball. Mon cousin jouait au handball et, un jour, je suis allé le voir à l'entraînement. Après, on m'a invité à jouer, et je me suis vraiment amusé.
La semaine suivante, j'y suis retourné ... maintenant ça fait cinq ans que je joue.
Je pratique aussi le basket et le football ... mais je suis plus à l'aise dans le handball. Et, dans le hand, je retrouve tout ce que j'aime dans les autres sports ... les buts marqués de tête, les passes aveugles ...
C'est un sport assez dur, c'est vrai, mais tous les sports, à un certain niveau, nécessitent un contact physique, et je trouve le hand moins dur que ... le rugby, par exemple. Et pour moi, c'est important de jouer en équipe. On s'entraîne ensemble deux ou trois fois par semaine, on joue un match le week-end ... et on a la possibilité de se faire de bons amis.

– Camille.
– Je viens de répéter avec mon groupe – on n'a pas encore choisi un nom pour le groupe – mais on joue et on chante ensemble. La musique, c'est ma passion. Quand j'avais six ans, j'ai commencé à jouer du piano... enfin, j'essayais de jouer du piano! Mais c'était très important pour moi.
Depuis l'âge de 14 ans, je joue du saxo ... Un ami m'avait invité à un concert de jazz, et j'ai été complètement bouleversée par le son ... la musique du saxophoniste ... Deux mois plus tard, j'ai débuté, et l'année dernière, mes parents m'ont acheté mon premier saxophone.
J'adore la musique de jazz, et j'adore jouer du saxo. J'aime surtout jouer avec mes amis. On a fondé ce groupe il y a six mois. On essaie d'intégrer différents courants musicaux ... Et on s'amuse beaucoup ensemble.

– Laure.
– Je suis assez créative et je passe mon temps libre à dessiner ou à peindre. J'adore jouer avec les couleurs, les mélanger pour obtenir des effets différents ... Actuellement, je suis très occupée car je dois illustrer plusieurs histoires pour notre journal scolaire.
Pourquoi je fais ça? Parce que j'adore rêver ... Et illustrer des histoires, même dans ce type de journal, me donne l'occasion de rêver, d'illustrer l'imaginaire. Au début, je ne faisais que des petits dessins pour me faire plaisir. Petit à petit, j'ai commencé à dessiner des cartes, des lettres ... surtout au collège ... Quand j'étais petite, j'avais plusieurs correspondants français et étrangers et j'aimais faire des dessins sur mes lettres. Puis, l'année dernière, on m'a demandé d'illustrer un dépliant pour une pièce montée par la troupe du lycée.
Dessiner, c'est un passe-temps solitaire, et ça me plaît ... Mais quand j'illustre des histoires, je travaille avec l'auteur et aussi avec le rédacteur du journal, alors ça devient un travail d'équipe, et c'est un hobby moins individuel.

5, 6 Students interview each other in pairs before drafting a text about their favourite leisure activity. The pair work activity should act as a brainstorming task, as students suggest ways of developing what their partner wants to say, in order to give as much information as possible in an interesting way. The writing activity can be assessed using the assessment grid. Make sure that students are aware of the criteria on which their work is to be assessed.

● **Feuille 37**

This contains an extension activity, requiring students to write a longer text based on the stimulus given. As the final text has a specified audience – they are applying for a grant – it would be appropriate for students to use a word processing package to produce a more professional looking submission. As has been mentioned earlier in the course, word processing is also most suited to drafting and redrafting a text. Following the guidelines set out in unit 8 (SB page 110), students could also read and comment on each other's work, before producing the final draft.

PAGE 171
Tout le monde aime aller au cinéma...
Objective
■ To write a short commentary on a film

1 Although students will have opportunities later in the unit to write a longer text on a film that they like, here their objective is simply to write a brief review, both for a radio and a newspaper audience. As the focus is on brevity, students will need to concentrate on getting the essential information across, without additional background and opinions. To help them to do this, three short reviews are provided, commenting on recent French films.

● **Follow up activity**
Students could imagine that they have been asked to summarize, in English, the main features of each film, for their boss or a colleague who is selecting films for a small film club. Their task is to give the key information on each film in note form.

Compétences: Comment écrire une critique courte

2, 3 Activities 2 and 3 should be linked, as they provide an opportunity for students to reflect on how the same information can be presented differently when given orally or when written. They could draft a brief description for a radio report, then, after recording themselves, discuss with a partner how their text needs to be changed to produce a written commentary.

PAGES 172– 173

Ça vous dit?

Objectives

■ To express an opinion of a film

■ To recognize the register of a text

■ To write a longer commentary on a favourite film

1 In contrast to the previous tasks, students are now required to write a longer text, an article, on a favourite film. Their aim is to persuade others to go and see it. Before listening to the review of *Le Hussard sur le toit*, ask students to think about film reviewers they have seen or read: what do they focus on? how do they present their reviews? When first listening to the recording, stop the cassette before the final judgement, and ask students to predict, from what they have heard so far, how highly the reviewer rates the film. In preparation for the next activity, they could perhaps suggest one, two or three stars. They then listen to the final opinion to see if their prediction was correct.

Answers

L'histoire: l'histoire se passe en Provence et raconte les aventures d'un héros qui s'appelle Angelo Pardi, un officier italien, un hussard. Il est poursuivi par des espions autrichiens qui veulent le tuer, car Angelo et ses copains sont membres d'une société secrète qui veut libérer l'Italie.

Evénements-clés: Angelo se retrouve dans une région où une épidémie de choléra vient d'éclater. Il aide les malades du choléra, mais les villageois l'accusent d'avoir voulu empoisonner l'eau de la fontaine et Angelo se réfugie sur les toits.

Personnages: Angelo Pardi (Olivier Martinez); Pauline de Théus (Juliette Binoche). Angelo décide de l'escorter jusqu'à la demeure de son mari. Ils se ressemblent: ils sont fiers, courageux.

Jugement: le film est très réussi. Juliette Binoche est épatante; Olivier Martinez a très bien joué; Du grand cinéma; Ne le ratez pas!

Transcript Page 172 – Activity 1

– *Le Hussard sur le toit*, western romantique, a été réalisé par Jean-Paul Rappeneau, le metteur en scène de *Cyrano de Bergerac*.
L'histoire se passe en Provence, où est né Jean Giono, l'auteur du roman *Le Hussard sur le toit*, et la région dans laquelle se déroulent la plupart de ses romans. Dans le film, la Provence est très présente, avec sa lumière éclatante, ses paysages immenses et ses collines couvertes d'arbres fruitiers.
Nous sommes en 1832. Le film raconte les aventures d'un véritable héros qui s'appelle Angelo Pardi. C'est un officier italien, un hussard. Sur son cheval noir, Angelo est en fuite, car il est poursuivi par des espions autrichiens qui veulent sa peau. Il faut se rappeler qu'à cette époque, l'Italie est divisée en petits états. Le royaume d'Autriche domine le nord de l'Italie. Angelo et ses amis sont membres d'une société secrète qui veut libérer l'Italie et créer un seul Etat.
Angelo se retrouve dans une région qui semble saisie de folie:

une effroyable épidémie de choléra vient d'éclater. Les gens meurent foudroyés, après d'horribles souffrances. Cette épidémie complique la fuite d'Angelo. Partout des barrages sont dressés pour empêcher les gens de circuler et limiter la contagion. Angelo est courageux, il n'a peur ni de la mort ni des soldats français qui barrent les routes. Malgré les risques de contagion, il vient en aide aux malades du choléra. Il frictionne les malades qui grelottent de froid. Et jamais il n'est touché par la maladie.
Pourtant, l'épidémie rend les gens peureux. Les villageois cherchent un responsable au fléau du choléra, un coupable. Angelo est ainsi accusé d'avoir voulu empoisonner l'eau de la fontaine. Poursuivi, il se réfugie sur les toits. Un jour, dans une maison abandonnée, il rencontre une jeune femme très belle, la marquise Pauline de Théus. Pauline est seule et semble n'avoir peur de rien. Angelo décide de l'escorter jusqu'à la demeure de son mari. Angelo et Pauline sont seuls, face au choléra. Les gens qu'ils rencontrent sont trop terrorisés par l'épidémie et ne peuvent pas les aider. Ils ne peuvent compter que l'un sur l'autre. Et puis ils se ressemblent.
Courageuse comme Angelo, Pauline sait se servir d'une arme quand il le faut, et elle monte très bien à cheval. Ils ont les mêmes qualités mais aussi les même défauts: ils sont fiers et n'osent pas s'avouer leurs sentiments. Ils s'affrontent comme un frère et une sœur, et ils se soutiennent comme un mari et une femme.
Le film est très réussi. Les paysages de Provence sont superbes, et la reconstitution historique (les décors, les costumes) somptueuse. Juliette Binoche est épatante comme Pauline. Dans ce rôle, elle a du mystère, de l'énergie et de l'insolence. Pour Olivier Martinez qui joue son troisième rôle au cinéma, c'était un rôle assez difficile pour lequel il a dû apprendre à monter à cheval, à manier l'épée. Mais il a adoré son personnage et il a très bien joué.
Quant aux amateurs de scènes d'action et de cavalcades, ils seront servis. Du grand cinéma! Ne le ratez pas!

2 Before students complete the activity, they need to read and understand the information taken from *Francoscopie*, suggesting reasons why people choose to see a particular film. Begin by asking students to name a film that they have seen recently and to consider why they decided to go and see that particular film: positive review? favourite actor?, and so on.
The task, requiring students to allocate one, two or three stars to each film, solely on the brief phrase given, should stimulate some interesting discussion. In addition, students could suggest which, if any, of the films they would choose to see. Working in small groups, they could draw up a list of star ratings, which they then compare with those of other groups, with the aim of reaching agreement on the star rating of each film.

3 The longer review focuses on *Le Huitième Jour*, a film starring Daniel Auteuil, Pascal Duquenne and Miou-Miou. It is notable not least for the performance of Pascal Duquenne, who has Down's Syndrome.
Comprehension questions:

– *Quels sont les noms des trois personnages mentionnés dans le texte?*

– *Et les comédiens?*

– *Quels sont les événements-clés dans la vie de Harry, juste avant son rencontre avec Georges?*

- *Georges aime la vie simple. Identifiez quelques exemples dans le texte pour justifier cette affirmation.*
- *Le journaliste parle de la vie du Pascal Duquenne. Qu'est-ce que l'on apprend sur sa vie d'enfant et sur ce qu'il fait actuellement?*
- *Pascal, qu'est-ce qu'il espère faire pendant le festival de Cannes?*
- *Résumez, en utilisant vos propres termes, ce que pense le journaliste du film* Le Huitième Jour.

Compétences: Reconnaître le registre d'un texte (2)

4 This activity is the first step to writing their own article, and focuses on register. Students' task is to present each piece of information in a concise form, in contrast to the style of the text, without additional description.

5 A speaking activity: students work initially in pairs to brainstorm some ideas for drawing up their own list of *Expressions-clés*, before using their list to try to persuade other students to go to see a given film. It can be fun to ask students to select films from a given list – B movies and "bad" films make an interesting starting point. It also requires students to be more creative in their persuasive techniques.

6 Using the ideas and language they have noted during the course of the preceding activities, students now write their own article. By specifying the style, for example, by asking students to imagine that they are writing for a particular type of magazine or newspaper, students will need to consider carefully the type of language they are going to use. If time allows, they could also write two different versions, for two different magazines.

PAGES 174–175
Les métiers du cinéma et du théâtre

Objectives
- To learn about the role of theatre directors
- To consider the role played by State subsidies in the theatre
- To consider some criteria for selecting a programme of plays

1 The opening activity focuses briefly on some key vocabulary for talking about people who work in film and theatre.
Answers
1 un caméraman; **2** un dramaturge; **3** un metteur en scène; **4** un machiniste; **5** un réalisateur; **6** un comédien; **7** un décorateur de théâtre; **8** un régisseur; **9** un ingénieur du son

2–4 The text taken from *L'Express* contains an extract from an interview with two theatre directors. It introduces some useful theatre vocabulary as well as introducing the idea of State subsidies. The reading activities could be completed as a **homework** task.

3 Answers
s'arroger – s'approprier; à tâtons – en hésitant, sans y voir clair; ricocher – rebondir; énième – qui est à un rang indéterminé (mais très grand); l'entêtement – l'obstination; acharné – tenace, obstiné; l'éclosion – la naissance; une subvention – aide que l'Etat ou une association accorde à un groupe ou à une personne

4 Answers
a DB, **b** AF, **c** AF, **d** DB, **e** AF, **f** DB, **g** AF, **h** DB

5 This should be done in conjunction with *feuille* 38, activity 1. The interview with Jean-Pierre Jourdain, recorded on location in Reims, gives some insights to the world of theatre direction and the effects of State subsidies on theatres. Before listening to the first recording, ask students to suggest why theatres receive State aid and what advantages or disadvantages this might have. Some who have an interest in theatre and performing arts will already have some insights to the problems and difficulties faced by many theatres.
The first activity focuses in general on Monsieur Jourdain's role and requires students to identify some key information. Students might be surprised by the difference between the real cost of a theatre ticket and that actually paid.
Answers
4, 1, 6, 3, 5, 2

Transcript Page 175 – Activity 5
- M. Jourdain, pouvez-vous nous expliquer ce que vous faites comme travail?
- J'ai deux fonctions à la Comédie de Reims, deux titres. Je suis directeur délégué et secrétaire général. Directeur délégué, ça se conçoit par l'énonciation des mots, simplement, c'est-à-dire qu'en l'absence du directeur, c'est moi qui prends les décisions et je m'occupe du personnel. Et secrétaire général, alors là, c'est plus vaste, la fonction est différente suivant les théâtres. En fait, ici, c'est un secrétaire général qui s'occupe de la communication, donc de la publicité, qui s'occupe de la programmation, voilà, deux fonctions essentielles.
- Quelles pièces montez-vous actuellement à la Comédie de Reims?
- Nous travaillons avec un auteur contemporain qui est philosophe, un grand philosophe français qui s'appelle Alain Badiou et qui est passionné par le théâtre et qui écrit des pièces pour nous. Ça c'est l'essentiel de nos créations, c'est-à-dire que nous avons une troupe de 12 acteurs à demeure dans la maison et il y a un auteur qui écrit des pièces pour cette troupe. Et par ailleurs, nous montons aussi d'autres ouvrages, bien sûr, des pièces de Pirandello, des pièces de Claudel, ou des adaptations.
- Est-ce que vous recevez des subventions de l'Etat ou est-ce que votre théâtre est un théâtre privé?
- Ah non, c'est un théâtre subventionné, c'est ce qu'on appelle un centre dramatique national; ils sont au nombre d'une

quarantaine à peu près sur le territoire français et ils sont subventionnés pas une volonté de l'Etat, donc subventionné par le ministère de la Culture et par la ville qui les accueille.

– Comment arrivez-vous à choisir votre programmation? Faut-il toujours penser aux recettes?

– Les recettes, c'est un problème de théâtre privé, ce n'est pas un problème de théâtre subventionné. Parce que la subvention est une facilité pour tous, pour aller à la culture. C'est une volonté de l'Etat et de la ville. Donc le coût des places est très bas pour la qualité des spectacles que l'on y voit. Ça c'est comme ça pour l'ensemble des spectacles subventionnés. Le coût réel d'une place, pour un grand plateau, pour une pièce classique avec beaucoup d'acteurs, c'est à peu près 300 francs par spectateur, en coût réel. De fait, vous payez 80 francs, donc c'est-à-dire que l'Etat et la ville nous font un cadeau à chacun de 220 francs. Donc les recettes, c'est un peu un faux problème, ce qui est important, par contre, c'est qu'il y ait du monde dans la salle. Et le monde ne veut pas dire beaucoup de recettes, mais ça veut dire une adhésion à la culture, c'est tout à fait différent.

– Alors justement, est-ce que vous choisissez un programme qui va attirer un public nombreux, qui va faire une grande audience, ou bien est-ce que vous êtes libre de monter des pièces beaucoup plus difficiles?

– On est libre de monter ce que l'on souhaite. Maintenant le problème du spectateur en nombre, vous l'imaginez, c'est un problème complexe. Comme si les gens étaient attirés par la qualité; ce n'est pas ça malheureusement. Si vous regardez ce qui fait succès dans les programmes de télévision, vous voyez bien que ce que tout le monde regarde, c'est loin de ce qui est de meilleur. C'est le paradoxe de notre société, là où nous en sommes. C'est l'équivalent au théâtre. Donc en général, ce qui est de qualité et curieusement, ne plaît pas à un très grand nombre, fait peur, parce que c'est plus ardu ou ils pensent que c'est plus ardu, ils pensent que c'est plus difficile. Nous sommes actuellement dans une société où ce qui marche, c'est triste à dire, que les trois quarts du temps, c'est absolument piteux. Et … maintenant, ce qu'il y a, c'est que l'on prend la loi du nombre, mais si nous sommes subventionnés, c'est pas pour se dire que ce qui est intéressant, c'est ce que des milliers de personnes veulent voir: ce qui est intéressant, c'est que ça touche certaines personnes. Ce n'est pas un problème de consommation.

● Feuille 38

 The listening activity on *feuille* 38 focuses more specifically on the programme of the *Comédie de Reims* and the opportunities they have, as a result of receiving subsidies.

1 Answers

a vrai; **b** vrai; **c** faux; **d** vrai; **e** faux; **f** ne sait pas; **g** vrai; **h** vrai; **i** ne sait pas; **j** faux; **k** vrai; **l** vrai; **m** faux; **n** vrai; **o** vrai

Transcript Feuille 28 – Activity 1

– J'ai constaté dans votre programmation de cette année, qu'il y a un certain nombre d'auteurs classiques comme Goethe, Shakespeare ou Molière. Est-ce que ça correspond à un retour du public vers ces auteurs classiques?

– De fait, c'est une réflexion. Nous avons … c'est la première année que nous collectionnons autant de classiques dans une saison. La saison dernière, nous avions fait pratiquement du contemporain. Et ça a donné qu'une grande partie des spectateurs ne nous a pas suivi. Parce que quand vous prononcez les noms d'auteurs inconnus, il y a une frilosité chez le spectateur, il y a moins d'adhésion. On l'a fait quand

même, on va pas continuer. On va pas avoir un théâtre où si on voit que des gens ne suivent pas. Il faut aussi que l'on mette de l'eau dans notre vin, comme on dit … Donc nous avons mis de l'eau dans notre vin et c'est la sixième saison, et nous faisons une saison classique. Classique avec des pièces qui sont, au fond, pas très connues, si on prend Clavigo de Goethe, c'est la première fois que c'est monté, ou si on prend la Princesse de Clèves, alors là ça paraît très connu sauf que c'est un roman et que c'est la première fois que la Princesse de Clèves est porté à la scène. Donc si vous voulez, à chaque fois nous avons choisi les œuvres qui ne sont pas du tout des œuvres extrêmement courantes, mais qui sont écrites par de grands écrivains classiques, de grands auteurs classiques.

– Est-ce que vous pouvez nous parler un peu de votre travail avec ce philosophe auteur Alain Badiou?

– Oh oui, bien sûr. C'est d'abord un travail de complicité et de franchise. Nous nous disons exactement ce que nous pensons. Ce qui n'est pas toujours simple, mais on le fait! C'est une loi. C'est quelqu'un qui ne connaît pas le théâtre, c'est-à-dire qu'il ne la pas pratiqué, il le fantasme, c'est quelqu'un qui est philosophe avant et qui aime le théâtre, mais il y est allé comme spectateur, il n'a pas été acteur, il n'a pas fréquenté le … il n'a pas fait de mise en scène, donc il le fantasme. Nous lui apportons la réalité du théâtre. Lui, ce … Nous, nous prenons chez lui, par contre, la force de sa pensée. Donc notre travail est un travail de réajustement perpétuel. Il écrit des textes, il nous les envoie, nous les travaillons et nous les lui renvoyons en quelque sorte ses textes en disant là quand même ça ne passe pas, là il faudrait corriger, là il faudrait augmenter, là il faudrait supprimer, et il le fait. Il vient à certaines répétitions et il reconnaît lui-même que là ça … ou alors il refuse, il dit non, il faut maintenir ça … c'est un dialogue et l'œuvre se prépare ensemble.

– Ce type de travail serait-il possible dans un théâtre non-subventionné?

– Non, je ne crois pas, parce que aucun théâtre privé … c'est un luxe extrême de pouvoir travailler comme ça. Ça prend beaucoup de temps, vous l'imaginez! Et donc un théâtre privé, lui, doit payer les gens sur les recettes, donc moins y'a de temps de répétition, mieux ça vaut, et donc nous c'est le contraire, on prend le temps de travailler. Vous savez, c'est vraiment ce qu'on appelle du théâtre d'art, c'est une chance formidable.

● Preparation

In preparation for the later debate and discussion activities, students could carry out some research on local theatres: which receive grants? How much is their grant worth? What is the real cost of a theatre ticket, if the theatre is subsidized?

● Feuille 38

 Before working on activity 6 in the Students' Book, students should complete activities 2 and 3 on *feuille* 38, as these give, in more detail, some guidance on preparing for the discussion. The speaking activity could be assessed using the assessment grid. If so, it would be useful to record the discussion on video. In this way, both the teacher and students have an opportunity to evaluate the performance and achievement of individual students.

PAGES 176–177

Une foule de festivals

Objectives

■ To find out about some French festivals of theatre, dance and music

■ To plan a festival based on those in France and to produce publicity to advertise it

● **Background information**

Introduce the theme of festivals by asking students if they know of any or have been in France when a festival has been taking place (they should have heard of the more famous festivals, such as the Festival de Cannes). During the summer months, festivals play an important part in French cultural life in many regions of France. In addition to those listed on pages 169 and 176, students might be interested in some of the following which have taken place in recent years:

– *Mimos, festival international du mime*, Périgueux
– *Rock au maximum*, Clermont-Ferrand
– *Les Festimusicales – différents genres de musique*, Fouesnant
– *Orléans Jazz*
– *Festival de Country Music*, Mirande
– *L'été de Vaour – Un festival du rire*
– *Cahors Blues Festival*
– *Danse à Aix*
– *Festival du théâtre*, Grenoble

Students could suggest which they would most like to attend, giving reasons for their choice.

1 Answers

 b 1 Paris Quartier d'été; **2** Festival jazz; **3** Paris Quartier d'été/Les Inattendus; **4** Les Tombées de la nuit/Les Inattendus/Festival de contes; **5** Les Tombées de la nuit

Transcript Page 176 – Activity 1

1 – Pour moi, ce qui est important, c'est la musique ... toutes sortes de musiques, mais surtout celles qui me permettent de danser ..., et puis, celles aussi où j'assiste en même temps à une pièce de théâtre.

2 – Moi aussi, j'aime la musique ... mais je n'aime pas tellement les nouveaux genres de musique ... la techno, le rap, etc. Je trouve ça agressif. Je préfère écouter la musique classique, le blues et le jazz. Je suis passionnée de jazz, surtout de saxo ...

3 – Je voudrais travailler dans le théâtre. Le métier importe peu, je voudrais faire n'importe quel travail à condition de me retrouver dans un théâtre. C'est pour ça que j'adore la saison des festivals. Seul problème: je n'ai pas beaucoup d'argent ... et je ne peux pas travailler pour en gagner, parce que j'ai trop de devoirs à faire pendant les grandes vacances.

4 – J'adore l'ambiance des festivals dans la rue. Le thème, le motif, ça n'est pas important. Pour moi, l'important est d'assister à ces festivals de rue ... Cela permet de voir toutes sortes d'artistes, et toutes sortes de spectacles ... mais là, dans la rue ... C'est super!

5 – Selon moi, certains festivals nous permettent de renouer avec certaines traditions culturelles. Grâce aux festivals qui mettent en scène des pièces basées sur des coutumes traditionnelles, on peut remonter dans le temps et voir des spectacles anciens.

2 The recording focuses on one of the major festivals of theatre in the world – *Le Festival d'Avignon.*

Answers

a 43 spectacles en 26 lieux; **b** 500 000; **c** le Festival est trop grand, trop vaste; il n'y a pas de thème; il est difficile d'inviter les grands indépendants; **d** il faut réfléchir sur le rôle des festivals; il faut provoquer un débat, le festival n'est plus audacieux.

● **Background information**

Le Festival d'Avignon a été créé par l'acteur et metteur en scène Jean Vilar en 1946. A cette époque, les représentations théâtrales se donnaient à Paris dans des petites salles, mais Jean Vilar pensait plutôt à la province et voulait donner des représentations en plein air. Il a choisi Avignon – plein d'histoire et de lieux prestigieux dont le palais des Papes. Pour ceux qui s'intéressent au festival "off", les CEMEA (Centres d'entraînement aux méthodes d'éducation actives) organisent des séjours pour les 16–25 ans.

Transcript Page 176 –Activity 2

– Avec près de 500 000 spectateurs attendus, le Festival d'Avignon est la plus importante manifestation théâtrale du monde. Mais certains évoquent des problèmes, ils disent que le festival doit évoluer pour continuer à réussir. On dit même que le festival est en crise. Nous abordons aujourd'hui ces arguments avec Jacques Blondeau et Catherine Rainteau. Alors, Jacques Blondeau, à quoi sert le Festival d'Avignon?

– Avec ses 500 000 spectateurs, il est bien évident que le festival d'Avignon est la plus grande manifestation théâtrale du monde. Il est important de souligner l'importance du festival pour le théâtre français, non seulement le festival officiel mais aussi le festival "off", celui des petites troupes.

– Vous pouvez nous en dire plus?

– Oui ... Depuis 1969 se côtoient deux festivals: le "in" ou festival officiel, qui présente les œuvres de metteurs en scène reconnus dans le domaine du théâtre et de la danse, et le "off", le festival des petites troupes passionnées et sans grands moyens financiers. Pour elles, Avignon est un tremplin. C'est là qu'elles vendent leurs pièces aux responsables des théâtres français et étrangers pour la saison qui suit.

– Et vous, qu'en pensez-vous, Catherine Rainteau? A votre avis, il faut souligner l'importance du festival?

– Eh bien, oui, jusqu'à un certain point. Mais il faut dire que nous sommes loin, très loin de la première Semaine d'art de 1947. A cette époque, les représentations théâtrales se donnaient à Paris. Jean Vilar, le créateur du festival voulait monter des spectacles en plein air ... pour que tout le monde puisse les voir. Mais, à mon avis, l'enfant de Vilar est devenu un monstre. Une grande chose éparpillée et informe.

– Jacques Blondeau, on envisage combien de spectacles cette année?

– La programmation du festival officiel comprend une cinquantaine de pièces, francophones pour la plupart. Plus de 100 000 spectateurs sont attendus pour assister aux représentations du festival "in". Parallèlement, le festival "off", qui a attiré 350 000 spectateurs l'an passé, comprend 450 spectacles, dont la plupart seront joués dans des locaux minuscules et surchauffés, loués à des particuliers.

– Et c'est bien évident qu'il est impossible d'énumérer les 43 spectacles, en 26 lieux, qui composent le "menu" ... on risque l'indigestion!

– Est-ce que le festival est subventionné?

– Oui ... le budget du festival "in", financé par l'Etat, la région Provence-Alpes – Côte d'Azur, le département du Vaucluse et la ville d'Avignon, s'élève à 26 millions de francs.

– Et quels sont les problèmes, selon vous?

– Eh bien, comme je l'ai déjà dit, le festival est trop grand ... il est impossible d'assister à tous les spectacles ... il n'y a pas de thème ... Et à cause du financement – on parle de 45 millions de subventions – plus personne ne prend de risques. Du coup, il devient difficile d'inviter les grands indépendants: ils n'ont pas d'institution qui les finance. Le théâtre est trop souvent dans les mains des administrateurs.

– Alors, qu'est-ce qu'il faut faire?

– Il faut réfléchir: où en sont les festivals? Que représentent-ils aux yeux du public? Tourisme? Culture? Passe-temps d'un soir?

– En plus, il faut provoquer un débat qui n'existe plus à Avignon. On voit de nouveaux festivals partout ... Là, on prend des risques, on est plus audacieux. On pourrait peut-être changer complètement de formule, établir une programmation thématique ...

– Mais ce serait difficile à organiser?

– Oui ... si on parle d'un festival devenu trop grand, il serait absurde d'établir une formule impossible à organiser. Pourtant, on pourrait réduire, recentrer, tourner autour d'un auteur.

– Est-il absolument nécessaire de le faire?

– A mon avis, oui ... sinon, on va continuer à zapper d'une scène à l'autre ... sans prendre notre temps. Il n'y aura pas de projet spécifique. Et les spectateurs cesseront de venir.

– Non, le festival continuera, même avec une formule différente. Car l'espoir demeure. Des acteurs, des metteurs en scène, des centaines de gens qui aiment le théâtre viendront à Avignon ... les fidèles seront là ... toujours.

– Jacques Blondeau et Catherine Rainteau, je vous remercie.

3 The text taken from *L'Express* focuses on some of the newer festivals that are becoming well known in France, as mentioned in the earlier recording. Before reading the text, as preparation, students could suggest some advantages and disadvantages of a town holding a festival. What might be the advantages/disadvantages for the locals?

Answers

1c, 2f, 3g, 4e, 5a, 6d, 7b

4 The article on some more recent festivals provides an opportunity for students to develop strategies for scanning a text for detail. In addition to the headings given in the Students' Book, students could read the text to answer the following questions:

– *Combien de genres d'artistes sont mentionnés?*

– *Expliquez dans vos propres termes, l'expression "blanc bonnet et bonnet blanc".*

– *Quelle est la différence entre les carnavals et le théâtre de rue?*

– *L'article cite deux événements-clés qui avaient de l'importance pour les nouveaux festivals. Lesquels?*

– *Expliquez dans vos propres termes, l'expression "la mayonnaise prend rapidement".*

Zoom sur les prepositions

Grammar

■ The use of prepositions

In addition to those listed on page 177, further examples are given in *Grammaire* 9 (SB page 212).

5 The task in the Students' Book requires students to imagine they are to set up a new festival. With a partner, they brainstorm ideas on the type of festival that interests them. Remind them that they also need to consider the location for their festival and to suggest the ideal venues in their local area (they could also plan a festival that has different shows taking place in different locations). The outcome to be assessed is the text, poster or leaflet that advertises the festival. If available, it would be appropriate for students to use DTP software to produce their final text.

● **Feuille 39**

The stimulus material on *feuille* 39 provides an opportunity for students to develop their letter-writing skills. Having read the collage of information given, they write a letter to a friend suggesting that they visit Geneva for a weekend during a summer trip to Chamonix, stating what they would particularly like to do and why.

PAGES 178–179

Je bouquine ...

Objectives

■ To write a short book review
■ To prepare and give a presentation on a favourite book

● **Preparation**

The final section of this unit focuses on literary review and criticism. Students who are following a literary strand in their studies will already be familiar with analyzing the author's intentions and style, and character study. It would be appropriate for them to select one of their set texts for their presentation, as it provides an opportunity to look again, perhaps even to reread a given book.

The emphasis here is on books written by young people. It is possible that a few students will be interested in writing themselves, and one or two may already have done some writing, perhaps for a school magazine. Encourage them to talk about their attitude and approach to writing.

Before reading the text on Stéphanie Janicot and Laurent Sagalovitsch, initiate a brief and informal discussion on books and reading. How many students regularly read for pleasure? What do they read? Who are their favourite authors? Why?

1 Having read the article, students state which of the two books mentioned they would like to read. They should justify their choice.

2 The research activity could be done in pairs, as **homework**. Some students will probably be able to list books in one or two of the categories without any additional research. Students should be reading a range of material for interest, and may gain an insight into new books through book reviews in current magazines. This should help them begin their research.

● **Follow up activity**

At the beginning of the following lesson, ask students to share some of the books they have on their lists. Together the group could draw up a comprehensive list of books. As a result of their research, students might also identify an author or a book that interests them. If this is the case, encourage them to write a brief review of the book once they have read it.

3 As with the previous tasks on writing film reviews, writing book reviews requires students to follow some clear steps. As usual, guidance is given in the Students' Book. Their objective here is to write a short review to encourage others to read a book that they have read and enjoyed. By exchanging their reviews with other students, they also have an opportunity to read a range of reviews, and to compare notes, if they have also read the book.

4, 5 Activity 4 sets the context for the productive activity that follows. Ask students if they know of a similar literary prize, either for adults or for young people in their own country. Do they think that such competitions are a good idea?

Compétences: Comment préparer et présenter un exposé

5 This activity requires students to prepare and make a presentation. Their objective is to present their chosen book, in order to persuade others to vote for it. As with similar activities, it is a good idea if students do have an opportunity to vote, once all the presentations have been made, as this gives the task added meaning.
The *Compétences* box gives comprehensive guidance on preparing a presentation. It is important that students have adequate time to prepare and to practise; with such tasks, it is helpful to provide some class time as part of the preparation. This allows students to consult with the teacher, as well as to exchange ideas with a partner.
If appropriate, students make their presentation to the whole group. If the size of the group makes this unwieldy and long, divide the class in half, so that students make their presentation to half the group. In the latter

situation, each group could vote on the book they wish to submit for the prize. Whatever the situation, it would be of benefit to both teacher and students to record the presentations on video. This not only provides support for the teacher in assessing each presentation but also enables students to be actively involved in evaluating their work.

PAGE 180

Interlude: Gilda Maurice

The short story is written by Gilda Maurice, an award-winning young author.

● **Extension activity**

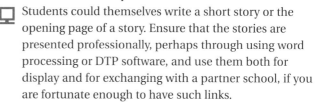 Students could themselves write a short story or the opening page of a story. Ensure that the stories are presented professionally, perhaps through using word processing or DTP software, and use them both for display and for exchanging with a partner school, if you are fortunate enough to have such links.

● **Essay titles**

– *"Les films adaptés de romans ne rendent jamais justice aux livres dont ils sont tirés".* Dans quelle mesure êtes-vous d'accord avec cette affirmation?

– Quelle importance attachez-vous à la culture de votre pays? Justifiez votre position.

● **Feuilles 50–52**

These prose translations can be completed at any point during work on units 13–15.

Unité 14 Le terrorisme

Unit objectives

Topic
- Terrorism in France

Language
- Negotiating and persuading (pp184, 186, 189)
- Playing down the drama of a situation (p189)

Grammar
- The conditional (2) (p182)
- The infinitive (p185)

Skills
- Adapting a text (p187)
- Exam preparation (1) (p192)

Feuilles à photocopier
- Feuille 40 (after p182)
- Feuille 41 (p187)
- Feuille 42 (after p189)
- Feuille 50–52 (English–French translation)

PAGE 181

Le terrorisme

Objectives
- To introduce language relating to the main theme of the unit

● Preparation
Begin by asking students what they already know about terrorism and brainstorm on which groups they have heard of before asking specific questions relating to terrorist issues in France: do they know where the problem areas are? If necessary, summarize for students the three main terrorist movements in France: FLNC, ETA and the Islamic fundamentalist groups. Ask students to research background information on their formation.

1 Answers:
Voiture piégée: signée le FIS = Paris; *Le FLNC: la liste rouge* = la Corse; *Bordeaux: on connaît les tueurs* = Pays basque; *Assassinat d'un CRS à Bastia* = la Corse; *Une maison secondaire incendiée à Pau* = Pays basque; *Alerte à la bombe: le Commando Andalousie revendique* = Pays basque; *Les "fous de Dieu" agissent en banlieue* = Paris; *Menace de mettre la banlieue à feu et à sang* = Paris

● Follow up activity
If appropriate, students could be asked to scan the French (and English) press in order to build up their own map of terrorist attacks in France.

2 This matching activity introduces basic vocabulary for the unit, which can be learned as **homework**.

PAGES 182–183

Le terrorisme à Paris

Objectives
- To encourage students to think about the tone of a radio report
- To exploit linguistically a report of a terrorist incident in Paris

● Background information
The French government's support for the current Algerian government has resulted in Islamic terrorist groups viewing France as a legitimate target in order to achieve their goal of a fundamentalist government in Algeria. Students could research other reports of the bombings and the murder, in France and Algeria, of people viewed as being opposed to a fundamentalist regime (if your school has access to the Internet, there will be a wealth of information to be found on this topic, as with all research tasks). Encourage students also to consider what effect these events might have on Algerian communities in France.

1 Answers
 a 7 morts, 24 blessés; **b** aucune revendication; **c** un appel à tous les musulmans à faciliter l'enquête; **d** un million de francs; **e** elle a vu un homme de type nord-africain/il a fait un bras d'honneur/il s'est enfui; **f** il a entendu une phrase terrible/les deux hommes parlaient en arabe/ils portaient un grand sac

2 Guide students towards the kind of language used to indicate the uncertain nature of the witness reports; for example, the use of *parfois* with contrasting adjectives such as *loufoques/sérieux*, the use of the conditional, etc.

Transcript Page 182– Activities 1, 2
– Le dernier bilan de l'attentat de la gare RER St-Michel à Paris est de sept morts, 24 personnes blessées qui restent hospitalisées mais qui ne seraient plus en danger. Toujours pas de revendication. Les Serbes, leur chef de file Radavin Karadjc, rejettent les accusations portées contre eux. La coordination nationale des musulmans de France appellent tous les musulmans à faciliter l'enquête.
Et cette enquête passe par l'examen des débris du wagon. Le juge Ricard l'a d'ailleurs inspecté hier pour la première fois. Les policiers espèrent que l'appel à témoins avec prime d'un million de francs va porter ses fruits. Ils ont reçu, hier, au téléphone, de très nombreux témoignages, parfois loufoques mais parfois plus sérieux. Edouard Acosta, vous pouvez faire état ce matin du témoignage d'un passager du RER?
– Oui, il y a tout d'abord ce premier témoignage très précis. Celui d'une femme sur le quai du Châtelet. Elle déclare avoir remarqué un homme de type nord-africain. Il a fait un bras d'honneur vers les voitures du RER B avant de s'enfuir en courant dans les couloirs du métro. Ensuite, il y a également ce récit, également très précis, d'un policier auxiliaire. Il aurait fait une partie du trajet avec deux hommes assis en face de lui. Ils parlaient en arabe et transportaient un grand sac ainsi qu'un paquet plus petit enveloppé dans de la toile de jute. C'est ce paquet, ce colis, qu'ils auraient laissés sous un siège. Le policier auxiliaire n'a pas attiré leur attention car

il était en civil puisqu'il venait de terminer son service. En descendant à la station Châtelet, l'un des hommes aurait dit en français cette phrase terrible: "Ça va être la fête à St-Michel ce soir".
– Ces deux témoignages sont à prendre encore avec prudence. Ils permettraient d'avoir un ou plusieurs signalements mais à la direction de la police judiciaire, quai des Orfèvres, eh bien, on ne veut pas parler pour l'instant de véritable portrait-robot.

Zoom sur le conditionnel (2)

Grammar

■ The use of the conditional to indicate uncertainty

More information can be found in *Grammaire* 19 (SB page 221).

3 Answers

b serait; **c** aurait explosé; **d** se seraient cachés

● Preparation

Before students do the activities based on the reading text on page 183 (activities 4–6), it might helpful to write the draft outline of an (imaginary) terrorist attack on the board/OHP and students then have to report the barest details.

4 Answers

b 50–69 **c** 70–81 **d** 82–90 **e** 90–111 **f** 111–137 **g** 137–end

● Preparation

A class discussion might be useful in preparation for activity 6, where students may need some help in identifying the relevant information. They could suggest why they think Paris has been targeted, and consider the economic consequences on tourism, trade, etc. Any research which students have carried out on the Algerian problem can be used effectively here.

7 The interpreting task allows students to practise the vocabulary and structures met in the unit. Some students will be able to do the activity from listening to the cassette only; alternatively, give students a copy of the transcript and, working in groups of three, they can take turns to play each of the roles (the policeman, the boy and the interpreter) and do some "live" consecutive interpreting.

Transcript Page 182 – Activity 7

– Alors, où étiez-vous?
– *I was standing next to the newspaper kiosk at the metro station.*
– Et qu'est-ce que vous avez vu?
– *There was a man sitting on the bench by the entrance. He was looking in a bag, and I saw him put something on the ground by his feet.*
– Il était comment, cet objet?
– *I couldn't see, it was behind him. He stood up and walked away. I thought it was litter, old papers or something.*
– Qu'est-ce qu'il a fait ensuite?
– *He shouted something. I couldn't understand what he said. He ran away after that.*

– Et après?
– *I bought a magazine and walked out of the metro station. I had gone about a hundred metres, when I heard an explosion and turned round. There were people running and shouting, and I saw two people lying on the ground in the entrance.*
– Pouvez-vous décrire le suspect?
– *He was quite tall. He was white and had a beard. He might have been about 25.*
– Vous rappelez-vous ce qu'il portait?
– *He was wearing a bomber jacket and jeans.*
– Pourriez-vous l'identifier si on vous montrait des photos?
– *I might. I'm not too sure.*
– Merci beaucoup.

● Feuille 40

This could be done at this stage; it is also a suitable **homework** task.

● Background information

The French text is an edited version of an article from *La Libération* which reported an incident in the early eighties when a French secret service agent was accused of "testing" British security measures by planting a bomb in the grounds of the French embassy. The piece in English is a spoof tabloid account of the same incident, to show students how two reports of the same incident can vary dramatically depending on the writer's point of view (this theme will be taken up again on SB page 187).

1–3 Students will need to read through the texts several times to get a feel for what they are about. As always with this type of activity, encourage them to recycle language from the original text and not to translate word for word.

PAGE 184
Le terrorisme en Corse

Objectives

■ To find out about a group of Corsican women who are demonstrating against the violence in their country
■ To write a letter of persuasion

● Background information

The situation in Corsica is becoming more and more complicated, with the rise of new groups and the fracturing of others. The main terrorist groups are the FLNC-Canal historique, FLNC-Canal habituel and Resistenza. The FLNC originated in the seventies, but since then has become more violent and has split into two main groups; another recent group introduced in the video extract (see below) calls itself simply 'FLNC'. In the seventies, one of the major targets of the nationalists were the *pieds-noirs*, who had settled on the island when Algeria gained its independence from France. They introduced more efficient vine growing methods and so vineyards and wine cellars were seen as legitimate targets. Holiday homes and parks were also targeted as being examples of colonisation and occupation from the mainland. Banks, *préfectures* and other public places, as well as individuals, are now considered legitimate targets.

1 The noting of useful expressions and vocabulary would be a good **homework** activity, in preparation for the role play. It might be worth revising how to form questions from the notes and brainstorm on question types before students prepare their own questions.

● **Extension activities**
🖥 – If resources allow, the interview could be videoed.
  – Students could produce leaflets giving information about the group, including *témoignages* from members of the group. These could be designed on a DTP program, if available.

2 The letter-writing task could be preceded by a discussion on the philosophy of the women's peace group. Ask students if they know of other peace movements initiated by women.

PAGE 185

📹 Corsica Viva: "le visage humain" du nationalisme?

Objective
■ To find out about a recently formed Corsican national group

● **Background information**
Corsica Viva is a new nationalist organisation whose stated aim is to achieve independence through peaceful means, yet it has some links with one of the underground organisations.

2 Answers
(Example) **a** leurs attentats sont devenus de plus en plus violents; **b** ce sont tous des mouvements clandestins; **c** cela lui donne une mauvaise image aux yeux du public; **d** les larmes (provoquées par la violence); **e** ils ont une méthode pluraliste, démocratique et humaniste; **f** un visage humain

3 Using information contained in the text *Dernier-né, il y a trois mois …* and the video extract, students discuss why a supposedly peaceful organisation feels the need to be linked to an underground group.

Zoom sur l'infinitif

Grammar
■ The use of the infinitive

Refer students also to *Grammaire* 25 and the verb tables (SB pages 224–228) before doing activities 4 and 5.

Video transcript Page 185 – Corsica Viva: "le visage humain" du nationalisme?

– Nous sommes malheureusement habitués à voir dans nos journaux et sur nos écrans des reportages d'attentats terroristes. En Corse, par exemple, plus de 500 attentats ont été commis en 1993. Depuis quelques années on parle des "dérives meurtrières" du nationalisme corse. Les actes de violence empêchent un débat ouvert de la situation. En 1996, un nouveau parti nationaliste s'est créé … Corsica Viva veut renouer avec les "vraies valeurs" nationalistes, il se veut démocratique, différent des autres partis … Voici le reportage présenté en juin 1996 par les journalistes de la chaîne France 2.

– Corsica Viva, c'est le nom d'un nouveau parti nationaliste en Corse. Ses membres ont décidé de renouer avec les vraies valeurs nationalistes – une tentative de reconquête après les dérives meurtrières de ces trois dernières années. Reportage sur place de Valérie Hermitte et Frédéric Basquette.

– Il y avait déjà la Conculta Naziunalista et sa branche armée, le FLNC-Canal historique. Il y avait aussi le MPA, mené par Alain Orsoni et sa traduction militaire, le FLNC-Canal habituel. Il y avait encore l'ANC, mené par Pierre Pudjoli, proche de Rezistanza. Il y avait enfin la toute nouvelle création d'un quatrième mouvement clandestin
– Nous sommes la FLNC …
– Un mouvement clandestin qui se veut indépendant et dont les idées ne sont pas très éloignées du dernier-né des partis nationalistes corses, Corsica Viva. Certains sont des militants de la première heure, beaucoup son issus du MPA qu'ils ont quitté il y a deux mois: 1976–1996 – 20 ans plus tard, où le constat de la division est surtout des dérives nationalistes
– Depuis quelques années le nationalisme véritablement souffre d'un certain déficit d'image. Nous, on ne veut pas y participer parce qu'on considère que le nationalisme c'est pas le drame, c'est pas l'exclusion, ça peut être tout simplement une alternative.
– Qu'est-ce que vous ne voulez plus voir … relié à l'image de nationalisme?
– Des larmes.
– Leurs revendications n'ont rien de nouveau, leur différence ils la voudraient dans leurs méthodes, pluralistes, démocratiques et humanistes. La dernière tentative pensent-ils pour que le nationalisme en Corse retrouve peut-être un visage humain. Un vœu ou un pari? En tout cas peut-être un quatrième futur interlocuteur nationaliste pour l'état français.

PAGE 186

Le terrorisme au Pays basque

Objectives
■ To find out some background information on the ETA movement
■ To practise negotiating and persuading

● **Background infomation**
The *Pays basque* has been the target of ETA attacks since the seventies. The region straddles France's border with Spain and has always been fiercely independent, a function partly of its language which is unlike the European languages which surround it. In the past, groups have carried out attacks in one country and then sought refuge in the other; the Basque separatists feel that they have been and continue to be exploited by both the French and Spanish governments.

The text gives a good insight into why Philippe Bidart acted as he did for Basque nationalism. Draw students' attention to how he has been very much influenced by the cultural heritage of the region.

1 Answers
(Example) **a** un groupe de terroristes/séparatistes basques; **b** elle était composée de jeunes, d'instituteurs et de curés; **c** qu'ils ont protégé ou abrité Bidart; **d** c'est le village de sa famille/la vallée est très isolée et difficile à accéder

● **Follow up activity**
Students could design a *Recherche …* poster for Bidart, recycling vocabulary from the text listing why the police are looking for him. Posters could be designed on DTP, if available.

3 Refer students to the *Expressions-clés* and make sure that they have prepared their roles well before embarking on this discussion activity.

PAGE 187
Un texte pour quel public?

Objectives
■ To explore how different mediums report the same incident in different ways
■ To practise summarizing an article
■ To practise rewriting from a different point of view

● **Preparation**
A short discussion on how newspapers report things in different ways according to their readership could precede the activities. Explain to students that the regional press in France plays a greater role than its UK counterpart: on the whole, French people are more inclined to read their regional paper than the national papers. For more information, *La presse française* video in the Leeds University videotexts series provides a very good overview.

1 Answers
(Example) **a** hier; **b** trois blessés (dont un grave); **c** le patronat basque; **d** un attentat à un arrêt d'autobus/un magistrat blessé **e** sous une voiture; **f** pour faire pression sur les chefs d'entreprise/obtenir des rançons; **g** le patronat espagnol, le Parti nationaliste basque

2, 3 Impress upon students that they only have time to include the essential facts of the incident for both the radio and the newspaper report.

● **Extension activity**
Students write two versions of the same event: one for a regional and the other for a national paper. Discuss with the group in advance of the activity (which could then be done as **homework**) differences between how a national and a regional paper might report an incident. If possible, show some recent examples from the French press.

● **Feuille 41**

Students can recycle the vocabulary, structures and ideas covered so far in the unit in this role play reconstruction of an imaginary bombing incident (you could write key words and phrases on the board/OHP). In groups of four, students prepare their roles within a given period of time and then act them out.

PAGE 188
Comment ça marche, le terrorisme?

Objective
■ To explore wider issues relating to terrorism

1 Answers
a elle se perd dans la nuit des temps; **b** une composante; **c** les cibles privilégiés; **d** peu importe; **e** faire pression; **f** marchandages; **g** viser; **h** mesures de prévention; **i** un abandon

2 Answers
(Example) **a** on s'en est servi beaucoup de fois dans le passé; **b** ils sont les symboles d'une société et d'une politique; **c** parce qu'il y avait une concentration inhabituelle des médias; **d** aujourd'hui un groupe cherche à faire parler de soi, alors qu'autrefois il s'agissait d'éliminer un homme jugé responsable; **e** la sensibilité de l'opinion publique exige que le gouvernement commence à marchander avec les terroristes; **f** on dissuade les voyageurs de se rendre dans un pays et de voyager sur une certaine compagnie aérienne; **g** semer une telle ambiance de peur, de façon qu'un Etat adopte des mesures policières qui limitent les libertés individuelles

3 Give students a limited time period within which to prepare their summaries.

● **Follow up activity**
If possible try to find other texts which are relevant to the students' interests and other studies; their task could be to summarize the chosen text for a group of non-specialists.

PAGE 189
Engagez-vous!

Objectives
■ To revise talking about emotions
■ To practise playing down the drama of a situation

1 Students can use the vocabulary given as required, but encourage them to use as wide a range of expression as is necessary to express their individual reactions to the photos.

● **Extension activity**

Ask students to bring in newspaper/magazine photos of events that they found particularly shocking and explain why to the group. They could then type/write up their reactions and combine them with the photos in the form of a display. If appropriate, some students could also make up protest banners and drape these around the language room.

2 Students could also poll other Sixth Form students to find out what their reactions would be and produce the results in graphic form on computer.

● **Extension activity**

3 Students could add their own scenarios to the list and ask other members of the group for their reactions.

4 Encourage students to use the *Expressions-clés*. The task can also be expanded to include other potentially controversial issues, depending on students' own interests.

● **Feuille 42**

This repromaster is based on a Greenpeace leaflet and could be used at this point.

Answers

1 1C, 2C, 3C, 4A/B, 5C, 6A/B, 7B/C

2 **a** faire la une des médias; **b** inverser le processus; **c** avancer des propositions concrètes; **d** l'enjeu est planétaire; **e** l'amincissement de la couche d'ozone; **f** un mode de production dévastateur; **g** sortir du nucléaire

PAGE 190

Interlude: *Les Centurions*

● **Background information**

This extract is taken from *Les Centurions* by J. Lartéguy. The author is a former French paratrooper who served in Vietnam during the fifties and also in the Algerian civil war. In this book he traces the story of a group of soldiers from the French defeat at Diên Biên Phu in Vietnam to their involvement in Algeria. His work reflects the view of the soldier who at times feels betrayed by the government.

PAGE 191

Résistant ou terroriste?

Objective

■ To explore different terminology and perspectives relating to terrorism

1 **Answers**

(Example) **a** les Allemands ont investi la ville et ont déporté des centaines d'habitants; **b** elle était résistante; **c** elle a été décoré de la médaille de la Résistance, mais pendant l'occupation allemande elle était considérée comme une "sale terroriste"

2 Encourage students to think about differences in perceived physical appearance, public image, philosophy, types of training, targets, etc.

3 Students should be able to justify their choices. Can students think of examples in the modern world where circumstances have transformed a terrorist group into "freedom fighters", for example? What have the consequences been? Are there also examples where some regions have actually regressed since the former terrorists/freedom fighters came to power?

4 Encourage students to think of examples relating to their other studies; for example, students of German could research and report back on the PKK and their activities.

● **Follow up activity**

Using DTP if available, students could prepare a pamphlet in support of a struggle which they feel is just.

5 Remind students that in order to satisfy exam requirements they must cite examples from the French-speaking world.

PAGE I92

A vos marques, prêts ... Examen! (1)

Objective

■ To learn useful exam techniques

This last section concentrates on the reading and writing components of exam revision (speaking and listening are covered on SB page 202). Remind students also that exam questions are designed so that answers cannot simply be lifted from the text, so they must make sure that they fully understand the overall meaning, and learn how to select the appropriate context when looking up vocabulary in a dictionary.

● **Feuilles 50–52**

These prose translations can be completed at any point during work on units 13–15.

Unité 15 La décolonisation

Unit objectives

Topic
- Decolonization – the historical context and France's links with her former empire

Language
- Arguing a case (p201)

Grammar
- The present subjunctive (3) (p197)
- Other tenses of the subjunctive (p197)

Pronunciation
- Expressive intonation (2) (p201)

Skills
- Exam preparation (2) (p202)

Video
- News report featuring Saint-Pierre-et-Miquelon (p203)

Feuilles à photocopier
- Feuille 43 (after p197)
- Feuille 44 (with p201)
- Feuille 45 (with p201)
- Feuille 50–52 (English–French translation)

PAGE 193

La décolonisation

Objective
- To introduce language relating to the theme of the unit

● Preparation
Before students do activity 1, ask them to say what words spring to mind when they see the photo (dating from 1934). Brainstorm some useful vocabulary.

2 Students are likely to come across these words and expressions in material on French colonial history. Ask them to continue the list as they progress through the unit, perhaps on a database, and remind them to refer to it when they write an essay or debate an issue later in the unit.

You could give dictionary definitions such as the following examples, and ask them to find the matching term on the page:

- *Personnes originaires d'un pays d'outre-mer, avant la décolonisation. [les indigènes]*
- *Dépendance d'un pays ou d'une personne soumis à un pouvoir/une domination. [la sujétion]*
- *Doctrine qui vise à légitimer l'occupation d'un territoire ou d'un état, sa domination politique et son exploitation économique par un état étranger. [le colonialisme]*

PAGE 194

L'héritage colonial de la France

Objective
- To put across some basic facts about France's colonial history in a light-hearted way

Answers
1b; **2**b; **3**a; **4**b; **5**c; **6**a TOM, b Collectivités, c DOM; **7**c; **8**b

● Background information
1 *J. Cartier prend possession du Canada en 1534, Champlain s'installe au Québec en 1608. Saint-Louis du Sénégal est fondé en 1659. La Cochinchine est conquise en 1867.*
2 *Les Portugais arrrivent en Afrique les premiers avec Bartolomeu Dias (1488) et Vasco de Gama (1497).*
3 *La France a eu des territoires en Inde, appelés Etablissements français dans l'Inde, de 1668 à 1956. La capitale était Pondichéry.*
4 *En 1930, "l'Empire français" recouvre un territoire de plus de 12 millions de kilomètres carrés, et peuplé de plus de 64 millions de personnes. En 1962, la France a perdu presque toutes ses anciennes colonies.*
5 *Les pays africains ont accédé à leur indépendance entre 1955–66. La France a perdu l'Indochine en 1949/50. Mais c'est l'indépendance de l'Algérie en 1962 qui marque la fin de l'histoire coloniale française.*
6 *Les DOM, TOM et collectivités territoriales jouissent de statuts différents et ont plus ou moins d'autonomie vis-à-vis de la métropole.*
7 *Malte: Napoléon Bonaparte occupe l'île en 1798. Elle devient rapidement britannique. Iles Falklands: en français, les îles Malouines. La France a eu des droits sur les îles Malouines, qu'elle céda à l'Espagne en 1767. Chypre n'a jamais été française. Le Liban est placé sous mandat français de 1920 à 1943, quand il devient indépendant. Il reste un état francophone.*
8 *Il est difficile de donner le chiffre exact des francophones. Il y a officiellement 49 états et gouvernements faisant partie de la francophonie (source: La Lettre de la Francophonie, ACCT).*

The photos are worth examining since they bring vividly to life issues relating to French education methods, attitudes of local people and of colonialists, etc. Ask students to guess where they were taken.
They show:
- *une école française au Tonkin, Viêt-nam du Nord*
- *élections cantonales en Algérie, mai 1960*
- *une école primaire dans la brousse, Afrique occidentale francaise, 1906.*

PAGE 195

L'Empire français en 1931

Objective

■ To provide a map reference for the entire unit

Countries are identified on the map with their name as of 1931; those which have adopted different names since gaining independence are shown in the key.

● **Extension activity**

In pairs or groups, students could research the French presence in a specific country or continent and prepare a presentation. This would allow the class to get a broader picture of French colonization. Suggest they include some historical facts and dates, and explain the present status of that country and its relationship to France.

PAGES 196–197

La décolonisation: libération ou marché de dupes?

Objective

■ To explore the legacy of decolonization

1 This activity is based on an initial gist reading of the text and gives students a chance to check vocabulary they don't know. It could be done as **homework** preparation.
Answers 1f, 2c, 3d, 4a, 5b, 6e

2 Ask students to remind themselves of how they should go about summarizing and translating a text (both practised in unit 9 and elsewhere) before they do this task.

3 This activity serves several purposes:

– revisiting the text, as the script is based on it, and making sure that it has been completely understood

– practising interpreting skills

– introducing some subjunctives before students work on the *Zoom.*

Transcript Page 197– Activity 3

– *Did France have a lot of colonies like Great Britain did?*
– Euh ... ben oui, dans les années 30, on parlait même de l'Empire français. Mais après la guerre 39–45, il ne reste plus que quelques territoires.
– *What happened then?*
– Oh, plusieurs choses: dans chaque pays colonisé, la France a formé une élite afin qu'elle gouverne le pays sur le modèle français.
– *That sounds like an astute strategy if you want total control ...*
– Mais c'est cette élite qui a décidé d'obtenir l'indépendance.
– *Oh I see, so their strategy turned back on themselves then?*
– Oui et non, parce que finalement, bien que cette élite ait rejeté les Français, elle a quand même continué à gouverner comme les Français.
– *What do you mean?*
– Eh bien, elle a gardé pour elle les privilèges des colons, elle a continué à utiliser le français et un système de gouvernement à la française, complètement inadapté à la société du pays.

– *And this happened everywhere?*
– Dans la plupart des pays africains, oui, à moins qu'ils ne se soient libérés du colonialisme par une guerre, comme l'Algérie.
– *Well, at least once the French were out, these African countries could do what they wanted then, couldn't they? They were independent. But then, they all seemed to head for violent trouble.*
– C'est parce qu'ils n'étaient pas vraiment indépendants et que beaucoup des problèmes auxquels ils ont eu à faire face étaient dus à la présence des Français, même après leur départ.
– *How's that then?*
– Les frontières de beaucoup de pays africains sont artificielles et cela crée des conflits ethniques.
– *Oh I see, because the colonial powers drew them irrespective of more natural boundaries, like tribal territories and all that?*
– Oui, c'est ça. Et en plus, la France a ruiné l'économie intérieure des pays en attendant d'eux qu'ils ne fassent du commerce qu'avec elle.
– *How did that damage their economy?*
– Eh bien, par exemple, la France leur interdisait de produire autre chose que des matières premières, donc ils n'ont pas développé d'industries.
– *Yes ... which meant they couldn't be self-sufficient after independence and had to rely on France to provide for them, right?*
– Exactement. Ils sont restés complètement dépendants économiquement des pays occidentaux, avec les dangers que cela comporte.
– *For instance?*
– Par exemple, l'agriculture industrielle est souvent entre les mains de firmes étrangères. A moins que ces firmes ne fassent circuler les profits dans le pays lui-même, les Africains n'en profitent pas.
– *So in the end, these independent countries are still under the influence of their ex-colonials, one way or the other.*
– Oui, et beaucoup de gens parlent même de néo-colonialisme.
– *Incredible! Well, thanks for explaining all that to me, and thanks to* <u>you</u> *for translating it all for me.*

4 As always, this type of task is more easily
 drafted/redrafted on a word processor. If students are word processing their work, remind them also of the word count facility.

● **Extension activity**

If students are interested in the topic, they could do further work; for example, a comparative study of French and British colonies and decolonization, looking at the kind of links that exist between France and its ex-colonies and Britain and its territories, the Commonwealth, etc.

Zoom sur le subjonctif (3)

Grammar

■ The formation and use of the subjunctive

This *Zoom* provides an opportunity to pull together and consolidate all the knowledge students will have gained during the course about how to form the present subjunctive, and how/when to use the perfect, imperfect and pluperfect subjunctives.

Answers

A gouverne; **B** ait; **C** soient; **D** fassent (note that **B** and **C** use the perfect subjunctive)

Useful examples of present, perfect and imperfect subjunctives also appear in the *Interlude* text on page 204: *veux-tu qu'ils <u>comprennent</u>, jusqu'à ce que l'adversaire … <u>déclarât</u>, il n'est pas certain que ce <u>soient</u> les Blancs qui <u>aient inventé</u>, sans que la maladresse … y <u>ajoutât</u>.*

Examples (with reason for subjunctive/indicative):

Je sais qu'il vient ce soir = **a**.

Je veux qu'il vienne ce soir = **c**.

Je doute qu'il vienne ce soir = **c**.

Je pense qu'il sort = **a**.

Pensez-vous qu'il sorte? = **d**.

Je ne pense pas qu'il sorte = **d**.

Je connais quelqu'un qui peut m'aider = **a**.

Je cherche quelqu'un qui puisse m'aider = **c**.

Connais-tu quelqu'un qui puisse m'aider? = **d**.

Je ne connais personne qui puisse m'aider = **d**.

Lui seul peut t'aider = **a**.

C'est le seul qui puisse t'aider = **e**.

Ils sont peut-être à Paris = **a**.

Il est possible qu'ils soient à Paris = **f**.

Il travaille alors qu'il est malade = **b**.

Il travaille bien qu'il soit malade = **g**.

Il viendra si elle est là = **b**.

Il viendra pourvu qu'elle soit là = **g**.

Je reste tant qu'il ne vient pas = **b**.

Je reste jusqu'à ce qu'il vienne = **g**.

● **Feuille 43**

This provides practice activities on the subjunctive.

Answers

1 **1** *a* devienne, *b* a; **2** *a* sois, *b* sont; **3** *a* sait, *b* puisse; **4** *a* soyez, *b* sommes; **5** *a* faut, *b* soit; **6** *a* est allé, *b* veuille

2 **a** puisse; **b** connaisse; **c** est; **d** a; **e** prenne; **f** fasse; **g** sache; **h** veuillent

4 **a** *1* qu'on se souvienne; *2* que nous finissions; *3* que vous alliez; *4* qu'ils comprennent; *5* que vous fassiez; *6* que je vienne; *7* qu'il veuille; *8* que tu puisses; *9* que tu aies; *10* qu'elle sache

   b *1* ayons fini *2* finissions *3* vienne; *4* sois venue; *5* aient compris

PAGES 198–199

La francophonie

Objectives

■ To explore the concept of *francophonie* and discuss its various aspects

Note: *Planète Jeunes* is a magazine published by Bayard Presse (like *Phosphore, Okapi*, etc.) and read by subscribers all over the French-speaking world.

1 After establishing what this spread is about and perhaps starting to draw a comparison with the Commonwealth, divide the class into three (or six) groups, each group taking on two (or one) of the texts on the double-page spread. They read through the texts and prepare a *fiche de vocabulaire* (French–French); they exchange the *fiches* with other groups until all students are familiar with the content of all the texts.

🖥 If your students have set up a vocabulary database, this is an ideal opportunity to input further items.

2 Note that there are examples of subjunctives here for students to study.

Answers

b nier – Hamidou Diallo; **c** on ne peut – L. Sédar Senghor; **d** indéniable – Thomas Ndélo; **e** il n'est pas normal – Babatoundé Afouda; **f** ne fassent plus – *L'Humanité nouvelle*

● **Extension activity**

Ask students to summarize one or more texts in their own words, as **homework**; they then read them out to the class, who try to say which text it refers to. Some students could make up sentences with options as in activity 2.

3 This activity doesn't engage students in a full-blown debate as such (although you could easily turn it into a debate) but gets them to build up a case for and against, by finding arguments and ordering them in an effective manner. The oral presentation is suitable for assessment.

● **Extension activity**

During the presentations for activity 3b, ask students to take notes. As **homework**, they write a *compte rendu* summarizing all that has been said for and against the concept of *francophonie*.

PAGES 200–201

Le dilemme polynésien

Objectives

■ To explore the difference between a *DOM* and a *TOM*

■ To learn how to put forward an articulate argument

● **Preparation**

Students should read and prepare the texts as **homework**, before doing the listening activities in class. The photos show Mooréa in the *archipel de la Société*, and a demonstration for independence at Papeete in July 1995.

1 It is interesting to consider, even at a superficial level, French people's knowledge of and interest in issues concerning the DOM-TOM. (You might wish to draw a comparison with British people's knowledge of the

situation in Northern Ireland, a topic likely to arise at some point when they meet French and German students.)

Students use their notes to write out a fuller version of the summary on the page.

Transcript Page 197 – Activity 1

1 – Bonjour.
  – Bonjour.
  – Est-ce que je peux vous poser quelques questions?
  – Allez-y, je vous écoute.
  – Voilà, savez-vous ce que sont les DOM et les TOM?
  – Oui, ce sont les départements d'outre-mer et les territoires d'outre-mer.
  – Et la Polynésie, à votre avis, c'est un DOM ou c'est un TOM?
  – J'avoue ma grande ignorance.
  – Etes-vous allée en Polynésie?
  – Non, jamais.
  – Et connaissez-vous des gens qui y sont allés?
  – Non, mais je peux vous dire que je suis allée en Martinique.
  – Et certaines personnes pensent que la Polynésie devrait être indépendante, qu'en pensez-vous?
  – Il faut voir ... je, je ne connais pas bien pas la situation là-bas, je crois qu'il faut voir s'il y a des mouvements d'indépendance sérieux et si la Polynésie peut vivre toute seule.
  – Je vous remercie.

2 – Les DOM-TOM, savez-vous ce que c'est?
  – Oui, départements d'outre-mer et territoires d'outre-mer, ma mère est réunionnaise, donc ...
  – Et la Polynésie, à votre avis, c'est un DOM ou c'est un TOM?
  – Euh, je dirais que c'est un TOM mais sans conviction aucune. Je sais que la Réunion est un DOM, mais ...
  – Et êtes-vous déjà allée en Polynésie, vous-même?
  – Non, du tout.
  – Et connaissez-vous des gens qui y sont allés?
  – Non, non.
  – Et certaines personnes pensent que la Polynésie devrait être indépendante, qu'en pensez-vous?
  – Ecoutez, je ne sais pas, je crois que le problème de ces îles au sujet de leur indépendance dépendrait des ressources économiques qu'ils ont sur l'île. Je pense que l'indépendance se comprend en soi, c'est normal qu'un peuple veuille être libre, veuille prendre son destin en main, mais je pense que ça peut être un énorme problème s'ils n'ont pas les ressources économiques et industrielles qui permettent de le faire. Je pense notamment à Madagascar qui a malheureusement subi ce, ce problème-là. Les gens là-bas sont dans une extrême pauvreté qui mène également à une extrême violence puisque malheureusement les deux vont souvent de pair et je ne suis pas sûre que l'indépendance soit toujours la solution au problème.
  – Merci.

3 – Bonjour.
  – Bonjour.
  – Les DOM-TOM, savez-vous ce que c'est?
  – Oui.
  – Mais encore?
  – Alors ce sont les départements d'outre-mer et les territoires d'outre-mer.
  – Oui. Et à votre avis, c'est un DOM ou c'est un TOM?
  – C'est un territoire d'outre-mer.
  – Hum. Et vous êtes allé en Polynésie, vous-même?

  – Non.
  – Et vous ne connaissez pas de gens qui y sont allés?
  – Non.
  – Et certaines personnes pensent que la Polynésie devrait être indépendante, qu'en pensez-vous?
  – Euh ... eh bien, euh ... pour ma part, euh ... j'ai pas d'opinion sur l'indépendance ... de la Polynésie, ça a été beaucoup mis en valeur il y a quelque temps suite au problème nucléaire. Euh ... au même titre que la Corse, j'ai pas vraiment d'opinion sur l'indépendance de la Polynésie ou pas.

4 – Bonjour.
  – Bonjour.
  – Les DOM-TOM, savez-vous ce que c'est?
  – Départements d'outre-mer et territoires d'outre-mer, oui, oui.
  – En connaissez-vous?
  – La Guyane, euh, la Réunion, St-Domingue peut-être, Wallis et Futuna, il fut un temps, je sais plus, puis ça doit être à peu près tout ce que je sais sur les DOM-TOM.
  – Et la Polynésie, est-ce que c'est un DOM ou est-ce que c'est un TOM?
  – Un TOM?
  – Etes-vous allé en Polynésie?
  – Non, jamais.
  – Et connaissez-vous quelqu'un qui y est allé?
  – Euh, j'avais un oncle qui y est allé, oui, mais comme il était militaire c'était pas la meilleure condition pour y aller, quoi, oui.
  – Et certaines personnes pensent que la Polynésie devrait être indépendante, qu'en pensez-vous?
  – Ben, il faut pas qu'on fasse les mêmes erreurs qu'avant c'est-à-dire que si on, si on laisse la Polynésie libre, faut qu'on leur laisse les moyens de se développer, il faut pas, faut pas enlever toutes les infrastructures qu'on a déjà placées avant, sinon ça va y faire comme en Algérie, y'aura les mêmes problèmes, voilà, je pense que c'est tout ce que j'ai à répondre là-dessus.
  – Merci.

5 – Bonjour.
  – Bonjour.
  – Les DOM-TOM, est-ce que vous connaissez?
  – Oui.
  – Qu'est-ce que c'est?
  – Les domaines d'outre-mer et les territoires d'outre-mer.
  – Avez-vous quelques exemples?
  – Les Antilles ... Les Antilles, la Guadeloupe, la Martinique et tout ça ...
  – La Polynésie, à votre avis, c'est un DOM ou c'est un TOM?
  – A mon avis, c'est un TOM.
  – Vous êtes allé en Polynésie, vous-même?
  – Non, jamais.
  – Et vous connaissez quelqu'un qui y est allé?
  – Non. Personne.
  – Et certaines personnes pensent que la Polynésie devrait être indépendante, qu'en pensez-vous?
  – Personnellement, étant donné que je n'ai pas trop de vastes informations en ce qui concerne la Polynésie, je sais pas exactement, je sais pas, je ne peux rien vous dire, rien vous dire qui puisse concerner ce sujet.
  – Je vous remercie.

● **Feuille 44**

 This offers an extended interview with a French person about the independence issue and may be used to explore the issue in more depth before going on to the debate in activity 2.

Answers

1 b 1b, 2b, 3b, 4a, 5b

   c la Nouvelle-Zélande et l'Australie.

2 *1er paragaphe:* <u>Etant</u> anti-colonialiste, Denis Jean est en faveur de l'indépendance de la Polynésie …

   2ème paragraphe: Pendant longtemps … <u>ces essais étant maintenant terminés</u> … En outre, plusieurs pays tels que <u>la Nouvelle-Zélande</u> et l'Australie, demandent …

   3ème paragraphe: … Par exemple, la France sera obligée de contrôler la radioactivité sur <u>l'atoll de Mururoa</u> …

   5ème paragraphe: En ce qui concerne l'indépendance de la Nouvelle-Calédonie, Denis Jean estime que … <u>les Caldoches sont plus nombreux que les Canaques</u>.

3 Il dit que les Caldoches sont majoritaires.

Transcript Feuille 44 – Activity 1, 2

– Denis Jean, vous vous intéressez beaucoup aux DOM-TOM. Quelle est la relation entre la France et la Polynésie?

– Un peu d'histoire, je crois que la Polynésie c'est tout simplement un territoire qui a été conquis par la force ou l'astuce par la France au 19ème siècle, c'est donc qu'on est donc dans une situation coloniale. Voilà l'histoire, alors ensuite maintenant la situation commence à évoluer. Jusqu'à maintenant la France se servait de la Polynésie parce que tout simplement c'était un territoire extrêmement éloigné, qu'on avait besoin de faire des essais nucléaires très éloignés de la métropole puisque c'est extrêmement dangereux, donc pourquoi pas le faire dans cette Polynésie, c'est ce qui s'est passé. Maintenant, eh bien comme on le sait, les essais nucléaires, ça doit être terminé, d'après les accords internationaux. La France doit normalement au niveau militaire se retirer, tout au moins une grande partie de cette, de cette région, euh … voilà la situation aujourd'hui qui fait que normalement, on devrait rentrer dans une nouvelle période où les Polynésiens, qui sont un peuple, faut-il le rappeler, qui ont été colonisés, les Polynésiens peuvent peut-être accéder à l'indépendance par rapport à cette métropole française.

– D'accord, donc d'après vous, est-ce que la France devrait accorder l'indépendance à la Polynésie?

– Elle devrait évidemment pour moi, étant anti-colonialiste, c'est évident. Pour les dirigeants politiques en France, qu'ils soient de droite ou de gauche, de toute façon ils vont pas la donner demain ni après-demain. Il faudra qu'il se passe des choses qui font qu'ils seront obligés de le faire. C'est malheureusement comme cela que s'est toujours passé la décolonisation. Alors que se passe-t-il maintenant, je crois qu'il y a au niveau de ce peuple polynésien une prise de conscience du fait qu'ils veulent de plus en plus leur Indépendance, ça c'est un fait nouveau, y'a autour de cette, cette région d'autres pays qui demandent à ce que la France parte de cette Polynésie, en particulier, je pense à l'Australie, je pense à la Nouvelle-Zélande, et cetera, donc là y'a des chances euh … disons pour … qui feront normalement … faire en sorte que la France sera obligée un jour de dire oui, on vous accorde l'indépendance.

– Et comment cette indépendance peut-elle être atteinte, est-ce que c'est quelque chose qui devrait se faire progressivement?

– Ça ne pourra se faire que progressivement, d'ailleurs les peuples polynésiens ou mélanésiens au niveau de la Nouvelle-Calédonie, le disent eux-mêmes. Vous avez été là pendant deux siècles, vous pouvez pas partir comme ça du jour au lendemain. Y'a tout de même des choses de toute façon au niveau, par exemple pour l'atoll de Mururoa, y'a tout de même des choses à surveiller pendant des siècles et

des siècles, des millions d'années, où les Français qui ont été responsables de ces, de ces essais seront obligés de toute façon au regard du monde de contrôler un petit peu la radioactivité sur ces atolls, ça me paraît évident. Donc, de toute façon, il y aura toujours des liens entre la France et la Polynésie, entre la France et la Nouvelle-Calédonie. Les peuples qui sont là-bas veulent leur indépendance, mais ils ne veulent pas chasser les Français, d'ailleurs la plupart du temps il faut bien comprendre que ces peuples ont toujours été accueillants et le sont toujours. Quand vous arrivez en Polynésie, vous êtes extrêmement bien reçu. Quand vous arrivez en Nouvelle-Calédonie, on vous offre des coul … des couronnes de fleurs, on vous offre des fruits, on vous offre des légumes, on vous offre le gîte, y'a aucun problème.

– Quelle est la différence entre la situation en Polynésie et celle en Nouvelle-Calédonie?

– Il y a une différence énorme, c'est-à-dire qu'en Polynésie, on est là-bas surtout pour des raisons militaires comme je l'ai dit tout à l'heure au niveau du nucléaire militaire, qui ne va plus exister, euh …, il y a effectivement des colons en Polynésie, mais ces colons sont liés à l'administration française directement et en particulier à l'armée. Tandis qu'en Nouvelle-Calédonie, on a une autre situation, il y a eu une colonie de peuplement, c'est-à-dire, euh … des Français, il y a deux siècles qui se sont installés en Nouvelle-Calédonie ou qu'on a installé de force puisqu'il y avait un bagne regroupant des milliers de gens qui étaient condamnés à … aux travaux forcés à perpétuité, qui se sont retrouvés en Nouvelle-Calédonie et qui finalement y sont restés là-bas et au bout d'un certain temps ils sont devenus majoritaires par rapport au peuple Canaque, peuple d'origine de Nouvelle-Calédonie. Alors ces gens d'origine française s'appellent les Caldoches et les Caldoches sont majoritaires par rapport aux Canaques, ce qui fait que l'indépendance de toute façon de la Nouvelle-Calédonie est à priori beaucoup plus compliquée puisque de toute façon les Caldoches resteront pour la plupart d'entre eux dans ce pays.

– Merci beaucoup.

2 The *Expressions-clés* give useful phrases to help students organize a discussion or an essay. Ask them to go through the list first and note those they are familiar with and those they don't yet know. They compare their list with a partner's and discuss.

Students should be able to come up with other phrases taken from texts in this unit or previous ones.

Ça se dit comme ça!

Objective

■ To practise expressive intonation

● Preparation

This level of understanding about intonation patterns is advanced and you will need to judge whether it is appropriate for your students.

Make sure students are familiar with the six categories in the *expressions-clés* before starting. They listen to the recording for activity 3 and work out what each sentence is exemplifying, i.e. they match the six sentences to the six categories.

In activity 4, they hear the same six sentences again, this time in the order of the six categories, and accompanied by an explanation of the key features of each one.

● **Feuille 45**

This presents the six sentences with typographic features to act as a visual aid: arrows to show rising and falling intonation, bold type for stressed syllables, and expanded type for drawn out pronunciation. Students may find it helpful to look at this as they listen and then to use it as a guide to imitate what they hear.

3 Answers

 A4, B2, C6, D1, E3, F5

Transcript Page 201 –
Ça se dit comme ça! Activity 3

A – Est-il vraiment possible qu'un territoire aussi petit puisse vivre sans l'aide d'une grande puissance?

B – Nous pouvons, pour illustrer notre point de vue, citer les chiffres très élevés du chômage des jeunes en Polynésie.

C – Il est clair que la seule et unique solution au problème passe par une réforme des statuts.

D – D'une part, nous allons considérer les faiblesses de la Polynésie, d'autre part ses points forts, et en dernier lieu nous nous demanderons si l'indépendance est la solution idéale.

E – Nous admettons qu'il y a sans doute du vrai dans ce que disent les indépendantistes de l'attitude de la France à l'égard des populations locales.

F – Il n'est pas question qu'on souscrive à ces thèses racistes et néo-colonialistes!

Transcript Page 201–
Ça se dit comme ça! Activity 4

1 – Pour présenter et classer vos idées, il faut que votre voix remonte à chaque énumération jusqu'à la fin de la phrase où votre voix doit descendre:
  – D'une part, nous allons considérer les faiblesses de la Polynésie, d'autre part ses points forts, et en dernier lieu nous nous demanderons si l'indépendance est la solution idéale.

2 – Pour donner un exemple, mettez l'expression "entre parenthèses", c'est-à-dire la prononcer sur un autre ton, en général plus bas:
  – Nous pouvons, pour illustrer notre point de vue, citer les chiffres très élevés du chômage des jeunes en Polynésie.

3 – Pour faire des concessions, la voix traîne en général et remonte sur la dernière syllabe des mots ou le dernier mot de l'expression:
  – Nous admettons qu'il y a sans doute du vrai dans ce que disent les indépendantistes de l'attitude de la France à l'égard des populations locales.

4 – Pour questionner la validité d'un argument, l'intonation à suivre est celle d'une question, en insistant bien sur l'interrogation:
  – Est-il vraiment possible qu'un territoire aussi petit puisse vivre sans l'aide d'une grande puissance?

5 – Pour réfuter catégoriquement un argument, la voix insiste sur les mots importants de la phrase (souvent en déplaçant l'accent tonique de la dernière à la première syllabe des mots):
  – Il n'est pas question qu'on souscrive à ces thèses racistes et néo-colonialistes!

6 – Pour donner un avis de façon à convaincre, l'intonation est régulière et insiste sur les mots importants du message:
  – Il est clair que la seule et unique solution au problème passe par une réforme des statuts.

PAGE 202

A vos marques, prêts ... Examen! (2)

Objective

■ To practise listening and speaking exam skills

This skill focus page concentrates on listening and speaking, as a complement to the one in unit 14 which covered reading and writing. Add to the advice according to your own students' needs and ask them to suggest other ways of preparing for their exams.

PAGE 203

Balade en francophonie

Objective

■ To explore different linguistic features in Francophone countries

● **Background information**

You could refer students also to *Les mots de la Francophonie*, Loïc Depecker (Berlin), which is a dictionary containing language from various French-speaking countries.

A brief history of *Francophonie*:

1880 – Le géographe français Onésime Reclus invente le terme "Francophonie" pour désigner les personnes et les pays qui utilisent le français à des titres divers.

1962 – le Président Léopold Sédar Senghor (Sénégal) signe un article considéré comme le texte fondateur de la Francophonie.

1968 – Création du Conseil international de la langue française (CILF).

1986 – Premier Sommet de la Francophonie à Paris.

1988 – Création de la Journée Internationale de la Francophonie.

PAGE 203

Alain Juppé, Premier ministre, en visite

Objective

■ To find out about an overseas territory off the Canadian coast through a film report of Alain Juppé's visit there

Video transcript Page 203 – Premier ministre en visite, Activities 1–4

– Dans le reportage suivant, nous accompagnons le premier ministre français, Alain Juppé, lors d'une visite officielle en territoire français ... à quelques 5 000 kilomètres de Paris! Saint-Pierre-et-Miquelon est une île située à seulement 25 kilomètres des côtes canadiennes, mais c'est une collectivité territoriale française. Et comment vit cette petite communauté francophone? Leur principale activité économique est la pêche, mais c'est un secteur en crise surtout à cause de conflits avec les Canadiens. Il faudra donc diversifier l'économie ... C'est le message qu'apporte le Premier ministre ... avant de repartir pour une autre région francophone – mais pas française, cette fois – le Québec.

– Alain Juppé au Canada – sur la route d'Ottawa, le Premier ministre a fait escale en territoire français à Saint-Pierre-et-Miquelon. Envoyés spéciaux: Carole Caumont, Bernard Conord:

– Un soleil radieux et une température de près 10° ... des conditions météo que les quelques 6 000 habitants de Saint-Pierre-et-Miquelon ne connaissent que rarement et qu'on a pris l'habitude d'appeler ici un temps de ministre. Alain Juppé ne s'y est d'ailleurs pas trompé et c'est souvent à pied qu'il a choisi de parcourir cette collectivité territoriale française située à 25 kilomètres des côtes canadiennes. La pêche a depuis toujours fait la fortune de Saint-Pierre-et-Miquelon mais 20 ans de conflit avec les Canadiens et surtout le moratoire imposé ici, voilà trois ans sur la pêche à la morue ont privé l'archipel de sa principale ressource. Alain Juppé est donc d'abord venu inciter les habitants à diversifier leur économie.

– Soyez vous-même comme vous l'avez toujours été dans votre histoire, soyez volontaires, soyez ouverts, soyez audacieux, c'est comme cela que vous réussirez.

– Pose de la première pierre du nouvel aérodrome – dernier geste de cette courte escale avant le début quelques heures plus tard de la visite officielle du Premier ministre au Canada. D'abord Ottawa, la capitale fédérale avant un séjour très attendu au Québec dès demain.

PAGE 204
Interlude: *Mission terminée*

● **Preparation**

To place the novel in context, ask students as **homework** to find out a bit more about the history of Cameroun. After reading the extract, students could think about the following points:

– *Pensez-vous que les villageois aient eu beaucoup de contacts avec les Français/les Blancs? Qu'est-ce qui l'indique dans le texte?*

– *Quelle est leur vision des Blancs? Quelle image ont-ils d'eux-mêmes? (Retrouvez des éléments dans le texte.)*

– *Qu'est-ce qu'on apprend sur le contenu des programmes scolaires dans les écoles camerounaises à cette époque?*

– *De quels complexes la colonisation afflige-t-elle les villageois?*

– *Pourquoi le jeune garçon décide-t-il de ne rien leur dire sur le sort des Noirs dans le reste du monde? Pensez-vous qu'il a raison? Qu'auriez-vous fait à sa place?*

Ask students to imagine and write what they would tell the villagers about the role and position of Blacks in the rest of the world, in the early sixties.

Ask students to spot all the subjunctives in the text and to explain why they're used, referring back to the *Zoom* on page 197.

● **Essay titles**

– Commentez cette citation d'Albert Camus: *Ma patrie, c'est la langue française.*

– Les pays africains ont-ils avantage à revendiquer leur francophonie? Discutez.

– Selon vous, l'action humanitaire est-elle une entreprise néo-colonialiste?

– Les DOM-TOM auraient-ils avantage à obtenir leur indépendance? Discutez.

● **Feuilles 50–52**

These prose translations can be completed at any point during work on units 13–15.

Survol 13, 14, 15

See page 8 for notes on using the *Survol* revision pages.

PAGE 205
Revision points

■ prepositions (units 13)
■ verbs with *à/de* + infinitive (unit 14)
■ persuading someone (units 13, 14)
■ adapting a text (unit 14)
■ information on DOM-TOM (unit 15)

1 Answers
a –; **b** de; **c** de; **d** – ; **e** à; **f** –; **g** de; **h** d' ; **i** –, – ; **j** –

2 Answers
à, de, d', pour, contre, en, de, contre, derrière, des, sur, pour, de, contre, de l', de la

5 Revise with students key points of style associated with the two mediums: short and snappy sentences for the radio report; longer, carefully phrased sentences for the newspaper report, etc.

PAGE 206
Mise en scène: *Les Centurions*

1–4 Having reread the extract from *Les Centurions*, students work though the various stages in order to produce their own film adaptation of the scene. If appropriate, the finished scenes could be videoed and shown to the whole group.

5 Ideally, the drafting and redrafting of film reviews should be done on a word processor; texts can also be designed on DTP if available.

Essor—Feuilles à photocopier

Nom: .... Activité: .... Date:	**FICHE DE CONTRôLE**						
	insuffisant *	*	*	*	*	*	excellent *
Contenu: connaissances *(idées appropriées, faits, exemples)*							
Contenu: développement *(structures, organisation du contenu)*							
Facilité d'expression: *(conviction)*							
Exactitude de morphologie: *(temps, formes de verbes, accords)*							
syntaxe: *(ordre de mots, complexité)*							
Vocabulaire:							
Orthographe *(travail écrit):*							
Prononciation *(travail oral):*							
Intonation:							
Autres remarques:							

 essor Fiche de contrôle

Nom: .... Activité: .... Date:	**FICHE DE CONTRôLE**						
	insuffisant *	*	*	*	*	*	excellent *
Contenu: connaissances *(idées appropriées, faits, exemples)*							
Contenu: développement *(structures, organisation du contenu)*							
Facilité d'expression: *(conviction)*							
Exactitude de morphologie: *(temps, formes de verbes, accords)*							
syntaxe: *(ordre de mots, complexité)*							
Vocabulaire:							
Orthographe *(travail écrit):*							
Prononciation *(travail oral):*							
Intonation:							
Autres remarques:							

Nom: ....

1 Ecoutez l'information concernant un accident de piste. Complétez les phrases suivantes.

a L'auteur de l'accident faisait _____

b La victime avait _____

c L'accident s'est passé en _____

d A la suite de cet accident, quelques stations ont décidé de _____

_____

e L'accident a eu lieu à _____

f La victime attendait _____

g Après avoir été heurtée, la victime a été _____

h Le jeune homme va dire que _____

2 **a** Réécoutez l'information et notez les mots et expressions-clés.

b Imaginez que vous avez été témoin de cet accident. Préparez votre témoignage. Ecrivez :
  – une description de l'accident, selon vous
  – une description de la fillette et du jeune homme.

3 **a** Imaginez que vous êtes stagiaire dans une station de ski en France et que vous avez été témoin d'un accident semblable. Qu'est-ce qui s'est passé? Notez brièvement les détails de l'accident.

b En tant que témoin oculaire de l'accident, on vous a invité à écrire un article (100–50 mots) pour le journal régional. Préparez les réponses aux questions ci-dessous. Ensuite, écrivez l'article.

> Quand?
> Où?
> Conditions météo?
> Lieu de l'accident?
> Description(s) de la/des
>   victime(s)
> Circonstances de l'accident?
> Bilan? (le nombre de blessés
>   et/ou de morts)
> Détails des blessures?
> Hospitalisation?
> Autres détails?

_____

_____

_____

_____

_____

_____

_____

_____

_____

_____

4 **a** Avec un(e) partenaire, faites une liste de sports dangereux. Classez-les par ordre d'importance, en commençant par le plus dangereux.
Vous trouverez aussi du vocabulaire utile aux pages 20–1 et 23 du livre de l'étudiant.

b Ensuite, discutez de sports dangereux avec votre partenaire.
  – Quels sont les avantages? Et les inconvénients?
  – Qui est responsable quand il y a un accident?
  – Est-ce qu'il vaudrait mieux interdire ces sports? Pourquoi?

Vous allez préparer un repas votre petit(e) ami(e). Lisez le menu ci-dessous.

✖ *Pour la salade mixte vous avez besoin...*

~ d'une salade verte
~ de tomates
~ de champignons
~ de carottes
~ d'une vinaigrette

✖ *Et pour la préparer...*

~ Rincez, coupez la salade. Coupez les tomates en rondelles, puis les champignons en lamelles. Râpez les carottes.
~ Pour la vinaigrette, mélangez une cuillerée de vinaigre, trois cuillerées à soupe d'huile, un petit peu de moutarde. Ajoutez du sel et du poivre.

✖ *Et pour préparer le steak hâché avec frites...*

~ Faites chauffer une poêle pendant cinq minutes. Ajoutez du beurre ; faites revenir le steak hâché pendant 2~3 minutes de chaque côté.
~ Faites chauffer de l'huile dans une friteuse. Dès que l'huile commence à bouillonner, plongez-y les frites et faites-les frire jusqu'à ce qu'elles soient bien dorées.

✖ *Et pour la glace...*

~ Allez au congélateur!

❧ *Menu* ❧

~ salade mixte

~ steak hâché avec frites

~ boule de glace

1 Que pensez-vous du menu ? Avec un(e) partenaire, discutez du pour et du contre si :
– vous voulez garder la forme
– vous suivez un régime assez strict
– vous êtes/votre invité(e) est végétarien(ne)
– vous ne mangez/votre invité(e) ne mange pas de viande rouge.

2 C'est à vous maintenant de préparer un repas sain pour vous et un(e) ami(e); le problème, c'est que vous n'avez pas beaucoup d'argent Qu'est-ce que vous allez préparer? Ecrivez :
a le menu
b les instructions

3 Pendant un séjour en France, on vous invite à participer à une émission à la radio locale sur l'importance d'un régime sain. Vous avez deux minutes pour expliquer comment la cuisine britannique peut être bonne pour la santé.

Servez-vous des expressions utiles que vous trouverez aux pages 18–19 et 25 du livre de l'étudiant, et préparez votre commentaire!

Le conditionnel ⮕ 19

1 Stéphanie et Christophe veulent faire du ski. Comme ils n'ont pas beaucoup d'argent, ils pensent partir hors saison. Complétez les phrases suivantes en employant le conditionnel.

a Si on partait en novembre, les vacances [*être*] _____ moins chères.

b Il n'y [*avoir*] _____ pas beaucoup de monde sur les pistes.

c On [*pouvoir*] _____ avoir un plus grand choix d'hôtels.

d Nous n'[*avoir*] _____ pas à faire la queue partout.

e Les discothèques ne [*rester*] _____ pas ouvertes jusqu'au petit matin.

f Nous [*pouvoir*] _____ garer la voiture sans problème.

g Les forfaits [*coûter*] _____ beaucoup moins cher.

h Mon frère me [*prêter*] _____ ses skis.

i Je [*faire*] _____ du surf.

j La station [*être*] _____ presque vide.

L'accord du participe passé ⮕ 16c

2 Ils ont décidé de partir en vacances en novembre. Complétez les phrases avec les pronoms *le, l', la, les*. N'oubliez pas d'accorder le participe passé, si besoin est.

a – Tu as vu mes skis?

– Je crois que je ___ ai laissé___ dans le salon.

b – La carte, où est-elle?

– Je ___ ai vu___ dans la cuisine.

c – Regarde ce bonnet.

– Je ___ ai acheté___ il y a 10 ans.

d – Tes pulls ?

– Je ___ ai déjà mis___ dans la valise.

e – L'adresse de l'hôtel ?

– Je ___ ai donné___ à ta mère hier.

f – Tu as acheté le nouveau Guide Michelin ?

– Oui, je ___ ai mis___ sur le lit.

g – Où sont les brochures de l'hôtel ?

– Je ___ ai placé___ sur la table.

h – Qu'as-tu fait de mes bottes ?

– Je ___ ai mis___ dans le coffre.

i – Tu as vu ma carte de crédit ?

– Je ___ ai trouvé___ dans ta chambre.

j – On n'a pas de réservation ?

– Si, je ___ ai envoyé___ en août !

3 A leur retour de vacances, Stéphanie et Christophe racontent leur séjour. Complétez les phrases en employant le passé composé.

a On est [*partir*] début novembre.

_____

b Nous [*se rendre compte*] que l'hôtel ne ressemblait guère à celui de la brochure.

_____

c Le premier jour, on [*se lever*] de bonne heure, mais il y avait déjà beaucoup de monde sur les pistes.

_____

d Christophe [*se faire mal*] à la jambe en descendant la piste trop vite.

_____

e Quant à Stéphanie, elle [*se tordre*] la cheville.

_____

f Et nous [*tomber*] tous les deux dans une congère!

_____

L'ÉCOLE, UNE VALEUR SÛRE

Plusieurs constatations menées auprès des parents, des élèves et de leurs professeurs permettent de dresser un portrait de l'école. Tout le monde l'aime, mais selon les sensibilités, ses objectifs ne sont pas perçus de la même façon.

Plus de moyens

Première constatation, les Français aiment vraiment leur école, et ce, de plus en plus : ils étaient 37% à considérer que l'enseignement fonctionnait bien en 1984, ils sont aujourd'hui 52%! A 67% ils considèrent d'ailleurs que c'est à l'éducation qu'il faut que l'Etat consacre le plus de moyens (devant la santé 51% et l'aide sociale 47%), et 56% estiment qu'il faut en priorité s'attaquer au nombre 15 insuffisant d'enseignants. Le travail de ces derniers est jugé à 63% comme "satisfaisant" et à 11% "très satisfaisant".

A cette quasi-unanimité il faut cependant mettre quelques bémols. Ainsi, les Français considèrent qu'il y a en France un mépris envers les métiers manuels (73%), et ils regrettent que l'enseignement technique ne soit pas une priorité (71%). Ils regrettent également le manque de liens entre l'école et l'entreprise 30 (76%), la mauvaise information des jeunes sur les filières au 45 moment de l'orientation (63%).

Or, l'accession au monde du travail est pour eux la mission prioritaire de l'école (70%). Parents, élèves et professeurs s'accordant à dire que le principal frein à cette mission, c'est le manque de professeurs.

Davantage de dialogue

Mais ces trois groupes ne sont pas toujours d'accord. Ainsi, pour les enseignants, l'école doit servir en priorité à "former 60 la réflexion, l'esprit critique" (66%) et à "former des citoyens". Alors que pour les parents d'élèves comme pour les élèves (68 et 67%) l'école doit servir à "accéder au monde du travail".

Enfin, tous ressentent un besoin de davantage de dialogue entre professeurs et élèves. En effet, lorsque l'on demande aux élèves quels sont leurs principaux interlocuteurs dans le domaine de la scolarité, il répondent : les autres élèves (80%), les parents (74%), les frères et sœurs (38%)... et les professeurs (33%). Il y a encore des progrès à faire!

1 Lisez l'article, puis examinez l'extrait de questionnaire ci-dessous. Retrouvez le morceau de l'article qui correspond à chaque question.

> **1 Considérez-vous que l'enseignement fonctionne**
> *a* très bien ?
> *b* assez bien ?
> *c* assez mal ?
> *d* très mal ?

> **2 A votre avis, l'école doit servir à**
> *a* former la réflexion, l'esprit critique.
> *b* accéder au monde du travail.
> *c* former des citoyens.

2 Relisez l'article, puis inspirez-vous de l'activité 1 pour formuler le reste du questionnaire (formulez au moins deux autres questions).

3 Lisez les opinions ci-dessous, puis imaginez comment ces deux personnes auraient répondu au questionnaire (voir activités 1 et 2).

> *« Dans mon lycée, ça va, on a de bons profs. Mon plus gros problème, c'est qu'il n'y a pas assez de liens entre l'école et la vie active. Moi, je vais à l'école pour pouvoir accéder au monde du travail. C'est mon but. Et en fait, on est mal informés, on ne sait pas comment s'orienter, et puis l'enseignement technique n'est pas assez développé – on a l'impression que l'Etat méprise les métiers manuels! De toute manière, je trouve que l'Etat ne consacre pas assez de moyens à l'éducation. Mais on parle rarement aux profs de tous ces problèmes-là, on en parle entre élèves, c'est tout. »*
> **Mathilde, 16 ans, lycéenne**

> *« Ça va de plus en plus mal dans l'Education Nationale. Il n'y a pas assez de profs et pas assez de crédits pour former des profs compétents. Moi, j'estime que l'Etat devrait consacrer son plus gros budget à l'éducation, vous ne trouvez pas? En ce qui concerne les élèves, ils se plaignent qu'il n'y a pas assez de profs dans l'enseignement technique, qu'il n'y a pas assez de liens entre l'école et l'entreprise, qu'on ne les informe pas assez en matière d'orientation... Moi, je trouve qu'on fait ce qu'on peut. Et je considère que mon rôle est – avant tout – de former des citoyens, de leur apprendre à réfléchir en tant que citoyens. »*
> **Jean-Jacques, 44 ans, enseignant**

4 A vous maintenant de répondre au questionnaire. Comparez ensuite vos réponses à celles des autres élèves.

ÉDUCATION ou EXCLUSION?

PAR PHILIPPE MEIRIEU, PROFESSEUR DE SCIENCES DE L'ÉDUCATION

1 Chacun s'accorde aujourd'hui sur le fait que l'Ecole doit transmettre les savoirs fondamentaux permettant à chaque jeune d'être véritablement citoyen. Cependant la confusion des débats autour de cette question tient au fait que l'on ne sépare pas clairement la fonction de la "scolarité obligatoire" de celle de la formation qui suit. Il faut bien se souvenir que la "scolarité obligatoire" n'a ni une fonction de formation professionnelle ni une fonction de sélection.

2 Elle est ce moment où chaque enfant et chaque adolescent doit pouvoir acquérir ce qui lui est nécessaire pour comprendre le monde dans lequel il vit. Au fond, une bonne définition de la scolarité obligatoire serait d'en faire le temps "où l'on apprend à lire le journal"... Non pas seulement à déchiffrer ce qui est écrit dans celui-ci, mais à comprendre aussi bien les enjeux politiques des opinions qui y sont exprimées, les situations économiques, comme les raisons historiques qui permettent de comprendre les conflits internationaux.

3 C'est pourquoi il y a, sans aucun doute, à revoir les contenus de la scolarité obligatoire pour redéfinir les "incontournables de la citoyenneté" : est-il normal qu'en sortant de l'école, un élève ne sache pas distinguer ce qui, en droit, ressort du civil de ce qui ressort du pénal ? Est-il normal qu'il ignore que le conflit yougoslave s'inscrit dans l'histoire complexe de la coexistence, dans le bassin méditerranéen, des communautés chrétienne, musulmane et juive ? Dans tous les cas, il s'agit de conduire tous les jeunes, sans exception, jusqu'à cet ensemble de savoirs fondamentaux qui leur permettra de ne pas être des marionnettes manipulées par les slogans publicitaires et les emballements de l'opinion publique.

4 Il faut donc refuser toute forme de sélection pendant la scolarité obligatoire car cela reviendrait à exclure une partie des jeunes de la participation à la vie de la cité. Il faut refuser que les adolescents soient mis sur la touche par rapport aux savoirs fondamentaux. La difficulté, alors, est de savoir comment accueillir et faire réussir tous les jeunes pendant la scolarité obligatoire. Il faut proposer des aides personnalisées reprenant les points qui sont difficiles et qui ne sont jamais vraiment les mêmes pour tous les élèves.

5 Il existe une autre difficulté : en effet, quand on étudie les décisions d'orientation ou d'exclusion, on s'aperçoit qu'elles ne sont pas souvent fondées sur le niveau scolaire des élèves, mais bien plutôt sur leur comportement. On entend même souvent les professeurs dire : "Au fond, peu importe que cet élève soit faible... Du moment qu'il travaille un peu, ne multiplie pas les absences, et surtout, ne perturbe pas la classe, on veut bien le garder."

6 Ainsi la tentation est grande de ne garder à l'école que les élèves qui sont déjà éduqués, c'est-à-dire "qui savent se tenir", savent réfléchir avant d'intervenir et de passer à la violence. En revanche, ceux qui vivent dans l'immédiat, ces "enfants bolides" qui jettent un cartable ou un juron à la tête de ceux qui leur déplaisent, qui ne savent pas surseoir à leur propre violence, on les exclut et on crée ainsi ce que les politiques nomment "la fracture sociale".

7 Le rôle de l'Ecole aujourd'hui n'est pas seulement "d'instruire" mais de créer les conditions pour que l'instruction soit possible, c'est-à-dire de travailler avec les jeunes sur la construction de la loi et l'élaboration des règles de vie commune. Certes, cela n'est pas simple... mais c'est à la condition pour que, dans quelques années, nous n'ayons pas deux écoles : une luxueuse et bien gardée où les enfants "déjà éduqués" recevront de beaux cours, et une, entourée de barbelés, où des professeurs de "seconde classe" enseigneront à des élèves marginaux en échec.

---

1 Lisez l'article de Philippe Meirieu à propos du rôle de l'école dans la société (vous trouverez un autre article de lui à la page 35 du livre de l'étudiant). Examinez les sept phrases suivantes, qui résument chacun des sept paragraphes de l'article. Retrouvez la phrase qui correspond à chaque paragraphe.

a Il ne faut pas confondre "Ecole" et "formation professionnelle".

b En sortant de l'école, tous les jeunes devraient être en possession de savoirs fondamentaux leur permettant de ne pas se laisser manipuler.

c La "fracture sociale" est le résultat de la séparation faite à l'école entre ceux qui savent et ceux qui ne savent pas "se tenir".

d Très souvent, les décisions d'orientation ne sont pas prises en fonction du niveau scolaire des élèves, mais de leur comportement.

e L'Ecole est le lieu où les jeunes devraient apprendre à comprendre le monde dans lequel ils vivent.

f Si l'Ecole n'est pas capable de travailler avec les jeunes de façon à réussir leur instruction, on aboutira à une situation d'éducation "à deux vitesses".

g Il faut trouver des solutions de façon à n'exclure aucun jeune de la participation à la vie de la cité.

2 Dans le troisième paragraphe, l'auteur insiste sur le fait qu'il rejette l'idée de sélection en juxtaposant deux autres expressions à "tous les jeunes". Quelle est cette phrase? Quelles sont les deux expressions? Remarquez aussi la ponctuation utilisée.

3 a Pour présenter ses arguments, l'auteur emploie un grand nombre de "mots charnières" – qui relient deux idées – tels que :

**cependant   pas seulement... mais
c'est pourquoi   donc   alors   en effet
plutôt   en revanche   certes**

Relisez l'article et repérez-y chacun des mots de la liste ci-dessus.

b Parmi les mots et expressions cités ci-dessus, lesquels servent à... ?
 a opposer deux idées
 b introduire une addition
 c introduire une concession
 d introduire un argument, une explication
 e introduire la conclusion de ce qui précède.

4 Un collègue de Philippe Meirieu pense au contraire que la sélection est inévitable et même indispensable, et décide d'écrire un article réfutant les idées de celui-ci. Avec un(e) partenaire, notez d'abord quelques idées, puis écrivez cet article.
 Exemple : *la sélection permet une progression plus/moins rapide selon l'aptitude...*

1 a Sur la cassette, un professeur parle des qualités nécessaires pour être enseignant. Avant d'écouter, examinez les deux listes ci-dessous, puis reliez chaque qualité à la raison qui – à votre avis – lui correspond.

Les qualités :
1. sérieux
2. flexible
3. amusant
4. psychologue
5. strict et autoritaire
6. déterminé voire obstiné
7. énergique et dynamique
8. indulgent et compréhensif

Les raisons :
a il faut savoir comprendre ce qui se passe dans la tête des élèves
b tout le monde n'apprend pas de la même façon
c si les élèves s'ennuient, ils n'apprendront rien
d les élèves ont besoin qu'on les comprenne
e il faut savoir imposer une discipline
f on veut que les élèves réussissent
g il faut enseigner une matière
h c'est un métier fatigant

b Ecoutez la cassette en prenant des notes, puis corrigez vos réponses à l'activité 1a.

2 Toutes les qualités citées par Monsieur Bertin ne figurent pas dans la liste de l'activité 1. Réécoutez la cassette, et complétez la liste.

3 a De mémoire, sans réécouter la cassette, complétez la transcription ci-dessous.

Il faut être à la ✷❑✳▲ strict et autoritaire et compréhensif et indulgent : strict et autoritaire parce qu'il faut ▲✷❧❑✳❑ s'imposer et ✷○❑▲✷❑ une discipline dans une classe de 25 ou 30 personnes, compréhensif et indulgent ❑✷❑✳✳ que ces 25 ou 30 ❑✳❑▲❑■■✳▲ n'ont pas vraiment ✷■✧✳✳ d'être là, ont des problèmes et ont ✧✷▲❑✳■ qu'on les comprenne et qu'on les motive. ✩◆▼❑✷ contradiction : il faut être à la fois sérieux et amusant : sérieux parce qu'il ✷✷◆▼ travailler et enseigner une matière, préparer des élèves à un ✷❙○✷■, et amusant parce que si les élèves ▲→✷■■◆✷✷■▼, ils n'apprendront rien !

_____

_____

_____

_____

_____

_____

_____

_____

_____

_____

_____

_____

_____

_____

b Réécoutez la cassette pour vérifier vos corrections.

4 Etes-vous d'accord avec ce qu'a dit M. Bertin? Y a-t-il d'autres qualités importantes qu'il n'a pas citées? Faites-en la liste.

5 A votre avis, qu'est-ce qu'un bon professeur ? Faites son portrait à deux et présentez-le à la classe.
Exemple : *Pour nous, un bon prof est assez autoritaire, mais pas trop. Il est à l'écoute de ses élèves, il essaie de les comprendre et de les aider, surtout en cas de difficulté ou d'échec scolaire…*

6 « Le métier d'enseignant est un métier "impossible" parce que les qualités nécessaires pour le faire sont trop contradictoires. »
Réfléchissez à d'autres métiers qu'on pourrait aussi qualifier d'impossible pour le même genre de raison. Justifiez votre choix en quelques lignes – soit par écrit sous forme de lettre à un(e) ami(e), soit oralement.

 Vous avez déjà rencontré Gérard Jacquemin, directeur de la communication de l'Office de Tourisme de Reims, à la page 43 du livre de l'étudiant. Ici, il nous parle de sa ville plus en détail.

1 Ecoutez la première partie de l'interview, puis répondez aux questions suivantes :

a Reims est une ville fréquentée par les touristes étrangers. Quelles nationalités sont citées?

b Comment Gérard Jacquemin décrit-il le genre de touristes étrangers qui viennent à Reims?

    1 des gens qui viennent de très loin

    2 des gens qui sont immédiatement à nos frontières

    3 des gens qui n'hésitent pas à franchir nos frontières.

c Quel est l'âge moyen des gens qui viennent à Reims?

    1 ce sont des retraités

    2 ce sont des gens d'âge mûr

    3 ce sont des gens qui ont une trentaine d'années.

d Reims est considérée comme une ville

    1 sportive

    2 culturelle

    3 industrielle.

e Le patrimoine de Reims est classé par

    1 l'UNICEF

    2 l'UNESCO

    3 l'église catholique.

f Quels sont les deux grands attraits de Reims?

2 Ecoutez la deuxième partie de l'interview, et retrouvez les mots qui manquent dans la transcription ci-dessous.

« Dans la région, Reims est ✳□■■◆✳. On a cessé de faire la promotion de Reims aux □□□▼✳▲ de Reims, mais nous essayons de faire en sorte que les Français ❖✳✳■■✳■▼ plus nombreux, plus ●□■✳▼✳○□▲ surtout, qu'ils □✳▲▼✳■▼ plus longtemps qu'une journée, une ✳□◆□■✳✳ et demie, qu'ils prennent le temps d'apprécier la ✳❖▲▼□■□○✳✳, de visiter des ✳❖❖✳▲ de champagne, de voir nos monuments. L'idéal serait pour nous que les touristes □✳▲▼✳■▼ deux nuits. »

3 a Ecoutez la troisième partie de l'interview, puis lisez la traduction qui suit.

> *"In 1996, we celebrated the fifteenth centenary of the Baptism of Clovis* – one of France's founding events. We also had a visit from the Pope. I used to be a journalist, so I entertained about 1100 journalists right here, where we are now, I mean in the Conference Centre of the City of Reims. These same journalists stayed a whole day and we had to feed them, offer them champagne, give them publicity information, speak to them about Reims. They were very receptive and delighted, of course."*

*Clovis 1er, roi des Francs 481-511EC, ayant reçu le baptême des mains de Saint Remi à Reims en 496, devint ainsi le premier roi barbare catholique.

b Retraduisez ce passage en français sans réécouter la cassette. Faites plutôt appel à votre mémoire, à vos connaissances et à votre bon sens.

c Réécoutez la cassette et corrigez votre traduction.

4 Ecoutez la quatrième et dernière partie de l'interview, puis examinez le programme ci-dessous. Quels éléments du programme sont mentionnés par Gérard Jacquemin?

L'ANNÉE CLOVIS À Reims

Assistez aux colloques
Ecoutez les concerts
Admirez les sons et lumières

Visitez :

LA BASILIQUE SAINT-REMI
LE MUSÉE SAINT-REMI
LA PORTE MARS
LE PALAIS DU TAU
LA CATHÉDRALE

5 Réécoutez l'interview en entier, puis imaginez que vous étiez à Reims en 1996 et que vous travailliez à l'office de tourisme. Ecrivez à un(e) ami(e) francophone pour lui parler de Reims et lui expliquer ce qui s'y est passé.

1 Examinez le calendrier ci-dessus, et choisissez trois manifestations ou spectacles auxquels vous auriez aimé assister. Discutez de votre choix avec un(e) autre élève.

2 a Travail de groupe. Choisissez une ville britannique dont le patrimoine culturel attire de nombreux touristes. Imaginez que cette ville s'apprête à célébrer un anniversaire important (l'inauguration d'un monument célèbre ; le centenaire de la naissance ou de la mort d'une personnalité importante, par exemple). Faites des recherches.

b Vous faites partie du comité du Tourisme de cette ville. Préparez un programme de manifestations culturelles destinées à commémorer cet anniversaire. Inspirez-vous du calendrier ci-dessus.

c Quelques mois plus tard, un(e) journaliste francophone vous interroge sur cette série de manifestations. Imaginez l'interview, puis enregistrez-la.

REIMS 1996

Le Calendrier

Pendant près de 5 mois, REIMS va vivre de grands moments de liesse, mêlant intimement fête et recueillement. De très nombreux spectacles et manifestations se dérouleront à travers la ville de juin à novembre pour commémorer le souvenir de cet acte fondateur.

de juin à novembre

Expositions
- Musée des Beaux-Arts : Clovis et la mémoire artistique
  du 21 juin au 15 novembre.
- Musée Saint-Remi : Clovis et son époque
  du 5 juillet au 29 septembre.
- Bibliothèque Carnegie : le Baptême de Clovis dans le Livre et l'Estampe
  du 25 juin au 28 septembre.

5 juillet

Journée inaugurale de la commémoration du XVᵉ Centenaire
du Baptême de Clovis et présentation au public de la nouvelle techniscénie du Centre National Art et Technologie de Reims ; CLOVIS et la naissance de la France.

de juillet à septembre

Techniscénie "Clovis et la naissance de la France"
- Spectacle Façade les vendredis et samedis soir du 5 juillet au 28 septembre.
- Déambulation dans la Nef, du mardi au samedi du 5 juillet au 26 octobre.

15 septembre

Concert Chant Gallican par l'ensemble Gilles Binchois. Basilique Saint-Remi.

18 septembre

Concert Vêpres de Pâques en vieux romain par l'ensemble Organum. Basilique Saint-Remi.

19 au 25 septembre

Colloque International d'Histoire Centre des Congrès de Reims.
"Le baptême de Clovis, l'événement, son écho à travers l'histoire".

à partir du 19 septembre

Présentation Palais du Tau, Cathédrale. "Lieux d'histoire, lieux de mémoire, de Clovis à Charles X".

à partir du 20 septembre

Présentation archéologique Cathédrale de Reims.
"A la découverte du baptistère de Clovis".

22 septembre

La visite du Pape Jean-Paul II
Base aérienne 112 - Cathédrale de Reims.

27 septembre

Concert "L'office de saint Rupert" par la Salzburger Virgilschola.

4 octobre

Concert "L'eau et le baptême" par l'ensemble Venance Fortunat
Basilique Saint-Remi 20 h 30.

8 octobre

Concert "Clovis" oratorio de Georges Moineau par le chœur d'adultes de la Maîtrise de la Cathédrale de Reims - Eglise Sainte-Geneviève 20 h 30.

12/13 octobre

Office religieux "La reconstitution de la messe et de l'office monastique de saint Remi" Basilique Saint-Remi.

8 novembre

Concert "Le chant romano-franc".
par l'ensemble de femmes DISCANTUS - Basilique Saint-Remi 20 h 30.

11 novembre

Musique "Rencontres européennes de chant grégorien"
Basilique Saint-Remi, Grand-messe à 11 h 00
Cathédrale Notre-Dame, vêpres à 17 h 00.

Imaginez que vous vivez sur le plateau de Millevaches et qu'on y projette la création d'un parc naturel.

Travail de groupe. Vous participez à un débat de Télé Millevaches sur le sujet. Choisissez l'une des six cartes et réfléchissez aux arguments de votre personnage, en ajoutant vos propres idées. Notez vos points-clés sur une feuille pour vous aider pendant le débat, puis intervenez !

Votre rôle : vous êtes artisan potier **Pour ou contre ?** pour **Vos raisons :** ■ faire connaître la région ■ attirer les touristes ■ plus de commerces	**Votre rôle :** vous êtes chasseur **Pour ou contre ?** contre **Vos raisons :** ■ trop de contraintes ■ ne pourra plus chasser ■ sera dérangé par les touristes
Votre rôle : vous êtes conseiller/ère régional(e) **Pour ou contre ?** pour **Vos raisons :** ■ redynamiser la région ■ éviter l'exode rural ■ protéger l'environnement	**Votre rôle :** vous êtes jeune au chômage **Pour ou contre ?** pour **Vos raisons :** ■ faire connaître la région ■ attirer les gens ■ créer des emplois
Votre rôle : vous êtes exploitant agricole **Pour ou contre ?** contre **Vos raisons :** ■ trop de contraintes ■ ne pourra plus choisir ses plantations ■ le parc va coûter cher aux gens du coin	**Votre rôle :** vous êtes écologiste **Pour ou contre ?** pour **Vos raisons :** ■ faire apprécier la beauté de la région ■ protection de la faune et de la flore ■ respect des traditions locales

160

Savez-vous conduire ? Vous avez, peut-être, l'intention de vous inscrire dans une Auto-école. Comment cela se passe-t-il en France?

1 Ecoutez l'émission de radio sur l'apprentissage de la conduite en France. Mettez les affirmations suivantes dans l'ordre du texte.
  a Il faut prendre un minimum de 20 leçons.
  b En cas d'échec, il faut attendre 15 jours avant de repasser l'épreuve de conduite.
  c On a la possibilité d'apprendre à conduire dès l'âge de 16 ans.
  d On a le choix de deux méthodes d'apprentissage.
  e Il est important d'apprendre à conduire.

2 Réécoutez la cassette. Remplissez les blancs dans ces explications de l'expert.

> *La grande _____ des permis est obtenue par la _____ classique : celle qui consiste à prendre des leçons au coup par coup. Cette _____ est choisie par près de _____ des candidats. Pour l'instant, seulement 10% des candidats au _____ adoptent l'apprentissage anticipé de la conduite.*
>
> *Au début quel que _____ votre choix, vous devez prendre un minimum de 20 _____. Ensuite, vous passez votre permis et vous pouvez _____ seul si vous avez choisi la méthode _____. Par contre, la méthode anticipée est un peu plus contraignante parce que vous _____ conduire avec quelqu'un d'au moins 28 ans. Cette personne doit avoir son permis depuis trois ans, sans _____ graves, et elle vous accompagnera jusqu'à ce que vous ayez fait 3 000 kilomètres.*

3 A deux, discutez des méthodes d'apprentissage possibles en France. Comparez-les avec celles de votre pays. Dressez une liste des différences principales.

- - - ✂ - **10**

UNITÉ 4

Le subjonctif

1 Lisez ces phrases extraites de l'unité 4. Expliquez, par écrit et en anglais, pourquoi il est nécessaire d'employer un subjonctif à chaque fois.
  a Où que vous soyez, où que vous alliez, vous n'êtes jamais perdu.
  b Il faut absolument que vous descendiez de votre nuage quand vous vous promenez.
  c Quoique vous fassiez, vous avez le sentiment que vous ne retrouverez jamais votre chemin.
  d Le TGV des mers peut atteindre des vitesses impressionnantes, quel que soit l'état de la mer.
  e Je voudrais que l'on développe les lignes de métro.

2 Mettez les infinitifs entre parenthèses à la forme qui convient.

  a Il est important que vous le [*faire*] tout de suite. _____

  b C'est le résultat le plus grave que l'on [*pouvoir*] imaginer. _____

  c Il désire que nous le [*savoir*]. _____

  d Quoique vous [*dire*], il ne sera pas convaincu. _____

  e Nous regrettons que vous [*être*] déçus. _____

  f Aussi surprenant que cela [*paraître*], c'est absolument vrai. _____

  g Qu'il [*s'agir*] d'une augmentation ou d'une diminution, ces statistiques sont inquiétantes. _____

  h Je crains qu'il ne [*venir*] pas. _____

1 Jeux de rôle : en groupes de cinq. Le Conseil municipal veut limiter la circulation dans le centre-ville. Avant de prendre une décision, un représentant du Conseil (A) invite les représentants des groupes d'usagers (B–E) à donner leur opinion.

a Préparez-vous : cherchez des idées et des moyens d'expression aux pages 57–8, 60–1 du livre de l'étudiant.

b La réunion du Conseil : discutez ensemble et soyez prêts à donner votre point de vue.

Exemple:

A – Merci d'être venu. Comme vous le savez déjà, nous proposons de limiter la circulation dans le centre-ville... Mais nous voulons entendre tous les points de vue avant de prendre une décision, alors j'appelle d'abord le représentant des compagnies d'autobus...

B – Moi, je suis pour l'interdiction des automobiles, mais en ce qui concerne les autobus...

A

Vous représentez le Conseil municipal. Vous vous opposez à la circulation en ville. Proposez des mesures pour limiter la circulation. Ensuite, invitez les représentants des autres groupes à donner leur opinion.

B

Vous représentez les compagnies d'autobus. Vous vous opposez à la circulation automobile, mais aussi à toute restriction de la circulation des autobus. Proposez des mesures pour développer l'utilisation des autobus.

C

Vous représentez les chauffeurs de taxi. Vous vous opposez à la restriction de la circulation automobile dans le centre-ville, surtout en ce qui concerne les taxis. Proposez des mesures pour réduire la circulation en ville, sauf celle des taxis.

D

Vous représentez un groupe écologiste. Vous vous opposez à la circulation d'automobile en ville, et vous voulez encourager l'usage du vélo. Proposez des mesures pour développer l'utilisation du vélo.

E

Vous représentez une société de coursiers. Vos employés se déplacent partout à moto. Vous vous opposez, donc, à la restriction totale de la circulation. Proposez des mesures pour développer l'utilisation des deux-roues, surtout les motos et les mobylettes.

Le grand chassé-croisé de l'année

Le chassé-croisé de fin juillet–début août constitue traditionnellement une période de circulation difficile, les juilletistes, dont les vacances touchent à leur fin, croisant les aoûtiens. Cette année la période délicate s'étend du vendredi 28 juillet au mardi 1er août, avec comme point fort, le samedi 29 juillet, journée classée noir en province dans le sens des départs.

Pour cette période, les conseils essentiels de Bison Futé sont : pour les départs, d'éviter de prendre la route vendredi 28 juillet en fin d'après-midi et surtout samedi 29 juillet et pour les retours, d'éviter de rentrer le vendredi 28 juillet et surtout le samedi 29 juillet.

Bison Futé recommande de ne surtout pas prendre la route samedi, aussi bien dans le sens des départs que dans celui des retours. Un samedi classé "noir"

A mon avis, le meilleur mois pour partir est août.

A mon avis, le meilleur mois pour partir en vacances est juillet.

Les difficultés dans la région

Voici jour par jour les principales difficultés dans notre région.

Vendredi 28 juillet, dans les deux directions, est classé rouge. Le trafic en direction du sud sera très dense dès le début de l'après-midi. On devrait observer quelques bouchons et ralentissements aux endroits suivants :
— au nord de Lyon sur l'autoroute A6 à la barrière de péage de Villefranche-sur-Saône.
— dans la traversée de l'agglomération lyonnaise (tunnel de Fourvière mais aussi sur le contournement est de Lyon au nœud des Iles et à Ternay).
— sur l'autoroute A7, quelques retenues de moyenne importance pourront être observées à Ternay (jonction A7, A46 sud, A47), au col du Grand Bœuf et au sud de Valence.

Les retours seront très nombreux. Des ralentissements sont à prévoir à l'entrée des agglomérations lyonnaises (A7 à Ternay) et grenoblaises (RN85, A 480).

Pour être informés avec plus de précision en temps réel sur les derniers conseils du CRICR de Lyon, téléphonez avant de prendre la route au 04 78.54.33.33. ou consultez le serveur minitel code route.

1 Lisez l'article tiré du journal lyonnais *Le Dauphiné*. Devinez le sens des mots suivants, puis vérifiez-les dans le dictionnaire.

– le chassé-croisé _____   – un bouchon _____

– une retenue _____   – le ralentissement _____

– la traversée _____   – une agglomération _____

2 Relisez l'article. Sur une carte routière de la France, trouvez les routes à éviter et proposez d'autres itinéraires.

3 Ecoutez l'information concernant le "chassé-croisé". Complétez les phrases ci-dessous.

a Le grand chassé-croisé des vacanciers sur les routes et autoroutes s'est passé _____

b Samedi, seul jour classé "noir" _____

c Les automobilistes ont écouté et suivi _____

d Les professionnels de la circulation ont noté que _____

_____

e Contrairement aux prévisions _____

_____

f Enfin, dimanche, jour classé "orange", en province et en Ile-de-France _____

_____

4 Réécoutez la cassette. Expliquez le système de classification des couleurs. Quel jour est le plus chargé du point de vue circulation ? Et le moins chargé ?

1 Vous trouverez, sur la feuille 14, un texte sur la vache charolaise, imprimé dans le désordre. Examinez les titres ci-dessous, qui sont dans le bon ordre, puis retrouvez celui qui correspond à chaque section. Placez les titres au bon endroit sur la feuille 14, puis découpez les différents morceaux du texte et recollez-les convenablement.

a | *La race charolaise* | **c** | *Le Charolais dans le monde* | **e** | *Du champ à la table* |

b | *Le Charolais en chiffres* | **d** | *On sélectionne, on améliore* | **f** | *En somme* |

2 Faites la liste des formes passives qui figurent dans le texte. Si possible, réécrivez-les à la forme active.
Exemple : ... *sont élevés > on élève*

3 Prouvez que vous avez bien compris le texte en complétant les phrases suivantes. Vous pouvez soit utiliser vos propres mots, soit reprendre des mots du texte.

   a Vue de face, la vache charolaise _____

   b Une vache sur quatre en France _____

   c La carcasse du Charolais est très forte en _____

   d Ce qui a fait du Charolais une race d'importance mondiale, c'est principalement _____

   e Ce qui garantit le progrès de la race c'est la _____

   f On élève le Charolais principalement pour sa _____

   g Une viande "persillée", c'est _____

   h Ceux qui aiment manger de la viande trouvent le Charolais _____

4 Vrai ou faux? Relisez le texte puis faites cette activité sans le consulter de nouveau.

   a La vache charolaise a une robe de couleur claire et des muqueuses tachées. _____

   b La race a un faible taux de muscle par rapport à son taux de gras. _____

   c C'est surtout la facilité de croisement qui permet au Charolais d'être fortement demandé à l'étranger.
   _____

   d Grace à la sélection, il est très facile d'améliorer simultanément la qualité de la viande et les qualités de
   reproduction. _____

   e Ce qui fait la force du Charolais, c'est sa production de lait. _____

   f Les sondages placent régulièrement le Charolais en tête de liste des viandes de bœuf. _____

5 Vous faites un stage dans une agence publicitaire qui doit créer un dépliant sur le Charolais intitulé "Ce que vous offre le Charolais".
   – Relisez le texte sur le Limousin aux pages 68–9 du livre de l'étudiant et utilisez-le comme modèle.
   – Essayez d'incorporer dans votre texte des phrases et des propositions qui commencent par "Ce qui/ce que...".

LA VACHE CHAROLAISE

1 _____

Pour atteindre un haut niveau génétique, les éleveurs effectuent une sélection des animaux : "Sélectionner, c'est choisir ; choisir , c'est connaître".

Le Herd Book aux côtés des éleveurs, les syndicats de contrôle de performances, les unions de production de semences contribuent à élaborer et mettre en œuvre les techniques de sélection.

Ce progrès génétique est conditionné par la qualité et la taille de la base d'animaux sélectionnés et par la diffusion des meilleurs.

Les éleveurs, il ne faut pas l'oublier, sont à la base du processus de sélection.

Si certains caractères propres à la race peuvent être facilement sélectionnables, comme la conformation bouchère ou la croissance, d'autres sont moins héritables comme les qualités maternelles. De même, certaines caractéristiques sont en opposition : par exemple, il est très difficile d'améliorer simultanément les aptitudes bouchères et les performances de reproduction.

L'objectif d'une telle politique de sélection est d'obtenir une bonne productivité des Charolais, c'est-à-dire, un veau par vache et par an, et des carcasses de haut de gamme, sans excès de gras.

En 1987, il a été défini que les principaux caractères à améliorer chez le Charolais étaient la facilité de vêlage, la production laitière, le potentiel de croissance et la précocité.

2 _____

Le Charolais bénéficie d'une image très forte, liée à un milieu naturel, à un terroir. Cette connotation est renforcée par la réputation du grand savoir-faire des éleveurs.

3 _____

Les vaches charolaises représentent 25% du cheptel français et 5% du cheptel européen. La Bourgogne compte actuellement 450 000 vaches allaitantes de race charolaise pour 12 900 exploitations.

Ainsi 42 % des vaches inscrites au Herd Book Charolais sont élevées en Bourgogne. La race est présente dans

73 départements français et dans près de 70 pays étrangers. Elle a un taux de gestation de 92 % ce qui en fait une bonne reproductrice.

Le Charolais a un potentiel de croissance élevé. Il est également adapté à l'utilisation en croisement avec les autres races bovines (race laitière ou en système allaitant).

Les carcasses ont un très bon rendement puisqu'elles ont un fort pourcentage de muscles et un faible taux de gras de couverture. Certaines carcasses ont un rendement supérieur à 70 %.

4 _____

La vache charolaise a une robe blanche ou crème, des muqueuses claires, non tachées.

Elle a une tête à front large, des cornes rondes et de couleur claire, des joues fortes, un mufle large, une encolure courte, une poitrine profonde, un dos horizontal musclé, des reins très larges, des membres bien d'aplomb, une peau moyennement épaisse et souple.

Le Charolais a un poids économique important pour la Bourgogne à la fois en tant qu'élément de production et en tant que finalité de consommation, c'est-à-dire, à la fois l'élevage et la viande.

5 _____

L'intérêt économique de cette race lui a permis de s'implanter au-delà des frontières françaises : en Argentine dès la fin du XIXième siècle, puis en Nouvelle-Zélande, en Irlande, en Ecosse, en Italie au début du XXième siècle. Après la Seconde Guerre Mondiale, les marchés scandinaves et d'Europe centrale et orientale s'ouvrent aux exportateurs de Charolais.

L'expansion mondiale de la race a été portée en grande partie par le Président du Herd Book, Emile Maurice, dans les années 1950. A la suite d'une série de contacts à l'étranger, le Charolais a su s'exporter rapidement et efficacement, grâce à son utilisation facile en croisement en vue de l'amélioration des races locales.

L'exportation des Charolais est actuellement très importante puisque

la majorité des broutards et des taurillons maigres de la région sont exportés vers l'Italie, pays où la consommation de viande est relativement forte pour une production d'animaux de boucherie particulièrement faible.

La récente ouverture des pays de l'Europe centrale permet de renforcer les liens qui unissent déjà la République tchèque à la Bourgogne.

Un congrès mondial de la race charolaise est organisé chaque année depuis 1964 par la Fédération des associations d'éleveurs de la race charolaise qui regroupe près de trente pays. L'objectif est la coopération, la promotion commune de la race et l'échange d'informations.

6 _____

Le Charolais fait partie d'une tradition de gastronomie bourguignonne qui contribue à le valoriser auprès d'un large public. Il s'agit d'une race essentiellement bouchère, exploitable à tous les âges.

La caractéristique principale de cette noble viande est d'être très tendre. Elle doit également être d'un beau rouge vif foncé et brillant. La graisse quant à elle se veut fine et légère, répartie entre la chair en un faible réseau, d'où son qualificatif de viande persillée, signe d'onctuosité.

La viande charolaise est reconnue pour sa qualité nutritionnelle. Elle est riche en protéines, en fer et en vitamines du groupe B. Elle est moyennement grasse, tout en conservant une saveur et une jutosité que les gourmets reconnaissent au premier coup de fourchette. La carcasse de ces animaux étant importante, le rendement est très appréciable.

Cette aptitude à faire de la viande de façon rapide et la saveur de ses meilleurs morceaux sont deux atouts essentiels qui contribuent à l'image de marque du bœuf charolais.

Pour les consommateurs, la viande charolaise demeure la référence en terme de qualité supérieure. C'est toujours la première race citée lors d'enquêtes sur la consommation de viande.

Faut-il être carnivore ou végétarien ?

La consommation de viande rouge est en baisse chez les jeunes. Le Centre d'Informations des Viandes (CIV) veut combattre cette tendance et mène une campagne de propagande en faveur de la viande.

SANTÉ

Suivez la ligne

De la petite enfance à l'adolescence, les protéines animales que l'on trouve dans la viande de bœuf sont indispensables à la croissance des muscles. La consommation de viande rouge est donc essentielle à une alimentation équilibrée.

La viande de bœuf est également une source privilégiée de fer d'excellente qualité. Le fer héminique, uniquement présent dans les produits animaux, a l'avantage d'être facilement et directement assimilable par l'organisme et permet de lutter contre l'anémie.

Afin d'assurer une bonne couverture des besoins en fer, il est recommandé de consommer au moins quatre portions de viande rouge cuite d'environ 100 g par semaine.

En plus du fer, la viande rouge est également riche en zinc, qui contribue au bon fonctionnement du système immunitaire (nos défenses naturelles), et en vitamines, notamment la B12, qui rentre dans la constitution des globules rouges. Les lipides (graisses) sont aussi indispensables au bon fonctionnement du cerveau et du système nerveux.

Contrairement aux idées reçues, la viande de bœuf contient en moyenne 10% de lipides et de très nombreux morceaux n'excèdent pas 5%. Mais si vous souhaitez ne pas "manger gras", évitez de rajouter trop de matières grasses au cours de la cuisson.

Vous qui allez marcher, courir, nager, faire du vélo, jouer sur la plage, savez-vous que la viande rouge apporte aux muscles des éléments nécessaires à leur contraction et à leur reconstitution ? Alors, pas de sport sans un bon steak.

Vous l'avez compris, la viande de bœuf, grâce à ses qualités gustatives naturelles et ses délicieuses façons de l'accommoder, est un véritable plaisir gourmand.

Alors, pour des vacances en forme, manger de la bonne viande de nos terroirs.

1 **a** La cantine de l'entreprise où vous êtes stagiaire vient de se convertir en "restaurant végétarien". Vous contestez ce changement ; vous défendez les bonnes qualités de la viande. En vous servant du contenu de l'article, écrivez une lettre de revendication à la direction de la cantine.

b Vous êtes végétarien(ne). En vous servant du contenu de l'article ci-dessus et en y ajoutant vos propres idées, écrivez une lettre à la direction du CIV pour protester contre leur "propagande" sur la viande.

2 Mini-débat. En groupes de quatre (deux paires), vous vous opposez à/vous défendez la production et la consommation de viande. Préparez-vous d'abord : servez-vous du contenu des deux articles de cette page ainsi que de vos propres idées, et notez vos points-clés avant de commencer.

Qu'est-ce qui peut remplacer la viande ?

(Teneurs pour 100 grammes d'aliments)

Amande	Soja	Merlan	Poulet	Bifteck	Œuf	Pâtes	Banane	Pomme de terre
calories 576	calories 381	calories 177	calories 161	calories 148	calories 146	calories 118	calories 89	calories 72
protéines 19	protéines 37,3	protéines 18,1	protéines 26,4	protéines 28	protéines 12,5	protéines 4	protéines 1,1	protéines 2,1
glucides 4,5	glucides 13	glucides 3	glucides 0	glucides 0	glucides 0,3	glucides 22,2	glucides 21	glucides 15,2
lipides 53,5	lipides 20	lipides 10,3	lipides 6,2	lipides 4	lipides 10,5	lipides 1,2	lipides 0,3	lipides 0,2

Calories : en kilocalories ; protéines : en grammes ; glucides : en grammes ; lipides : en grammes.

Bien que l'être humain soit omnivore, les nutritionnistes reconnaissent qu'il est possible d'avoir une alimentation équilibrée en ne consommant que des végétaux, des œufs et des produits laitiers. Le tableau nous montre par exemple que le soja est plus riche en protéines que le bifteck. Un problème se pose toutefois, car certains amino-acides dits essentiels ne se trouvent pas en proportions convenables dans aucun végétal. Il faut donc se livrer à des combinaisons, par exemple associer le pain aux lentilles, le riz aux haricots ou les flocons d'avoines au lait de soja. Enfin, il faut veiller à l'apport en vitamines. Ainsi, l'indispensable vitamine B12 ne se trouve-t-elle pas du tout dans les plantes, et les végétaliens de stricte observance doivent la consommer sous forme d'additif. Il en va de même pour l'iode... sauf à manger des algues.

Nom: ....

Pronoms relatifs : Qui, que, dont, ce qui, ce que, ce dont

10h

1 Ajoutez *qui, que/qu'* ou *dont* aux phrases suivantes.

a C'est une pub _____ me déplaît beaucoup.

b Je viens de recevoir l'article _____ tu m'as envoyé.

c Cet acteur a participé à l'émission _____ ils parlaient ce matin.

d Elle m'a invité à contribuer au journal _____ elle est rédactrice.

e C'est un homme _____ a fait beaucoup de reportages à l'étranger.

f Le livre _____ il vient de publier est autobiographique.

2 *Ce qui, ce que/ce qu'* ou *ce dont* ?

a _____ les publicitaires se plaignent, c'est l'interdiction de certains genres de publicités.

b _____ me frappe dans ce roman, c'est la violence des jeunes.

c _____ les habitants ne veulent pas se souvenir, c'est la crise.

d C'était tout _____ il pouvait dire sur le sujet.

e _____ est important, c'est que les jeunes participent au débat.

f _____ ils regrettent, c'est d'avoir quitté l'école sans aucun diplôme.

UNITÉ 6

16

 1 Réécoutez l'interview avec Nancy Gouin (page 85 du livre de l'étudiant). Repérez-y les expressions ci-dessous (colonne de gauche) : elles sont dans l'ordre où vous allez les entendre. Retrouvez ensuite l'explication de chaque expression dans la colonne de droite. (Servez-vous de vos dictionnaires si besoin est, mais utilisez surtout le contexte pour vous aider.) Notez le vocabulaire nouveau et apprenez-le.

1	refléter toute l'actualité de la région	**a**	des informations diverses, en bref
2	(les) attentes de tous les habitants	**b**	qui est faux
3	le tirage (d'un journal)	**c**	les habitants s'intéressent à la culture de leur région
4	il y a un attachement à la culture d'une région	**d**	la quantité d'exemplaires
5	qui sont très excentrés	**e**	il n'y a pas un grand nombre d'employés
6	être un peu le relais	**f**	la réputation d'écrire la vérité à protéger
7	faits divers	**g**	être une voie d'information
8	on est de permanence	**h**	une lutte inégale
9	on n'a pas beaucoup d'effectifs	**i**	présenter les informations de la région
10	on est censé être polyvalent	**j**	faire le travail d'un collègue
11	remplacer le confrère	**k**	qui ne se trouvent pas dans le même lieu
12	un sujet polémique	**l**	il faut avoir plusieurs talents
13	c'est le pot de terre contre le pot de fer	**m**	les espoirs ou les désirs de ceux qui habitent dans la région
14	mensonger	**n**	nous travaillons sans interruption
15	une crédibilité à défendre	**o**	un sujet à controverse, à discuter

Quand le journal reste trop cher, le prix du poste de télévision prohibitif, quand la population est encore largement analphabète, la radio est un excellent outil d'éducation.

Afrique : la radio est capable de tout

Bamako, Mali, sur 93. 8 FM

radio-local

DERNIÈRE RADIO D'INITIATIVE PRIVÉE à voir le jour à Bamako, *Fréquence 3* a fait des informations locales sa spécialité. Un véritable instrument d'éducation et d'apprentissage démocratique, dans un pays où l'écrit ne touche que l'intelligentsia.

Au grand marché Dabanani, en plein centre de Bamako, un attroupement vient de se former autour d'Oumar Sangho. Le jeune journaliste de *Radio Fréquence 3* traverse tous les jours le marché après avoir présenté le journal de la mi-journée. Dans la foule, les questions fusent : *"Dans ton journal de ce matin, tu nous as raconté les affrontements avec les Touaregs dans le nord du pays. Donne-nous des détails."*. *"Dis-nous ce qui s'est réellement passé"*. *"Tu as aussi parlé de la nouvelle mise en place du loto sportif, mais je n'ai pas compris comment on pouvait jouer"*... Oumar Sangho ne se fait pas prier. Aujourd'hui, comme hier, il répondra à toutes les questions des habitants. A trente et un ans, il tient, dur comme fer, à son rôle de journaliste de proximité. *"Nous devons parler aux auditeurs de choses qui les concernent dans leur vie quotidienne. Comment se maintenir en bonne santé, comment faire les bonnes démarches pour trouver du travail, comment se "débrouiller" depuis la dévaluation du franc CFA"*, explique-t-il.

Avec l'émission "Travaillons en musique", diffusée dès 8 heures du matin, la grille de *Fréquence 3* annonce la couleur. Des encouragements au travail tentent de valoriser l'esprit d'entreprise pour lutter contre la paresse. Fortement touchés par le chômage, les jeunes diplômés sont une cible privilégiée. Jouer la carte de la proximité, c'est aussi consacrer 60% du temps d'antenne aux émissions en bambara, la langue la plus parlée au Mali. Quand le journal en bambara s'achève, les journalistes embrayent tout de suite sur l'édition en français. Une vraie gymnastique.

1 Lisez le texte. Complétez les phrases suivantes.

a Dans les pays où beaucoup d'habitants ne savent pas lire, la radio _____

b *Fréquence 3* se spécialise _____

c Son émission terminée, Oumar Sangho _____

d Par le moyen d'une émission qui commence à 8 heures, *Fréquence 3* cherche à _____

e Près des deux tiers des émissions _____

2 Retrouvez dans l'article les morceaux de phrase suivants et expliquez-les en utilisant vos propres termes :

a un attroupement vient de se former _____

b les questions fusent _____

c Oumar Sangho ne se fait pas prier _____

d il tient, dur comme fer, à son rôle _____

e la grille de *Fréquence 3* annonce la couleur _____

f les journalistes embrayent sur l'édition en français _____

3 Vous travaillez pour une station de radio. On prépare une émission sur l'importance de la radio dans différents pays du monde. Résumez, par écrit et en anglais, le rôle de *Radio Fréquence 3* au Mali.

Nom: ....

1 Le voyage raté de Jean-Luc : travaillez en groupes de huit (quatre paires).

a A deux, prenez une carte.

b Reformulez chaque phrase en utilisant le discours indirect. Ecoutez votre partenaire : aidez-le/la, corrigez-le/la.
Exemple : il a dit qu'il avait retrouvé un ami devant la gare

c Travaillez avec les autres membres du groupe pour retrouver l'ordre chronologique du récit.

d Relisez le récit à haute voix.

e Ecrivez un extrait d'une lettre, dans laquelle Jean-Luc explique ce qui s'est passé à un ami.
Exemple : J'ai raté mon voyage à Paris hier. J'avais quitté la maison vers 8h, ...

CARTE B
- Jean-Luc est parti de chez lui vers 8h.
- Il est allé à la gare pour prendre le train pour Paris.
- Il avait un entretien à 11h 30.

CARTE C
- Au bout d'un quart d'heure, son ami est parti.
- Jean-Luc a acheté son billet, un aller-retour pour Paris.
- Avant de monter dans le train, il a acheté un journal et une revue.

CARTE A
- Devant la gare, Jean-Luc a rencontré un ami.
- Il l'a invité à prendre un verre.
- Ils ont bavardé un peu.

CARTE D
- Jean-Luc s'est assis dans un compartiment et il a lu la une du journal.
- Au bout de dix minutes, il a remarqué que le train était encore en gare.
- Il s'était trompé de train. Il est arrivé à Paris avec deux heures de retard.

UNITÉ 6

18

L'inversion du sujet ⟳ 12

1 Lisez ces phrases. Expliquez, par écrit et en anglais, les raisons de l'inversion du verbe et du sujet dans chacune.

a "Je n'ai rien vu", a-t-il dit.

b Encore faut-il reprendre les recherches.

c Doit-on téléphoner avant d'arriver ?

d Ils ont demandé où se trouvait le bureau de renseignements.

e Peut-être le journaliste n'a-t-il pas vérifié certains détails avant de publier l'article.

2 En mettant l'adverbe en tête de phrase et en inversant le sujet et le verbe, transformez les phrases suivantes.
Exemple : Il a peut-être les informations que vous cherchez.
Peut-être a-t-il…

a Nous avions à peine le temps de le saluer.

b Il trouvera sans doute des mots justes pour s'excuser.

c Elle a essayé en vain d'attirer son attention.

d Les témoins ont peut-être vu la figure de l'assassin.

e Ils ont du moins remarqué la marque de la voiture.

3 Reformulez les phrases suivantes en utilisant le discours direct.
Exemple : Il a dit qu'il n'avait rien remarqué.
"Je n'ai rien remarqué", a-t-il dit.

a Elle a affirmé qu'elle ne le savait pas.

b Il a répondu que l'inspecteur était arrivé à six heures.

c Le ministre a affirmé qu'il avait déjà parlé avec le président.

d Il a répété que les chercheurs avaient vérifié les résultats avant de les publier.

e Le porte-parole de la société a confirmé que les prédictions s'étaient révélées justes.

A Travail à deux. Essayez de résoudre tous vos problèmes de communication en français (voir les expressions-clés).

Expressions-clés :
Tu peux répéter le début/la fin de la phrase, s'il te plaît ?
                          à partir du mot...
J'ai pas compris après...
Tu veux m'épeler le mot... , s'il te plaît ?
Le mot... , comment ça s'écrit ?
Relis encore une fois le paragraphe qui commence par...
Tu as bien dit... , n'est-ce pas ?

1 Lisez à haute voix le passage ci-dessous, en vous arrêtant au bout de chaque paragraphe pour que votre partenaire remplisse les blancs de la feuille 20.

LE BRUIT, NUISANCE DU SIÈCLE (1)

1 *Un Français sur neuf – un sur sept en zone urbaine – est soumis à un environnement sonore jugé inacceptable. Face à ce fléau, les statistiques cachent des inégalités liées à des facteurs géographiques et sociaux. 43 % des Français disent souffrir du bruit, mais le chiffre s'élève à 58 % chez les Parisiens et 64 % chez les locataires d'habitations à loyer modéré.*

2 Des progrès notables ont été effectués sur la plupart des engins et appareils à moteur. Ainsi on peut constater une réduction de 5 décibels en 16 ans sur les voitures particulières, et 7 sur les poids lourds. La gêne due au bruit des avions toucherait au moins 350 communes et 6 millions de personnes. Depuis la loi sur le bruit de 1992, une taxe au décollage payée par les compagnies aériennes à Orly, Roissy, Toulouse, Lyon, Marseille et Nice, alimente un fonds d'aide aux riverains pour des travaux d'isolation acoustique. Là encore, les progrès ont été considérables. Les moteurs à réaction de la première génération étaient 10 fois plus bruyants que ceux de la troisième génération. Des restrictions sur les horaires existent à Orly.

3 Le transport ferroviaire est relativement peu bruyant, mais soulève néanmoins quelques inquiétudes avec le TGV (train à grande vitesse). Des experts étudient le moyen d'assourdir son passage : mettre du caoutchouc sous les rails, modifier des caténaires, etc. Cependant, le bruit des transports reste la nuisance la plus importante car les progrès enregistrés ont été contrebalancés par l'augmentation du trafic et par une urbanisation pas toujours contrôlée.

4 Il est bon, avant de s'installer dans un logement, de vérifier l'isolement aux bruits extérieurs, notamment au voisinage d'une route ou d'un aéroport, car toutes les études montrent que notre corps ne s'habitue pas au bruit.

2 Ecoutez votre partenaire, puis remplissez les blancs ci-dessous.

Le bruit, nuisance du siècle (2)

1 ■ les gens perçoivent le bruit de manière

_____

■ bruits les plus irritants : bruits de voisinage et bruits _____ (par exemple :

_____ , _____

_____ , _____)

■ maximum permis dans pièces principales =

_____

2 ■ tout le monde est concerné

■ les municipalités peuvent limiter les horaires

pour le _____ et _____ , et pour

les _____

■ solutions simples, par exemple remplacer

joints de fenêtres, placer _____ autour

de tuyaux

3 ■ la pire des nuisances liée à l'activité

_____

■ conséquence du bruit sur la santé : troubles

_____ , augmentation du

_____ cardiaque, tension _____

■ diminue capacités _____

■ risques à long terme : augmenter la

_____ et le _____ ;

cause de _____ et d' _____

B Travail à deux. Essayez de résoudre tous vos problèmes de communication en français (voir les expressions-clés).

1 Ecoutez votre partenaire, puis remplissez les blancs ci-dessous.

Le bruit, nuisance du siècle (1)

1 ■ un Français sur 9 (et un sur _____ en zone _____ soumis à un niveau de bruit inacceptable

■ 43% des Français souffrent des effets du bruit, mais _____ % à Paris, et _____ % dans des HLM

2 ■ progrès en ce qui concerne _____ _____

■ réduction de 5 décibels en 16 ans sur les _____ et 7 sur les _____

■ bruit des avions _____ communes et _____ de gens concernés

■ mais, là aussi, progrès : aide aux gens pour travaux d' _____ _____

■ moteurs beaucoup moins _____

■ _____ au décollage et restrictions d'_____

3 ■ trains moins bruyants, mais problèmes avec le _____

■ caoutchouc sous les _____ ?

■ les transports font moins de bruit, mais les progrès sont contrebalancés par _____ _____ _____ _____

4 ■ avant de s'installer dans un appartement, on ferait bien de vérifier _____

Expressions-clés :
Tu peux répéter le début/la fin de la phrase, s'il te plaît ?
à partir du mot...
J'ai pas compris après...
Tu veux m'épeler le mot... , s'il te plaît ?
Le mot... , comment ça s'écrit ?
Relis encore une fois le paragraphe qui commence par...
Tu as bien dit... , n'est-ce pas ?

2 Lisez à haute voix le passage ci-dessous, en vous arrêtant au bout de chaque paragraphe pour que votre partenaire remplisse les blancs de la feuille 19.

LE BRUIT, NUISANCE DU SIÈCLE (2)

1 Le bruit est perçu par les gens de manière subjective. Les tapages les plus irritants sont certainement les bruits de voisinage (proximité d'un bar, d'une activité industrielle...) ou les bruits domestiques (volume sonore d'une radio, d'une télévision, d'une chaîne hi-fi, aboiements de chiens...). Des mesures efficaces pour les réduire à la source, à la transmission, à la réception ont été adoptées. A l'heure actuelle, le règlement de construction impose un maximum de 35 décibels dans les pièces principales.

2 La lutte contre le bruit est l'affaire de tous. Les maires de communes peuvent imposer des horaires pour le bricolage et le jardinage, et pour les heures d'ouverture des chantiers. Pour le citoyen, depuis 1988, la réglementation sur les bruits de voisinage permet d'agir à tout moment, dès que le volume sonore devient trop fort. De simples gestes (renforcer l'isolation acoustique, remplacer les joints des fenêtres, placer des colliers antivibratiles autour des canalisations) peuvent changer la vie.

3 Les nuisances les plus destructrices sont probablement celles liées à l'activité professionnelle. Le bruit a des conséquences sur la santé : il provoque des troubles cardio-vasculaires avec augmentation du rythme cardiaque et de la tension artérielle, il diminue la vigilance et les capacités intellectuelles. A long terme, il peut augmenter la tension nerveuse et le stress, et être cause de boulimie et d'insomnies.

CHARTE DU BON VOISINAGE

Chez moi, je suis aussi chez les autres

❏ Je n'ai pas le droit de gêner mes voisins, ni le jour ni la nuit.

❏ Je modère le son de ma télévision et de ma chaîne hi-fi.

❏ J'apprends à mon chien à ne pas aboyer inconsidérément.

❏ Je marche avec des chaussons, des chaussettes ou nu-pieds.

❏ Je mets des feutres sous les pieds de mes meubles.

❏ J'achète des appareils électroménagers silencieux.

❏ Je ne bricole pas en dehors des horaires recommandés.

❏ Je ne remplace pas mon revêtement de sol sans prendre des précautions d'isolation.

❏ Je m'entends avec mes voisins lorsque j'organise une fête et j'accepte aussi la leur.

❏ Je ne claque pas les portes de mon appartement.

❏ Je descends les escaliers en silence.

❏ Je tonds ma pelouse à des heures acceptables.

❏ La vie est faite tout autant de respect que de tolérance.

1 Travail à deux. Lisez la charte du bon voisinage afin de préparer ce jeu de rôle :
A est la victime d'un voisin infernal (**B**). **A** dresse une liste de plaintes, sous forme de notes (choisissez trois ou quatre transgressions en vous inspirant de la charte). **B** prépare sa défense et propose des excuses vraisemblables.
Exemples :

A J'accuse...

- *télévision à plein volume cette nuit entre minuit et 4h du matin*
- *hi-fi souvent entendue dans la matinée à volume exagéré*

B Je me défends...

- *exceptionnellement, j'ai laissé la télévision allumée toute la nuit car j'étais absent et je voulais décourager les cambrioleurs*
- *je dois mettre la hi-fi de temps en temps, parce que mon chien adore la musique, et sans cela il aboie constamment*

2 Les problèmes avec votre voisin ne se sont pas résolus. Vous vous sentez obligé(e) de lui écrire pour lui faire part de vos réclamations. Ecrivez cette lettre, en faisant le bilan de son mauvais voisinage.

3 Suggérez cinq points supplémentaires (au moins) à rajouter à la charte du bon voisinage.
Exemple : Je sors les ordures à une heure convenable...

Nom: ....

1 Vous trouverez ci-dessous le commentaire d'un tableau.

   a Trouvez à la bibliothèque un livre sur les impressionnistes. Cherchez-y les tableaux suivants :
   - *Un bar aux Folies-Bergère*, 1882, Edouard Manet
   - *Le Moulin de la Galette*, 1876, Pierre-Auguste Renoir
   - *Le Déjeuner des Canotiers*, v 1880, Pierre-Auguste Renoir
   - *Femmes au jardin*, 1867, Claude Monet.

   b Lisez le texte. Lequel de ces tableaux décrit-il?

   c Relisez le texte de façon plus approfondie. Repérez dans le tableau chaque détail mentionné.

   d Que pensez-vous du commentaire ? Est-ce un commentaire valable ? Rajoutez-y vos propres réactions.

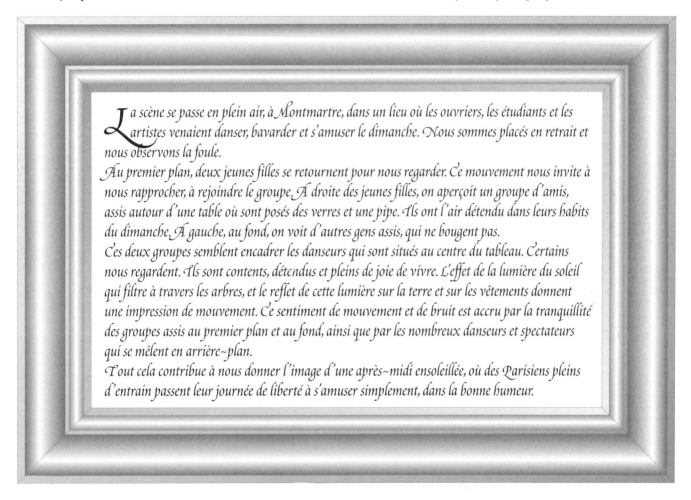

La scène se passe en plein air, à Montmartre, dans un lieu où les ouvriers, les étudiants et les artistes venaient danser, bavarder et s'amuser le dimanche. Nous sommes placés en retrait et nous observons la foule.

Au premier plan, deux jeunes filles se retournent pour nous regarder. Ce mouvement nous invite à nous rapprocher, à rejoindre le groupe. A droite des jeunes filles, on aperçoit un groupe d'amis, assis autour d'une table où sont posés des verres et une pipe. Ils ont l'air détendu dans leurs habits du dimanche. A gauche, au fond, on voit d'autres gens assis, qui ne bougent pas.

Ces deux groupes semblent encadrer les danseurs qui sont situés au centre du tableau. Certains nous regardent. Ils sont contents, détendus et pleins de joie de vivre. L'effet de la lumière du soleil qui filtre à travers les arbres, et le reflet de cette lumière sur la terre et sur les vêtements donnent une impression de mouvement. Ce sentiment de mouvement et de bruit est accru par la tranquillité des groupes assis au premier plan et au fond, ainsi que par les nombreux danseurs et spectateurs qui se mêlent en arrière~plan.

Tout cela contribue à nous donner l'image d'une après~midi ensoleillée, où des Parisiens pleins d'entrain passent leur journée de liberté à s'amuser simplement, dans la bonne humeur.

2 Travail de recherche. Choisissez un tableau dans la liste ci-dessus. Faites des recherches sur l'artiste et sur la date du tableau.
   - Pendant quelle période de sa vie l'artiste a-t-il travaillé sur le tableau ?
   - Le tableau fait-il partie d'une série ?
   - Notez des informations sur les techniques utilisées.
   - Le tableau a-t-il été bien reçu ?

3 Utilisez le commentaire ci-dessus, ainsi que vos notes et les expressions-clés de la page 107 du livre de l'étudiant, afin d'écrire un commentaire sur le tableau que vous avez choisi. N'oubliez pas de penser :
   - à l'ambiance du tableau
   - aux couleurs
   - au contenu
   - à sa construction
   - à votre réaction.

Nom: ....

Les pronoms y & en  10c-f

1 Complétez ces phrases avec *y* ou *en*.

a – Tu es déjà allé à l'exposition ?

– Non, mais j'_____ vais samedi.

b Il _____ avait pensé sans cesse.

c Merci, mais je n'_____ ai plus besoin.

d On _____ est allé pour fêter son anniversaire. Tu ne t'_____ souviens pas ?

e – Vous avez déjà pris quelques échantillons ?

– Oui, nous _____ avons pris cinq.

2 Complétez ces phrases, en écrivant les pronoms dans le bon ordre. (Dans certains cas, vous devez remplacer le "e" final du pronom par une apostrophe.) Ensuite, traduisez-les en anglais.

a Il _____ _____ a parlé avant son départ. [*en/nous*]

b Après avoir choisi un fauteuil confortable il _____ _____ est installé pour regarder le film. [*se/y*]

c On demande ces documents à la réception. Portez-_____-_____ tout de suite. [*les/y*]

d Ils ont déjà quelques copies de l'article. Je _____ _____ ai donné ce matin. [*en/leur*]

e Pour terminer mon rapport, je suis arrivé de bonne heure au bureau ce matin, et je _____ _____ suis enfermé toute la journée. [*me/y*]

UNITÉ 6

23

Le passé simple 16i

1 Recopiez ces phrases et mettez les verbes au passé simple.

a Le premier jour, je [*aller*] au château.

b Nous [*visiter*] plusieurs monuments dans la région.

c Mon père [*revenir*] très tard.

d Il [*répondre*] à toutes nos questions.

e Ce [*être*] un séjour inoubliable.

f Nous [*retourner*] chez nous à la fin du mois.

g Une semaine plus tard, mes parents [*recevoir*] une lettre de leurs amis.

2 Lisez cet extrait de *La Gloire de mon père*, de Marcel Pagnol.

a Relevez d'abord les exemples du passé simple.

> Quand ma mère <u>eut bordé</u> le petit Paul, elle vint me donner le baiser du soir, et me dit :
> – Demain, je vous finirai les nouveaux costumes d'Indiens, pendant que tu fabriqueras les flèches. Et pour déjeuner, il y aura de la tarte aux abricots avec de la crème fouettée.
> Je compris qu'elle me promettait ce régal pour atténuer ma déconvenue, et je lui baisai les mains tendrement. Mais dès qu'elle <u>fut sortie</u>, le petit Paul parla.

b Examinez les verbes soulignés. Ils sont au passé antérieur (voir la *Grammaire*, 16j).

3 Remplissez les blancs dans les phrases suivantes en employant un verbe au passé antérieur.

a Dès qu'il _____ [*arriver*], il commença à boire.

b Aussitôt qu'ils _____ [*partir*], elle se mit à rire.

c Après que j'_____ [*enlever*] ma veste, il demanda de repartir.

d Quand nous _____ [*entrer*], ils se turent.

4 *Alors, commencèrent les plus beaux jours de ma vie...* Ainsi commence un chapitre de *La Gloire de mon père*. En reprenant cette expression, écrivez une description d'une période de votre vie dont vous gardez les plus beaux souvenirs. Ecrivez 150–200 mots.

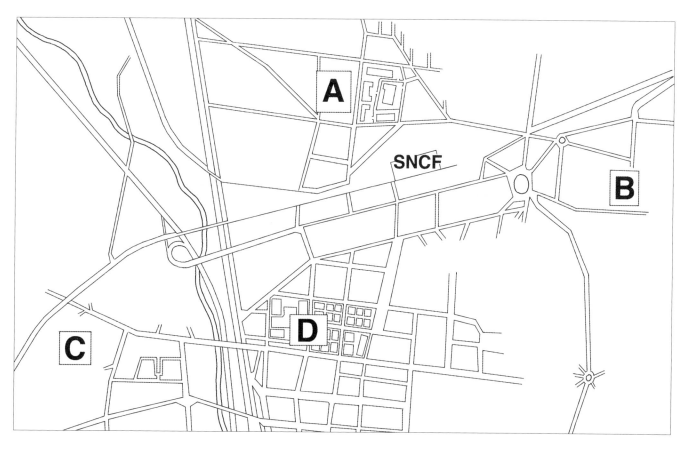

 **1 a** Réécoutez l'interview avec Jeanne Haushalter
(page 113 du livre de l'étudiant) et regardez le
plan du centre-ville de Reims ci-dessus.
Repérez-y le quartier dont elle parle.

b Mettez les idées suivantes dans l'ordre où vous
les entendez.

a En changeant les bâtiments industriels
en bureaux, on va transformer l'image
du quartier. ☐

b Ce genre de travail entraîne des travaux
périphériques, par exemple la création
d'écoles, de magasins et d'autres
services publics. ☐

c Le but est de transformer un ancien
quartier industriel. ☐

d On va profiter des travaux pour créer un
nouveau réseau de routes. ☐

e Il reste toujours le problème d'attirer de
nouvelles entreprises, étant donné
l'image négative du quartier. ☐

f Les partenaires espèrent attirer de
nouvelles entreprises privées. ☐

g Les bâtiments industriels deviendront
des bureaux et des logements. ☐

h Il est indispensable que ce genre de
développement soit bien conçu
puisqu'il s'agit d'un projet à long terme. ☐

2 Lesquelles des difficultés suivantes sont citées par
Jeanne Haushalter?

a Les contraintes budgétaires. ☐

b Les disputes entre les partenaires. ☐

c L'impossibilité d'agrandir le centre-ville. ☐

d Le manque de transports en commun. ☐

e La difficulté d'attirer de nouveaux usagers. ☐

f La difficulté de transformer du jour au
lendemain l'image négative du quartier. ☐

g Le manque de services publics (écoles,
magasins, etc.). ☐

A Un été mauve au parfum de lavande

A l'est du Mont Ventoux, entre Sault et Aurel, les champs en fleur filent à perte de vue. Depuis le début du siècle, les habitants de ce cirque montagneux se mobilisent chaque été pour récolter la lavande et la distiller ensuite en une précieuse essence.

Une carte postale parfumée. Voilà à quoi ressemble l'extrémité du plateau d'Albion en été. Du col de l'Homme mort aux ruelles de Sault, l'air surchauffé est saturé d'effluves de lavandes. Sur le plateau, les lignes bleu-mauve-rose accrochent la lumière, se font un malin plaisir de filer sous un amandier ou de flirter avec un champ de blé, afin de composer des contrastes éclatants. Des photographes en ont tiré des albums entiers.

« Autrefois, les plants poussaient dans la montagne à l'état sauvage », se souvient Maxime Malavard, de la ferme de la Maguette. « Nos anciens s'armaient d'une faucille et se passaient la saquette en travers de la poitrine. C'est une grande pièce de tissu qui permet de récolter les fleurs sans les abîmer. Chacun montait dans son coin, et on descendait la récolte aux apothicaires de Carpentras. »

Ces anciens-là se contentaient de lavandes sauvages. Le paysage actuel des fleurs alignées comme à la parade ne date que du début du siècle. [...]

B Et si l'ignorant n'y voit que du bleu, il ne s'agit pourtant pas de confondre lavande « fine », la plus belle, avec ce qui n'est que du lavandin ou de la « grande lavande ». « D'abord, sur nos plateaux », explique Maxime Malavard, « il existe deux sortes de lavandes. La grande lavande, l'aspic si vous préférez, qui pousse en dessous de 800 mètres. Elle donne une essence quelconque, tout juste

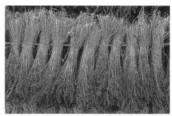

bonne à fabriquer des vernis. La lavande « fine », la vraie, pousse plus haut, jusque 1 500 mètres et même plus. La terre est moins bonne, les conditions sont plus rudes. Alors sa fleur est beaucoup plus petite. Elle fournit moins d'essence, bien sûr, mais d'une qualité supérieure : celle-là, elle part chez les pharmaciens et les parfumeurs. Avec cette huile essentielle, on fait tout : désinfecter les plaies, les cicatriser, ça soigne les rhumatismes, c'est diurétique même ! »

En plus de ces deux-là, il y a le lavandin, rencontre de la « grande lavande » et de la « lavande fine », une hybridation provoquée par les abeilles, qui mélangent les pollens en butinant d'une fleur à l'autre. Le lavandin donne une bonne quantité d'essence moyenne, avec laquelle, par exemple, on parfume savons et lessives. « Disons que le lavandin fournit 2 kilos d'essence pour 100 kilos de fleurs, et la lavande entre deux et cinq fois moins. »

Les distilleries se repèrent de loin. Une haute cheminée dans un fond de vallon, près d'une rivière, entourée de grosses bottes circulaires de paille noircie, ce qui reste des lavandes après distillation. Séchée, cette matière brûle pour chauffer l'alambic.

Voici donc le miracle : grâce à la rencontre du feu, de l'eau et d'un produit naturel de la terre, par le truchement d'un vase et de tubulures, l'huile essentielle est là. « Le principe est on ne peut plus simple », avoue Henri Barthée, qui distille toutes sortes de plantes, « mais il exige du soin et surtout de l'expérience. Cela commence dès la récolte : une lavande trop mûre, c'est aussi mauvais qu'une lavande pas assez mûre, elle ne fournit pas d'huile. Ensuite, il faut bien sécher les fleurs, sinon, à la distillation, elles donnent un relent de moisi. » L'expérience, c'est aussi maîtriser et connaître les temps de chauffe, les températures, les débits de vapeur... qui sont différents pour chacune des plantes que distille Henri Barthée. Seule l'émotion reste la même à chaque fois que les premières gouttes d'huile essentielle apparaissent : jaune orangé pour la lavande et le lavandin, vert-bleu pour la camomille romaine, mais bleu d'encre s'il s'agit de camomille matricaire.

C Un litre pour cent kilos de fleurs

Autrefois pratiquée dans des alambics à feu nu, la distillation de la lavande s'opère désormais dans des alambics à vapeur, qui fonctionnent sur le même principe qu'une cafetière à pression (italienne). La première étape de ce procédé consiste à tasser une tonne et demie de fleurs coupées dans le vase de distillation. Plus les plantes seront compactées, meilleure sera leur résistance à la chaleur et plus elles donneront d'essence. La pénible opération du foulage aux pieds qui se pratiquait autrefois a désormais été abandonnée au profit d'un pilon. L'eau qui entoure le vase de distillation est ensuite chauffée, et la vapeur traverse les plantes. Sous l'effet de la chaleur, les cellules de la fleur éclatent, et la vapeur se charge en essence de lavande. Refroidi dans un serpentin, le mélange goutte dans un « essencier » dans lequel essence et eau se séparent par simple décantation. Plus légère que l'eau, l'essence de lavande est recueillie à la surface du récipient. Une fois extraite, l'essence est majoritairement utilisée en parfumerie. Selon sa qualité, elle entrera dans la composition de parfums ou de savons. Les résidus de la distillation, une fois secs, sont ensuite utilisés pour alimenter la chaudière de l'alambic.

Nom: ....

1 Lisez la section **A** du texte de la feuille 25 et repérez-y tout ce qu'on apprend sur la récolte de la lavande d'autrefois. Faites-en une liste, puis discutez avec un(e) partenaire de ce que vous avez appris.

2 Faites contraster cette pratique d'autrefois avec celle du présent (récolte à la main/mécanisation ; pousse à l'état sauvage/culture en rangées alignées, par exemple).
Exemple : Avant… , tandis que maintenant…

3 Lisez la section **B** du texte. Faites une liste de 10 mots ou expressions inconnus et essayez d'en deviner le sens à partir du contexte. Vérifiez vos définitions dans un dictionnaire avant de comparer votre liste avec celle d'un(e) partenaire.

4 Relisez la section **B**. En vous reportant au texte, complétez les notes ci-dessous

La lavande et ses utilités

la grande lavande
● *pousse…*

● *usage :*

la lavande fine
● *pousse…*

● *caractéristiques :*

● *usage :*

le lavandin
● *origine :*

● *usage :*

5 Lisez la section **C** du texte. Préparez un diagramme avec des légendes pour montrer les différentes étapes du procédé de distillation.
Exemple :

entassement des fleurs

6 Relisez la section **C**. Faites contraster le procédé de distillation de la lavande d'autrefois avec celui d'aujourd'hui.

a Autrefois, on _____ la lavande dans des

alambics _____ , tandis que maintenant

_____

_____

b Autrefois, on _____ la lavande aux

pieds, tandis que maintenant _____

_____

7 Relisez le texte en entier, et répondez aux questions suivantes en anglais.
a What are the elements of the *plateau d'Albion* which give it a 'picture-postcard' aspect?
b What changes to lavender-growing and harvesting have occured in the twentieth century compared with earlier times?
c How has the distillation process evolved?
d What are the different types of lavender and their respective commercial uses?
e Explain why particular care and experience are needed to give good results during distillation.
f Explain how energy costs are minimised in distillation.

premier scénario
les agriculteurs réinventent la campagne

En 1960, la vie était dure pour les éleveurs du Beaufortin. Le Beaufort, le fromage de cette vallée de Savoie, ne se vendait plus. Les paysans abandonnaient leurs fermes, quittaient leur village. Les plus têtus ont pourtant eu l'idée folle d'unir leurs forces pour faire un Beaufort de qualité. Ils ont créé une coopérative. Et ils ont trouvé ensemble le moyen de produire le même fromage, avec les mêmes vaches (les Tarine et les Abondance, bien adaptées à la vie en montagne), le même cuivre pour les cuves, le même bois de hêtre pour cercler le fromage, la même toile de lin pour le presser... mais avec en plus un réel souci d'hygiène et de qualité ! Ils ont ainsi réussi à sauver le Beaufort, et la vallée ! Et quand ils ont un peu moins de travail à la fromagerie, ils vont dans les stations de sport d'hiver toutes proches pour s'occuper des remontées mécaniques, ou des chasse-neige.

Partout, des agriculteurs refusent ainsi d'abandonner les fermes et les champs qu'ils aiment. Pour "vivre au pays", ils inventent des solutions.

Ils font le pari de la qualité. Plutôt que de produire en très grande quantité, ils préfèrent produire moins, mais mieux. Leurs produits sont souvent plus chers que les autres, mais on est sûr qu'ils sont bons. Les poulets, par exemple, n'ont pas grandi dans des poulaillers géants, ils ont couru à toutes pattes dans l'herbe, et on leur a laissé le temps de grandir...

Ils font aussi le pari du tourisme rural. Ils installent dans leur exploitation une "ferme-auberge", ou un "gîte rural" pour accueillir des gens en vacances ou en week-end. Grâce à eux, les citadins découvrent ce que c'est qu'une ferme. Ils apprennent le goût du lait après la traite, des œufs pondus le jour même, du jambon fait maison ou des légumes du potager. Il existe même aujourd'hui des fermes de santé qui accueillent des gens malades, d'autres qui organisent des expositions de peinture ou des concerts dans leur grange...

avantages : Les agriculteurs peuvent continuer leur métier. La campagne est entretenue. La nature est respectée. Les citadins et les ruraux se rencontrent et se découvrent. Les produits sont de qualité. Ils ont du goût.
inconvénients : Les agriculteurs devront quand même lutter contre la concurrence. Aujourd'hui, on mange par exemple des haricots verts venus du Kenya ou de Chine, des pommes du Chili ou de Nouvelle-Zélande...

1 Travail à deux. Lisez le texte et les questions ci-dessous, avant de relire le texte à fond. A tour de rôle, un(e) partenaire pose une question à son partenaire, qui doit répondre sans regarder le texte.
  a Où se trouve le Beaufortin ?
  b De quelle année date la coopérative du Beaufortin ?
  c Pourquoi les éleveurs ont-ils créé une coopérative ?
  d Quelles races de vaches y trouve-t-on ?
  e Quels matériaux et équipements sont nécessaires à la fabrication du Beaufort ?
  f Que font les éleveurs l'hiver ?
  g Qu'est-ce qui fait la qualité des poulets de la vallée ?
  h Que peuvent découvrir les touristes ?

2 Faites de chaque paire de phrases une phrase unique, en y ajoutant une proposition de concession (voir *Zoom* à la page 120 du livre de l'étudiant).
  a Les fromages du Beaufortin se vendaient mal. Certains éleveurs têtus ont décidé de créer une coopérative.
  b Ils sont capables de produire du fromage en grande quantité. Ils préfèrent en produire moins, mais de meilleure qualité.
  c Les produits du Beaufortin sont souvent chers. Le public les achète, car ils sont de bonne qualité.
  d Les fermiers du Beaufortin connaissent le succès. Ils doivent faire face à la concurrence des produits moins chers issus de l'étranger.

3 Quels sont les autres avantages/inconvénients d'une telle coopérative ? Complétez la liste du texte.

4 Travaillez par groupes de 6 à 8. Imaginez la conversation lors de la première rencontre des éleveurs "têtus" en 1960. Préparez-vous d'abord : lisez les titres ci-dessous, puis relisez le texte en entier en prenant des notes en rapport avec chaque titre.
  ■ la dissatisfaction – la crise
  ■ que faire? (il faut... nous devons... nous pourrons...)
  ■ qualité plutôt que quantité
  ■ les solutions pour l'hiver
  ■ la diversification
  ■ les avantages/inconvénients ?

5 En suivant le style du dépliant qui figure à la page 125 du livre de l'étudiant, rédigez une brochure publicitaire pour la vallée du Beaufortin et ses produits.

LES **FLÉAUX** FONT DE LA **RÉSISTANCE**

Des produits capables d'anéantir virus, rongeurs ou insectes, il y a moins d'un siècle, se révèlent aujourd'hui incapables de leur faire le moindre mal.

Lorsque Sir Alexander Fleming découvre en 1928 la pénicilline (un médicament – antibiotique – obtenu à partir de champignons), il est convaincu que c'en est fini des maladies bactériennes, tant le produit
5 est efficace. Aujourd'hui, rares sont les bactéries qui ne sont pas "pénicillinorésistantes", c'est-à-dire qui ne réagissent absolument plus à la pénicilline. La situation est la même pour les virus, les insectes, les rongeurs, etc. Que s'est-il passé en moins d'un siècle
10 pour que les produits, capables de les supprimer totalement il y a quelques années, soient à présent totalement inefficaces ?

L'explication est relativement simple. Dans une même espèce, il existe de très grandes différences
15 physiologiques entre individus. Un même produit aura donc des effets très variables – un peu comme peut le faire le tabac chez l'homme : tous les fumeurs ne développent pas nécessairement un cancer. Ces différentes réactions proviennent des gènes contenus
20 dans les noyaux des cellules.

Dans la lutte "chimique" (médicament, insecticide…), il peut se produire trois choses. Soit on élimine tous les individus, sauf ceux qui sont plus – ou totalement – résistants au produit utilisé. Du coup, à la
25 génération suivante, tous les individus sont dotés du gène résistant, puisque les enfants "prennent" les gènes de leurs parents. Soit, à force d'absorber des doses de plus en plus importantes de ce produit, l'espèce évolue, s'adapte progressivement et se trans-
30 forme. Soit, enfin, le parasite "apprend". Ainsi chez les rats, lorsqu'un nouveau poison est déposé à un endroit dans le métro parisien, quelques heures après, tous les rats de Paris "savent" qu'il ne faut pas y toucher !

Cette capacité de résistance pose de sérieux
35 problèmes aux responsables de la santé publique. En donnant, par exemple, un médicament anti-paludique aux voyageurs dans les pays à risque, on "aide" malheureusement le parasite à devenir plus résistant et donc plus apte à contaminer les populations locales
40 qui ont peu de moyens de se défendre contre cette maladie !

Même si la variole est la seule maladie à avoir été totalement vaincue par la lutte chimique, certains scientifiques proscrivent ce type de lutte. Mais par
45 quoi la remplacer ? La vaccination – lutte biologique – n'est pas toujours possible, comme par exemple dans le cas du sida.

1 Lisez le texte et répondez aux questions.
  a A quel problème les scientifiques doivent-ils faire face ?
  b Quelle est l'explication de ce problème ?
  c Pourquoi les poisons contre les rongeurs ne sont-ils plus efficaces ?
  d Quel est le plus gros problème pour ceux qui s'occupent de la santé publique ?

2 Travail de vocabulaire : en vous aidant de vos dictionnaires, expliquez les expressions suivantes :
  – c'en est fini des maladies bactériennes (ligne 4)
  – les noyaux des cellules (ligne 20)
  – du coup (ligne 24)
  – tous les individus sont dotés de (ligne 25)
  – plus apte à contaminer (ligne 39)
  – proscrivent ce type de lutte (ligne 44)

3 Traduisez en anglais de *Dans la lutte "chimique"* à "*il ne faut pas y toucher !*". Avant de commencer, relisez la page 128 du livre de l'étudiant.

1 Vous allez entendre trois interviews où les habitants de Reims donnent leur opinion sur la recherche médicale. Ecoutez la première interview plusieurs fois. Ensuite, remplissez les blancs dans ces extraits des réponses données.

a *Première réponse : la recherche médicale*

Certains chercheurs font des _____

qui vont très loin, qui sont très

_____ , mais en même temps nous

avons besoin de faire _____ la

(recherche médicale). Je suppose qu'ils ont

besoin de faire des expériences sur

_____ pour faire _____ la

recherche médicale dont nous bénéficions.

b *Deuxième réponse : la recherche sur les embryons*

Il est certain que ça pose certains

_____ . Est-ce qu'on a le droit

de _____ les embryons? [...] On peut

peut-être faire de la _____

_____ sans manipuler

_____ et donc sans faire des

manipulations _____

c *Troisième réponse : faut-il contrôler la recherche ?*

Je crois qu'il faut les _____

_____ mais qu'il faut

aussi _____ . Donc je crois qu'il

faudrait peut-être que _____

encadre la recherche médicale, qu'elle pose

_____ à cette recherche médicale.

2 Maintenant, écoutez les deuxième et troisième interviews. Choisissez parmi les phrases suivantes, les opinions qui reflètent celles que vous entendez.

2ème interview

a Certaines recherches ont amené d'énormes progrès au niveau des greffes. ☐

b A mon avis, les recherches médicales sont absolument nécessaires pour nous, les humains. ☐

c Je dirais qu'il faut limiter les recherches militaires. ☐

d Il ne faut pas imposer de limites aux chercheurs qui s'occupent d'armement. ☐

e Je ne sais pas ce qui a été fait sur les embryons, donc je ne pourrais pas dire s'il faut imposer des limites. ☐

f Il faut absolument limiter toute recherche sur les embryons. ☐

3ème interview

a Il n'est pas nécessaire d'imposer des limites aux chercheurs. ☐

b La recherche sur les embryons pourrait être dangereuse pour l'homme. ☐

c Il n'est pas toujours possible de reconnaître les conséquences de la recherche actuelle. ☐

d Innover, sans savoir les conséquences de la recherche, pourrait nous être néfaste. ☐

e Je dirais qu'il faut surveiller les recherches médicales qui vont nous servir plus tard. ☐

f Il est possible que les chercheurs arrivent à un certain point et qu'ils ne puissent plus reculer. ☐

3 En vous servant des réponses ci-dessus, et en réécoutant aussi la cassette, écrivez vos propres réponses à ces questions sur la recherche.
a Pensez-vous qu'il faut imposer des limites à la recherche médicale ? Pourquoi ?
b Et les recherches génétiques, les recherches sur les embryons, pensez-vous qu'il faut leur fixer des limites ? Pourquoi ?

Nom: ....

Les pronoms démonstratifs

1 Remplissez les blancs avec la forme du pronom qui convient. Choisissez entre : *celui, celle, ceux, celles,* en y ajoutant *-ci, -là,* si besoin est.

a Les virus transmis par les rongeurs le sont par voie respiratoire. _____ qui sont transmis par les piqûres le sont par voie sanguine.

b On note une progression de la tuberculose et du choléra dans certains pays. _____ ne crée qu'une diarrhée banale chez les voyageurs en bonne santé, alors qu'il tue des personnes dénutries. _____ est responsable de 3 millions de décès par an.

c La pauvreté est la principale source de malnutrition et d'épidémies. Sans aide, _____ continueront à se développer, surtout dans les pays en voie de développement.

d _____ qui travaillent dans ces pays demandent de l'aide aux pays plus riches.

e L'Organisation mondiale de la santé surveille de près toutes ces maladies, surtout _____ qui sont émergentes.

- - - - - - - ✂ -

Travaillez en groupe pour préparer un exposé sur un des thèmes suivants :

A

Vous voulez ralentir le progrès de la génétique.

B

Vous pensez que ce serait dommage d'arrêter les recherches. Montrez que vous reconnaissez les problèmes, mais insistez sur le fait que le progrès doit continuer.

Concentrez-vous sur les problèmes posés par la génétique.
Exemple : *Les parents pourraient choisir le sexe de leur enfant. Ceci permettrait l'élimination dse filles dans certains pays du monde.*

Concentrez-vous sur les avantages de ce genre de recherche.
Exemple : *Grâce à cette recherche, on a fait d'énormes progrès au niveau des greffes, surtout en ce qui concerne la recréation de peaux artificielles.*

1 En groupe, faites une liste des avantages et des problèmes de ces recherches. Retrouvez des idées aux pages 136, 138, 139.

2 Préparez ce que vous allez dire :
– pour commencer   *De nos jours, les scientifiques doivent faire face à des problèmes difficiles.*
– pour introduire un argument   *Il y en a qui prétendent que…*
– pour souligner un point-clé   *A ceci s'ajoute le fait que…*
– pour exprimer votre opinion   *On ne devrait pas permettre à…*
– pour terminer   *Pour conclure…*

3 En groupe, désignez qui va introduire votre exposé et qui va présenter les point-clés. Trouvez les moyens de rendre votre exposé intéressant et convaincant.

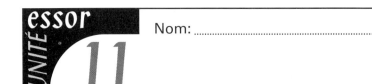

LA VIOLENCE DES JEUNES

Il paraît qu'on observe une montée de la violence chez les jeunes. Suite à un débat dans quelques établissements scolaires, il est possible de préciser certaines formes de la violence, surtout dans les écoles : les injures, le racket, les bagarres.

TÉMOIGNAGES

Un manque de respect de l'autre
Mme Colette Kleinberg, principal du collège Pablo-Neruda, Pierrefitte-sur-Seine (Seine-Saint-Denis).

Nous sommes dans un collège "difficile". Ce qui est le plus frappant chez beaucoup de jeunes, c'est le manque de repères, la non-reconnaissance entre le bien et le mal, entre ce qui se fait et ce qui ne se fait pas, ils ne connaissent pas leurs limites.

L'indiscipline, premier problème
Mr Angel Ruiz, professeur d'espagnol, collège Georges-Braque, Paris.

Le problème numéro un dans un établissement comme le nôtre, c'est l'indiscipline. Par exemple l'habitude de jeter des papiers dans la classe, on ne respecte pas le matériel, on se moque ouvertement de l'élève qui passe au tableau. Cela crée un mouvement de colère, de rancœur qui donnera lieu après à une bousculade dans le couloir.

Parler de la violence
Patrick, 14 ans, 4e

La violence, ça fait peur bien sûr, surtout la violence physique. A l'école il arrive que des copains se tapent, mais c'est surtout dans mon quartier qu'il y a des bagarres, surtout entre bandes. Je crois que tout cela vient du chômage, de la pauvreté.

Parler des problèmes de violence, en discuter entre jeunes, je suis d'accord. Je trouve que c'est bien de le

faire aussi en classe, mais pour que ce soit vraiment efficace, il faudrait le faire régulièrement.

Des structures d'encadrement
Zoulikha, 19 ans, terminale ES

Lorsqu'un jeune de l'école a des intentions violentes, il faut l'aider dans sa vie de tous les jours. Ça ne suffit pas de lui dire de s'arrêter à l'école, car il se défoulera à l'extérieur. Je crois qu'il faut prendre le problème très tôt et créer des structures d'encadrement pour les enfants qui ont des problèmes familiaux. A 16 ans il est trop tard.

C'est la société
Delphine, 17 ans, terminale ES

On se braque sur les jeunes mais ils ne sont pas à l'origine du phénomène. C'est la société avec toutes ses inégalités qui est violente ! Il faut traiter le problème à sa source, c'est-à-dire au niveau économique. Et ça, c'est le travail de nos dirigeants.

Autre point en discussion : faut-il ou non montrer des scènes violentes à la télévision, en particulier au journal télévisé ? "Cela fait partie de l'actualité, c'est normal d'en parler", affirment certains. D'autres ne sont pas d'accord : "La violence est devenue un spectacle, ce qui n'est pas très sain".

---

1 Travail de groupe. Lisez les textes, à l'aide d'un dictionnaire.
  a Faites une liste des problèmes mentionnés. Discutez des problèmes : comparez-les avec ceux qu'on rencontre dans les écoles de votre pays.
  b Relisez les témoignages. D'où vient ce problème, selon eux ? Faites une liste des causes mentionnées et discutez-en (d'accord/pas d'accord).
  c Discutez des sanctions imposées normalement dans les écoles de votre pays (retenue, conseils, exclusion provisoire, etc.). Lesquelles sont valables comme solutions aux problèmes ? Avez-vous d'autres solutions à proposer ?

3 Ecrivez votre propre témoignage (100-20 mots) sur la violence dans les écoles. Présentez un résumé et des problèmes et de leurs causes. Si possible, proposez des solutions.
  Exemple : *Je crois que la violence et le respect sont très liés. Certains jeunes sont violents parce qu'ils se sentent rejetés par le groupe. Ils ont donc recours à la force pour se faire "respecter".*

Nom: ....

Faut-il contrôler l'immigration, oui ou non ?

A **Vous parlez en faveur du contrôle de l'immigration**

■ Préparez vos arguments. Vous pouvez parler :

- des problèmes sociaux

- de la pression sur les structures sociales

- des problèmes de l'intégration

- du chômage.

Pouvez-vous ajouter d'autres arguments ?

■ Pensez aux raisons données (pages 146 –7 du livre de l'étudiant).

■ Réécoutez la cassette (page 146).

■ Préparez des expressions utiles pour présenter votre discours (voir pages 45, 76 et 147).

■ Anticipez les questions du groupe. Trouvez des réponses ou des contre-arguments.

Faut-il contrôler l'immigration, oui ou non ?

B **Vous parlez contre le contrôle de l'immigration**

■ Préparez vos arguments. Vous pouvez parler :

- des avantages de l'immigration

- des avantages de l'assimilation de différentes cultures

- des besoins de ceux qui demandent le droit d'asile

- des différentes raisons pour quitter son pays.

Pouvez-vous ajouter d'autres arguments ?

■ Pensez aux raisons données (pages 146 –7 du livre de l'étudiant).

■ Réécoutez la cassette (page 146).

■ Préparez des expressions utiles pour présenter votre discours (voir pages 45, 76 et 147).

■ Anticipez les questions du groupe. Trouvez des réponses ou des contre-arguments.

UNITÉ 11 Nom: ....

Quand/Dès que + futur simple/futur antérieur

Lisez d'abord les sections **15d** et **15e** de la *Grammaire*.

1 Mettez les infinitifs à la forme du verbe qui convient.

    a Tu peux sortir dès que tu [*avoir*] fini tes devoirs. _____

    b Dès que nous [*être*] prêts, nous partirons. _____

    c Ecrivez-nous dès que vous [*avoir*] trouvé un travail. _____

    d Il viendra nous voir quand il [*vouloir*]. _____

    e Quand ils [*arriver*], on saura les résultats. _____

    f Je lui dirai de vous appeler lorsqu'elle [*rentrer*]. _____

    g Je viendrai chez vous aussitôt qu'ils [*partir*]. _____

    h Quand vous [*aller*] en France, vous devriez visiter Paris. _____

    i Quand on [*changer*] la loi, il y aura moins de problèmes pour les immigrés. _____

    j Lorsque la situation [*devenir*] trop difficile, on essaiera de trouver une solution. _____

Concordance des temps avec si

Lisez d'abord les sections **19** et **20** de la *Grammaire*.

2 Complétez les phrases suivantes.

    a S'il avait réfléchi avant de parler…

    b Si j'avais su qu'il était malade…

    c Sauriez-vous quoi faire…

    d Qu'est-ce que vous auriez fait…

    e Si j'étais président de la République…

    f Si je rentre chez moi de bonne heure…

    g Si le ministre n'était pas sorti de la voiture…

    h Les conséquences pourraient être graves…

    i Si nous, les jeunes, ne faisons rien…

    j Si je n'avais pas écrit au journaliste…

    1 je ferais de mon mieux pour aider les SDF.

    2 si vous aviez appris la nouvelle hier ?

    3 si on ne faisait rien pour aider les SDF.

    4 il aurait évité de mentionner le nom de la victime.

    5 je regarderai le documentaire dont tu m'as parlé ce matin.

    6 je n'aurais pas reçu ces informations sur la situation actuelle.

    7 les conséquences pourront être assez graves.

    8 j'aurais téléphoné avant de partir.

    9 il n'aurait pas évité l'attentat.

    10 si vous perdiez votre passeport ?

3 Que feriez-vous si vous étiez président de la République ? Ecrivez votre profession de foi (100-20 mots).
    ***Exemples: Dès que** je serai président, je…*
    ***Si** le taux d'inflation/de chômage persiste à s'élever, je…*
    ***Lorsque** j'en aurai discuté avec mes conseillers, je…*
    Aussitôt que…

184

1 Dans le texte suivant, extrait de son autobiographie, Danielle Mitterrand, parle de la Fondation dont elle s'occupe. Lisez-le, puis examinez les phrases suivantes. Vrai ou faux?
  a La Fondation de Danielle Mitterrand s'appelle France-Libertés.
  b C'est une organisation qui dépend du gouvernement.
  c Danielle Mitterrand était l'épouse de François Mitterrand.
  d Elle a créé la Fondation après la mort de François Mitterrand.
  e La totalité du capital de France-Libertés vient de fonds privés.

Alors ça marche, ta Fondation?

De quoi parlez-vous? Si vous faites allusion à la masse des malheurs dans le monde, à la violence et à l'oppression, aux injustices, à l'incompréhension, à la faim et aux déplacements de populations, aux épurations ethniques et à la folie furieuse de certains pouvoirs militaires ou d'argent... il ne manque pas d'occasions pour France-Libertés de se manifester. Hélas, ça marche, et elle est appelée à marcher tant que le monde sera ce qu'il est aujourd'hui.

Seulement dans votre question, je lis ou pressens la suite de votre interrogation : « Est-ce que ça marche ta Fondation, depuis que François Mitterrand n'est plus président de la République? Ou bien marche-t-elle moins bien que durant la présidence ou devra-t-elle arrêter ses activités faute de moyens ? »

Vous n'y êtes pas du tout : France-Libertés ne dépend en aucune façon du mandat de mon mari et je vous répondrai qu'elle a été créée à la fin du premier septennat – j'ignorais qu'il y en aurait un second – pour lui permettre de se perpétuer et d'œuvrer en tant que structure indépendante.

205

EN TOUTES LIBERTÉS

La Fondation est une ONG (organisation non gouvernementale) et ne dépend ni de la présidence ni d'aucun gouvernement. Et même si le dixième de son capital émane de fonds publics, elle se gère en toute autonomie.

Reconnue d'utilité publique, elle a dans son conseil d'administration trois représentants ministériels qui s'informent mais interviennent peu. C'est une ONG qui pense, témoigne et réalise comme une ONG, libre de toute obédience religieuse ou partisane.

Depuis sa création, ce sont des militants qui m'entourent ; de toutes conditions sociales, ils m'aident à l'animer par leur travail et leur conviction sans faille.

Les apports financiers aux programmes d'actions sont populaires ou institutionnels, privés ou publics. Depuis quelques années, les apports de l'Union européenne lui donnent les moyens de ses interventions les plus importantes.

Aujourd'hui, en pleine activité, nous éditons en plus grand nombre nos parutions, nous avons plus d'appels et de témoignages, sa présence est souhaitée dans les grandes manifestations : oui, ça marche.

Si demain nous n'arrivions plus à convaincre du bien-fondé de France-Libertés, si nous inspirions moins confiance, si nous recevions moins d'appels, la Fondation s'assoupirait faute de causes jusqu'à cesser ses activités. Et, paradoxe, ce serait un succès si cela voulait dire que le monde va mieux et que nos correspondants ont trouvé les moyens de gérer leurs problèmes eux-mêmes, sans soutien extérieur.

206

2 Retrouvez les extraits du texte auxquels correspondent les traductions suivantes. Elles ne sont pas toujours tout à fait justes : améliorez-les !
  a If you make an allusion to world calamities such as violence, oppression, injustice, lack of understanding, hunger, migrations, ethnic cleansing, and to the furious madness of some political or financial powers ... *France-Libertés* is never short of occasions to come to the fore.
  b If tomorrow we couldn't succeed in justifying the existence of *France-Libertés* any more, if we inspired less confidence and had fewer calls, then the Foundation would go under due to lack of causes to support, and would finally cease its activities.

3 Traduisez le reste de l'extrait en anglais.

4 Relisez l'extrait, puis préparez :
  a des slogans destinés à mieux faire connaître les activités de France-Libertés.
  b quelques lignes décrivant les activités de France-Libertés, à paraître dans un « guide des ONG ».

5 A deux, imaginez une interview soit avec Danielle Mitterrand soit avec un membre de France-Libertés à propos du travail de la Fondation. Préparez les questions et les réponses, puis enregistrez l'interview.

[recorder icon] Vous avez déjà entendu une interview avec Vianney Danet, secrétaire général de l'ACCIR (page 165 du livre de l'étudiant, activité 5). Revoyez vos réponses à cette activité, puis écoutez une autre partie de l'interview.

1 a Deux des phrases suivantes ne sont pas extraites de l'interview, et contredisent en fait les paroles de Vianney Danet. Lesquelles?
1 Nous avons actuellement environ 6000 membres... ☐
2 Chaque année, nous organisons un voyage au Burkina Faso, au Sénégal ou au Mali... ☐
3 L'ACCIR a autant de salariés que de bénévoles. ☐
4 Nous sommes une petite association...
5 On va discuter avec nos partenaires de leurs projets, du financement, des besoins réels... ☐
6 On attache beaucoup d'importance à la réalisation de projets concrets, la construction d'un puits, par exemple. ☐
7 On va rencontrer les gens sur place, voir comment ils vivent. ☐
8 On a parlé d'échanges, donc de respect mutuel... ☐

b Réécoutez l'interview et corrigez les deux phrases que vous venez de relever – de façon à ce qu'elles ne soient plus en contradiction avec ce qu'a dit le secrétaire de l'ACCIR.

....
....

2 Un(e) de vos ami(e)s anglophones, bénévole d'une organisation d'aide internationale, vous pose les questions suivantes, à propos de l'ACCIR. Lisez ses questions, réécoutez l'interview, puis répondez-lui en anglais.
a How many members do they have?
....
b Which countries do they mainly have links with?
....
c What is the proportion of paid versus voluntary workers?
....
d How often do they go to African countries?
....
e How often do they have guests from African countries?
....

3 a La liste suivante est la traduction anglaise d'une liste de mots et expressions-clés de l'interview. Retraduisez-la en français, de mémoire – sans réécouter l'interview.
1 exchanges _____
2 awareness _____
3 mutual respect _____
4 African partners _____
5 what we have in common _____
6 knowing different cultures _____
7 the North-South relationship _____
8 creating vegetable gardens _____
9 cattle breeding _____
10 building a well _____

b Réécoutez l'interview et corrigez votre traduction.

4 Ce qui suit est un résumé de l'interview, mais il est en désordre (seules, la première et la dernière lignes sont au bon endroit). Réécrivez-le correctement.

L'ACCIR signifie Association Champenoise de Coopération Inter
L'association a deux types d'action : d'une part, elle soutient des
mille membres, tous bénévoles. Chaque année, des voyages sont
Régionale. C'est une petite association qui comprend environ six
essaie d'apporter un appui à l'organisation paysanne de ces pays.
important de connaître des cultures différentes, de rencontrer
partenaires d'Afrique de l'Ouest. L'association estime qu'il est
particulièrement au Burkina Faso au Sénégal et au Mali) : elle
D'autre part, elle cherche à sensibiliser les agriculteurs de la
région Champagne-Ardennes aux rapports Nord-Sud et aux
Les échanges se font donc dans les deux sens : d'un côté, les
Champenois se rendent régulièrement en Afrique de l'Ouest.
De l'autre, ils accueillent chaque année, au moins un des
compte des différences et des points communs. On peut ainsi
des gens sur place, de voir comment ils vivent, de se rendre
relations entre pays développés et pays sous-développés.
projets de développement en Afrique de l'Ouest (plus
organisés.
parler de respect mutuel.

5 Réécoutez l'interview en prenant des notes, revoyez l'activité précédente, puis écrivez un compte rendu des activités de l'ACCIR du point de vue des partenaires africains.

1 Regardez <u>sans le son</u> les images des différentes sections du film :

   a *Introduction (jusqu'à "Afghanistan")* : D'après les images, quelles sont les responsabilités du service logistique ?

   _____

   b *Afghanistan* : Décrivez le terrain. Quels sont les problèmes que doit résoudre le service logistique ?

   _____

   c *Pérou* : Que s'est-il passé ? Que doit faire le service logistique ?

   _____

   d *Mauritanie* : Que doit faire le service logistique ?

   _____

   e *Guinée* : Que font les logisticiens de MSF ? Pourquoi ?

   _____

2 Etudiez les expressions ci-dessous. Selon vous, à quelle situation (Afghanistan, Pérou, Mauritanie, Guinée) s'appliquent-elles ?

> un mois de marche   des températures avoisinantes de 40 degrés   distribuer des tentes
> la campagne nationale de vaccination   il faut nourrir cent hommes et une centaine d'animaux
> une saison des pluies   une chaîne de froid sans faille   réhabiliter les structures de santé
> un hôpital complètement désaffecté

3 Regardez <u>avec le son</u> et vérifez vos réponses aux activités 1 et 2 ci-dessus.

4 Complétez les phrases suivantes.

   a Autrefois c'étaient les _____ eux-mêmes qui s'occupaient de tout.

   b Le service logistique a été créé pour _____

   c MSF peut répondre aux urgences en moins de _____

   d Pour ravitailler les missions de MSF en Afghanistan, il fallait _____

   e Au Pérou, MSF a dû intervenir lorsque le lac Titikaka … et il y a eu _____ personnes de déplacées.

   f Dans des entrepôts à Paris et Narbonne, des _____ sont tenus prêts.

   g En Mauritanie, le problème pour MSF était de conserver _____

   h En Guinée, après 25 ans de _____ , les structures de santé n'existaient plus.

5 Vérifiez le sens des expressions suivantes. Puis utilisez-les pour compléter les blancs dans la transcription ci-dessous :

> acheminement   mission d'urgence   action   siège   intervenir   médicaments   appui   désastres
> cinquante   disponible   improvisation   mises en pratique   matériel

> *Au _____(a) de Médecins sans Frontières, un télex tombe le vendredi soir. Aussitôt la décision est prise d'_____(b). Une nouvelle _____(c) s'organise. (…) Chaque année, sept cents médecins sans frontières partent dans plus de _____(d) missions dans le monde. Leur _____(e) n'est possible que grâce à un _____(f) logistique permanent, un _____(g) spécialement préparé, toujours _____(h) et une solide base arrière en France. Devant l'immensité des _____(i) et la diversité des situations rencontrées, aucune _____(j) n'est possible. En quinze années, des stratégies et des techniques d'intervention ont été élaborées et _____(k) sur tous les terrains. Malgré les risques et les difficultés, l'_____(l) des vivres, du matériel et des _____(m) est primordial.*

6 Médecins sans frontières (MSF) a besoin d'une version anglaise de la vidéo. Transcrivez-en une section et traduisez le commentaire. Lisez votre commentaire à haute voix pour vérifier que "ça sonne bien" en anglais. Si possible, enregistrez votre commentaire anglais de façon à pouvoir le synchroniser avec la bande vidéo originale.

ENTREPRENDRE, C'EST POSSIBLE

Loin de la sinistrose ambiante, beaucoup d'entre vous se bougent !
Vous imaginez des projets et vous vous battez pour les réaliser.

Céline & Cie brûlent les planches

Quand Céline, Florence et Carole, trois jeunes professionnelles du spectacle, ont plaqué leur vie parisienne pour une grande maison aux volets bleus, située dans le Tarn, ce fut pour donner naissance à la Compagnie du Quatre, une "troupe" dans la pure tradition. Jouer, aussi manger, dormir, voyager ensemble…

Un bonheur qui dure grâce au succès de "La croisée des chemins", le premier spectacle théâtre et danse de la Compagnie, monté grâce au soutien du DÉFI Jeunes. La pièce traite des rapports pas toujours simples entre les générations et de la transmission du savoir par les aînés. Un thème qui a séduit un public de tous âges et de tous les milieux sociaux : déjà 50 représentations et plus de 10 000 spectateurs enthousiastes sont inscrits à son palmarès.

Les fontaines du Roi-Soleil

La forêt de Marly-le-Roi, en région parisienne, abrite plusieurs des fontaines bâties à l'époque de Louis XIV. Longtemps à l'abandon, elle sortiront bientôt de l'oubli grâce au travail de restauration de Cécile Maurille, 17 ans, élève de terminale à Saint-Germain-en-Laye (Yvelines) et de six camarades. *"Peu de gens connaissent l'existence de ces fontaines qui servaient à rafraîchir les chevaux lorsque le roi se promenait en forêt. Notre but, c'est de les mettre bien en évidence."*

Ce sera fait à la fin de l'année scolaire grâce à une bourse DÉFI Jeunes et au soutien d'archéologues professionnels. Dans la foulée, Cécile et son groupe ont prévu d'éditer un petit guide sur la forêt de Marly et ses fontaines. Une manière originale pour les promeneurs de découvrir une petite tranche d'Histoire.

Le DÉFI Jeunes en chiffres

■ *8 ans d'activités*
■ *3 300 projets primés*
■ *90 millions de francs de parrainage*
■ *Création de plus de 340 entreprises et d'au moins 1 500 emplois.*

1 Ecrivez une lettre au DEFI Jeunes pour solliciter une bourse. Votre projet devrait être envisagé pour les grandes vacances ou pour un an, avant d'entreprendre vos études universitaires, par exemple.

Il faut expliquer :
– ce que vous voudriez faire
– vos dépenses potentielles
– les buts de votre projet.

Il faut aussi persuader le DEFI Jeunes de soutenir votre projet : pour quelles raisons devraient-ils le faire ?

Ecrivez 150–70 mots.

1 Vous avez déjà entendu une interview avec Jean-Pierre Jourdain, directeur délégué de la Comédie de Reims (page 175 du livre de l'étudiant). Ecoutez un autre extrait de l'interview, puis choisissez *vrai, faux,* ou *on ne sait pas* pour chacune des affirmations suivantes.

a Les spectateurs préfèrent les pièces classiques. _____

b La saison précédente, ils ont suivi une programmation plutôt contemporaine. _____

c Ils ne montent jamais de pièces écrites par des auteurs inconnus. _____

d Pendant la saison précédente, il y avait une diminution des spectateurs. _____

e Actuellement, ils suivent une programmation variée, c'est-à-dire qu'ils montent des pièces inconnues et des pièces classiques. _____

f Jean-Pierre Jourdain préfère les pièces modernes. _____

g Il est nécessaire d'attirer un grand nombre de spectateurs. _____

h Même en choisissant des pièces classiques, ils ont essayé de monter des pièces qui ne sont pas très connues. _____

i M. Jourdain n'apprécie pas les pièces écrites par Alain Badiou. _____

j Alain Badiou est acteur et écrivain. _____

k L'auteur et les acteurs travaillent ensemble afin de préparer une pièce. _____

l Il faut du temps pour préparer une pièce de cette façon. _____

m Dans un théâtre privé, on a plus de temps pour répéter. _____

n Un théâtre subventionné ne doit pas toujours penser aux recettes. _____

o Jean-Pierre Jourdain est reconnaissant des avantages du théâtre subventionné. _____

2 Travail de groupe.
a Préparez d'abord une liste des avantages de la subvention.
  Exemple : on a plus de temps pour répéter...
b Discutez de votre liste. Réécrivez votre liste par ordre d'importance.
c Ensuite, préparez une liste des aspects négatifs de la subvention.
  Exemple : la subvention rend les théâtres paresseux car ils n'ont plus besoin de penser aux recettes...

_____

_____

_____

_____

_____

_____

_____

_____

3 En vous servant de vos notes concernant l'activité 2 ci-dessus, discutez ensemble de la question de l'activité 6 à la page 175 du livre de l'étudiant : *Est-il nécessaire que les groupes de théâtre continuent à recevoir des subventions de l'Etat ?*

Ensuite, comparez vos opinons avec celles d'un autre groupe. Qui l'emporte, ceux qui sont en faveur de la subvention ou ceux qui sont contre ?

1 Ayant lu ces informations sur Genève, écrivez une lettre à votre correspondant(e) pour lui proposer d'y passer un week-end pendant un séjour d'été à Chamonix. Dites-lui ce que vous voudriez faire, de préférence, pendant la journée (samedi et dimanche) et pendant la soirée du samedi.

Quand les services secrets font la bombe

L *es fins limiers de Scotland Yard sont aux 400 coups. Ils accusent leurs collègues français de poser des bombes pour mettre leur zèle à l'épreuve. Bombe ou bobard, toujours est-il que l'on a été à deux doigts de l'incident diplomatique.*

Lorsqu'un artificier français et un artificier anglais se rencontrent, ils se racontent... des histoires d'artificiers. Mardi à l'ambassade de France de Londres, les experts anti-terroristes de Scotland Yard font une petite visite d'inspection pour s'assurer que la sécurité y est satisfaisante : tout le gratin britannique doit s'y rendre jeudi pour dîner. [...]

Une discussion entre hommes de l'art s'engage alors : comment tes chiens repèrent-ils un pain de plastic planqué dans un buisson ? Et toi, comment fais-tu sauter un colis suspect ? Côté français, c'est l'artificier affecté habituellement aux voyages présidentiels qui se prête de bonne grâce à cet échange, même si son anglais un peu hésitant le trahit souvent. Peu après, il regagne sa chambre au Grosvenor House de Park Lane : avec sa mallette qui contient, comme à l'habitude, 150 grammes de plastic destinés à l'exercice de ses fonctions.

« Anglais et Français ont procédé à des expériences ; tout s'est bien passé » affirmait-on hier à Paris, « au point que lorsque des hommes de Scotland Yard sont venus frapper à la porte de l'artificier le lendemain matin, ce dernier a pensé qu'ils désiraient poursuivre la conversation engagée à l'ambassade. » Pas du tout : c'est pour traîner le trop bavard fonctionnaire jusqu'au commissariat du West End, et le soumettre à un interrogatoire en règle durant quatre heures. L'incident, en soi, n'est pas exceptionnel. [...]

Mais c'est l'interprétation donnée à l'affaire par la police et la presse britannique qui a de quoi surprendre... selon la presse de Londres – qui parle d'initiative « stupide et dangereuse » (*Daily Express*) ou de « coup monté des Français » (*Standard*) – un homme des services secrets tricolores a délibérément tenté de prendre au piège ses collègues anglais en dissimulant des explosifs dans le jardin de l'ambassade.

Mais l'ampleur des réactions [...] oblige l'Ambassade de France à réagir officiellement : c'est un « regrettable malentendu », « une petite affaire tout à fait isolée ». Oui, mais les chiens-renifleurs de Scotland Yard ont-ils réellement découvert deux charges explosives abandonnées dans les parterres (à la française, comme il se doit) ? Absolument pas, se défend-on de source française autorisée, le plastic a immédiatement été rangé dans la mallette de l'artificier.

[...] L'incident s'est aussi développé sur le vieux fond de rivalité militaire entre les deux pays. D'Azincourt à Trafalgar, la compétition s'est déplacée sur le terrain des spécialistes en contre-terrorisme.

HIGH JINKS AT THE SECRET SERVICE

What do British and French bomb disposal experts do when they get together? They tell each other bomb disposal expert stories, of course...

Last Tuesday, British security decided to pay a visit to the French Embassy – all the UK top brass were due there for dinner on Thursday, so they just wanted to 'case the joint' in advance.

So the British bomb disposal experts got to meet their French counterparts. And of course, they swapped stories about how they blow up suspect packages, told jokes about the sniffer dog who'd lost his sense of smell and so on. The French were quite chatty, willing to give away their state secrets. The British, on the other hand, played their cards fairly close to their chests.

As you might expect, one French official got too carried away. He decided to test out the system for himself. He took a suitcase containing 150g of plastic explosive and placed it in the Embassy grounds in order to see if British security was as good as the Brits claimed. When there was a knock on the door at his hotel room the next morning he thought that his newly-found British mates wanted to continue the jolly japes of the night before. He didn't expect to get dragged down to the local nick for a grilling.

The British press was up in arms, accusing the froggy upstart of attempting to discredit national pride. The French ambassador described it as a 'misunderstanding'. It's nice to know that animosity between the French and British militaries, which has survived from Agincourt to Trafalgar, is now to be found in the arcane world of counter-terrorism.

1 a Lisez les deux textes. Ils décrivent le même incident, du point de vue britannique et du point de vue français. Résumez en anglais les deux interprétations de l'incident. Comment est-ce qu'elles sont différentes l'une de l'autre?

b Les deux textes utilisent un registre de langue tout à fait différent l'un de l'autre, mais ils ont plusieurs expressions en commun. Repérez-les et faites-en une liste anglais–français.

2 a Travail à deux. Relisez la page 128 du livre de l'étudiant avant de préparer une version anglaise du premier paragraphe de l'article français, dans le même registre de langue que ce dernier.

b Complétez votre version, puis comparez-la avec celle de votre partenaire. N'oubliez pas de vérifier le registre de langue.

3 a Travail à deux. Avec un(e) partenaire, traduisez au brouillon le texte anglais en français, en vous efforçant de conserver le même regsistre de langue.

b Avant de recopier votre traduction, corrigez vos erreurs de français (relisez la page 110 du livre de l'étudiant, activité 7).

1 Jeu de rôles. Il y a quatre personnages : le journaliste, le conseiller municipal, le témoin et le porte-parole d'un groupe terroriste.
  a Lisez les détails de l'attentat, puis préparez votre rôle selon les instructions qui figurent sur votre carte.
  b Le/La journaliste va interviewer les trois autres, tour à tour.

> **ATTENTAT DANS LE MÉTRO À L'HEURE DE POINTE**
> ■ nombreux blessés
> ■ dégâts importants
> ■ revendication immédiate

LE JOURNALISTE

Vous devez interviewer les trois autres.
Demandez :

* *au témoin...*
  – une description de la scène juste avant l'attentat
  – une description de l'individu suspect qu'il a remarqué
  – ce qu'il a vu et entendu
  – une description des scènes d'horreur après
  – ses sentiments en ce qui concerne l'attentat et le groupe terroriste.

* *au conseiller municipal...*
  – sa réaction à cet attentat
  – ce qu'il pense du mouvement terroriste qui a revendiqué l'attentat
  – ce qu'il a l'intention de faire en conséquence.

* *au porte-parole du groupe terroriste...*
  – comment l'engin a été fabriqué
  – pourquoi on a choisi une telle cible
  – sa réaction au bilan
  – ce qu'exige son organisation.

LE TEMOIN

Vous devez :

* donner une description de la scène juste avant l'attentat
* donner une description de l'individu suspect que vous avez remarqué
* raconter ce que vous avez vu et entendu
* donner une description des scènes d'horreur après l'explosion
* vos sentiments en ce qui concerne l'attentat et le groupe terroriste.

LE CONSEILLER MUNICIPAL

Vous devez :

* donner votre réaction à cet attentat
* dire ce que vous pensez du groupe terroriste qui a revendiqué l'attentat
* dire ce que vous avez l'intention de faire en conséquence (réconforter les familles des blessés, renforcer la sécurité dans la municipalité, rassurer les gens en leur disant que les terroristes ne l'emporteront jamais, etc.).

LE PORTE-PAROLE DU GROUPE TERRORISTE

Vous devez :

* raconter comment l'engin a été fabriqué
* pourquoi vous avez choisi cette cible (causer le plus de dégâts possibles, etc.)
* donner votre réaction au bilan, ce que vous allez faire pour les familles touchées par votre action
* donner un résumé de vos exigences (par exemple, le droit de vivre sans persécution, l'indépendance, le renversement d'une dictature, etc.).

A | Agissez avec Greenpeace

B | Rejoignez Greenpeace

Un équipage de plus de 4 millions d'hommes et de femmes dans le monde. Vous aussi, soyez du voyage !

Les premiers témoins

L'aventure commence en 1971. Un petit bateau quitte le port de Vancouver. L'objectif des matelots : empêcher l'explosion d'une bombe atomique en Alaska en se plaçant physiquement dans la zone de danger. L'événement fait la une des médias.

Une présence active et pacifique

Aujourd'hui soutenue par des millions de sympathisants, Greenpeace reste fidèle à sa première démarche : se rendre là où l'environnement est mis à sac pour dénoncer, informer et inverser le processus.

Les bases scientifiques

La face cachée des actions spectaculaires de Greenpeace, c'est le travail scientifique et d'investigation à la base de chaque campagne. Cela lui permet d'avancer des propositions concrètes pour que des changements voient le jour.

Un mouvement mondial et indépendant

L'enjeu est planétaire. Le monde entier a commencé à réagir. Avec des bureaux dans 32 pays, des militants et des experts repartis dans les différents bureaux nationaux et une flotte de navires.

Greenpeace est une force qui compte.

Depuis plus de 20 ans, Greenpeace mène de très nombreuses campagnes à travers le monde dans le but de sensibiliser l'opinion publique aux graves atteintes portées à l'environnement. Les actions de Greenpeace sont directes mais toujours non-violentes.

C | Cette année, avec votre soutien, Greenpeace mènera 4 grandes campagnes :

la protection de l'atmosphère terrestre

Greenpeace se bat pour que les gouvernements et l'industrie développent de sérieux efforts pour protéger l'atmosphère terrestre et travaille en particulier sur le changement de climat et l'amincissement de la couche d'ozone.

l'arrêt de la production de substances toxiques

La pollution générée par les activités humaines est grave car de nombreuses substances toxiques se concentrent, par le biais de la chaîne alimentaire, dans nos tissus et dans les milieux naturels.
Cette menace n'est pas inévitable et Greenpeace se bat pour que soient interdits la chimie du chlore (plastiques, PVC, etc.), l'incinération des déchets génératrice de dioxines et les exportations de déchets vers les pays pauvres, car ces pratiques pérennisent un mode de production dévastateur.

la défense de la biodiversité

La biodiversité constitue la diversité des formes de vie sur notre planète et des relations qu'elles établissent entre elles. Cette extraordinaire diversité est de plus en plus menacée par les activités humaines. Greenpeace se bat en particulier pour sauver les forêts de la déforestation sauvage et les océans de la surpêche, mais les campagnes de Greenpeace contre la pollution chimique et radioactive ont également pour effet indirect de protéger la biodiversité.

la fin de la menace nucléaire

L'énergie nucléaire – tant dans ses applications militaires (la bombe atomique) que dans ses applications civiles (centrales produisant de l'électricité) – constitue une menace pour le présent et le futur de notre planète. Sortir du nucléaire, c'est promouvoir des énergies renouvelables et rechercher les moyens d'une sécurité solidaire sans recours aux armes nucléaires.

1 Lisez les extraits du dépliant de Greenpeace France. Pour chaque phrase ci-dessous, notez la lettre de l'extrait auquel elle appartient.
   1 règlement des droits de pêche
   2 la protection de l'atmosphère
   3 action pour mettre fin à la production de l'énergie nucléaire
   4 un mouvement à l'échelle mondiale
   5 l'interdiction de fabriquer des produits chimiques
   6 un mouvement pacifique
   7 l'arrêt des essais nucléaires

2 Dans le texte trouvez l'équivalent français de ces expressions :
   a the event hit the headlines
   b to reverse the trend
   c to put forward concrete proposals
   d the Earth is at stake
   e the depletion of the ozone layer
   f a devastating method of production
   g to break away from nuclear power

3 a Avec un(e) partenaire, repérez les mots et expressions-clés du paragraphe intitulé *la défense de la biodiversité* (Section C). Servez-vous d'un dictionnaire si besoin est.
   b Ecrivez une version anglaise du paragraphe.

4 Avec un(e) partenaire, discutez du pour et du contre d'un tel mouvement (voir aussi la page 189 du livre de l'étudiant). A votre avis, peut-on sensibiliser le grand public aux dangers qui menacent notre planète?

5 Vous faites un stage chez Greenpeace France et une station de radio locale prépare une émission sur la protection de l'environnement. Vous avez donc quatre minutes pour :
   – expliquer ce qu'est Greenpeace France
   – raconter ce qui vous a poussé(e) à faire un stage chez eux
   – persuader vos auditeurs à en devenir membre

Le subjonctif 🔄²²

1 Examinez les phrases suivantes. Dans chaque groupe, on a besoin d'un verbe au subjonctif, et d'un autre à l'indicatif. Choisissez la forme qui convient à chaque phrase,

1 a Nous resterons jusqu'à ce que la Polynésie [*devient/devienne*] indépendante.
b Nous restons ici, tant qu'il n'y [*a/ait*] pas de changement.

2 a Je suis francophone, bien que je [*suis/sois*] né en Nouvelle-Zélande.
b Je suis francophone, alors que mes grands-parents [*sont/soient*] australiens.

3 a Lui seul [*sait/sache*] parler la langue du pays.
b C'est le seul qui [*peut/puisse*] communiquer dans la langue du pays.

4 a Je suis en faveur de l'indépendance pourvu que vous [*êtes/soyez*] d'accord.
b Je suis pour l'indépendance, si nous [*sommes/soyons*] tous d'accord.

5 a Je pense qu'il [*faut/faille*] s'attaquer aux mouvements nationalistes.
b Pensez-vous qu'il [*est/soit*] indispensable de s'y attaquer?

6 a Je connais quelqu'un qui [*est allé/soit allé*] à Papeete.
b Je ne connais personne qui [*veut/veuille*] les aider.

2 Indicatif ou subjonctif? Complétez les phrases suivantes.

a Je ne crois pas qu'il [*pouvoir*] y avoir plus de 80 millions de francophones dans le monde. _____

b La Guyane est le seul département d'outre-mer que je ne [*connaître*] pas. _____

c Je suis sûr que la Martinique [*être*] un département d'outre-mer! _____

d Nous savons bien qu'il y [*avoir*] une communauté francophone au Liban. _____

e Il faut absolument que le gouvernement [*prendre*] conscience de ses responsabilités. _____

f On peut continuer à parler français, pourvu que cela ne [*faire*] pas concurrence aux autres langues. _____

g Elle souhaite que tout le monde [*savoir*] parler les deux langues. _____

h Je ne suis pas certain que ces gens [*vouloir*] devenir complètement indépendants. _____

3 Vérifiez vos réponses à l'activité 2, puis modifiez chacune des phrases de façon à mettre le verbe au subjonctif s'il était à l'indicatif. Et vice versa.
Exemple : a – *Je ne sais pas s'il y a plus de 80 millions de francophones dans le monde.*
b – *Il n'y a qu'un département d'outre-mer que je ne connais pas, c'est la Guyane.*

4 a Les verbes suivants sont au subjonctif passé. Retrouvez la forme du subjonctif présent correspondant à chacun.

1 qu'on se soit souvenu _____
2 que nous ayons fini _____
3 que vous soyez allés _____
4 qu'ils aient compris _____
5 que vous ayez fait _____

6 que je sois venue _____
7 qu'il ait voulu _____
8 que tu aies pu _____
9 que tu aies eu _____
10 qu'elle ait su _____

b Choisissez parmi les formes (du présent et du passé) de l'activité 4a pour compléter les phrases suivantes.

1 Elle veut que nous _____ avant midi.

2 Il veut que nous _____ à midi.

3 Bien que je _____ le voir régulièrement, je ne sais pas comment l'aider.

4 Bien que je _____ le voir avant-hier, je n'ai aucune sympathie pour lui.

5 Je promets de ne jamais en reparler, pourvu qu'ils _____ ce que j'ai ressenti.

Denis Jean, professeur, parle de la Polynésie et de la Nouvelle-Calédonie.

1 a Avant d'écouter la cassette, examinez la liste de mots et expressions qui suivent et que vous entendrez pendant l'interview. Choisissez la bonne définition.

1 L'atoll de Mururoa est :
   a une base d'essais nucléaires située en Nouvelle-Calédonie.
   b une base d'essais nucléaires située en Polynésie française.

2 Les Caldoches sont :
   a les habitants de Polynésie qui sont d'origine européenne.
   b les habitants de Nouvelle-Calédonie qui sont d'origine française.

3 Les Canaques sont :
   a les habitants de Nouvelle-Calédonie qui sont d'origine française.
   b les habitants de Nouvelle-Calédonie qui sont originaires de là-bas.

4 Les Canaques sont aussi appelés :
   a Mélanésiens.
   b Polynésiens.

5 Un bagne est
   a une base d'essais nucléaires.
   b une prison où on envoyait les condamnés aux travaux forcés.

b Ecoutez l'interview, en essayant d'y repérer les mots et expressions cités ci-dessus. Vérifiez vos réponses.

c Denis Jean mentionne également deux pays autres que la France. De quels pays s'agit-il?

2 Le résumé ci-dessous contient cinq erreurs. Lisez le résumé, réécoutez l'interview et corrigez les erreurs.

> Bien qu'il ne soit pas anti-colonialiste, Denis Jean est en faveur de l'indépendance de la Polynésie.
>
> Pendant longtemps, la France s'est servie de la Polynésie pour y faire des essais nucléaires ; bien que ces essais ne soient pas encore terminés, Denis Jean trouve qu'il est normal que les Français se retirent. En outre, plusieurs pays tels que le Japon et l'Australie, demandent à ce que la France accorde son indépendance à la Polynésie.
>
> Toutefois, cette indépendance ne peut pas avoir lieu du jour au lendemain. Par exemple, la France sera obligée de contrôler la radio-activité sur la base de Kourou ~ lieu des essais nucléaires.
>
> Même après l'indépendance, il restera longtemps des liens entre la France et la Polynésie. De façon générale, les Polynésiens ~ comme d'ailleurs les Mélanésiens en Nouvelle-Calédonie ~ sont des peuples très accueillants.
>
> En ce qui concerne l'indépendance de la Nouvelle-Calédonie, Denis Jean estime que le problème y est plus compliqué, parce que ~ selon lui ~ les Canaques sont plus nombreux que les Caldoches.

3 Ces chiffres officiels contredisent les propos de Denis Jean sur la Nouvelle-Calédonie. Réécoutez ce qu'il dit et notez ses erreurs.

> **Nouvelle-Calédonie**
> *Population:* 164 173 (Caldoches : 33,6%, Mélanésiens 44,8%, *Autres:* 21,6%)

1 Ecoutez bien la cassette, en examinant le schéma des phrases suivantes (voir la page 201 du livre de l'étudiant, activité 4).

2 Après avoir écouté la cassette plusieurs fois, essayez d'imiter ce que vous entendez en vous aidant des flèches et autres marques typographiques indiquées sur cette feuille.

Catégorie 1 (D)

D'une part, nous allons considérer les faiblesses de la Polynésie, d'autre part ses points forts,

et en dernier lieu nous nous demanderons si l'indépendance est la solution idéale.

Catégorie 2 (B)

Nous pouvons, pour illustrer notre point de vue, citer les chiffres très élevés du chômage des

jeunes en Polynésie.

Catégorie 3 (E)

Nous admet **t o n s** qu'il y a sans **d o u t e** du **v r a i** dans ce que disent les

indépendantistes de l'attitude de la France à l'égard des populations loc**a l e s**.

Catégorie 4 (A)

Est-il vraiment possible qu'un territoire aussi petit puisse vivre sans l'aide d'une grande

puissance?

Catégorie 5 (F)

Il n'est **pas question** qu'on **sous**crive à ces **thèses rac**istes et **néo**-colonialistes!

Catégorie 6 (C)

Il est **clair** que la **seule** et **unique** solution au problème **passe** par une **réforme** des statuts.

You are working in the press office of the French Ministry of Agriculture. You have seen this article about French farming in an English language newspaper and you need to translate it for the minister's briefing papers.

Although French agriculture has become very efficient over the course of the four decades since 1960, many farmers are unhappy with their earnings.

Their grandparents could cultivate their lands without thinking about market forces or the Common Agricultural policy. The farmers of today know that the farms on which they live and work must become efficient businesses. They must find a solution to falling market prices. European subsidies have increased the gap between rich and poor. For some, this has meant investing in machinery and intensification. Others have diversified, for example by welcoming paying customers for accommodation or produce (bed and breakfast, farm meals using food produced on the farm). In spite of these efforts, there are increasingly fewer farmers; many of them are forced to sell their land and seek work in the towns.

The disappearance of peasant farmers is, in fact, the loss of a whole social class from which many French people have come. They are losing their roots.

Bien que/Quoique que l'agriculture française soit devenue très efficace au cours des quarante dernières années/depuis les années soixante, beaucoup d'agriculteurs sont mécontents de leurs revenus.

Leurs grands-parents cultivaient leurs terres sans penser à/se soucier de l'économie de marché ou la politique agricole commune. Les agriculteurs d'aujourd'hui savent qu'il faut que les fermes où ils vivent et travaillent deviennent des entreprises rentables. Il leur faut trouver une solution à la baisse des prix de marché/prix de la production. Les subventions européennes ont augmenté l'écart entre (les) riches et (les) pauvres. Pour certains, cela a impliqué l'investissement dans l'achat de machines/la mécanisation et l'intensification. D'autres se sont diversifiés, par exemple dans l'accueil d'hôtes payants qui consomment des produits (chambres d'hôtes, repas à la ferme utilisant/qui utilisent leur propre production). Malgré ces efforts, le nombre/l'effectif des fermiers diminue progressivement/va en diminuant/ne cesse pas de diminuer; beaucoup (d'entre eux) sont obligés de vendre leurs terres pour (aller) chercher du travail dans les villes/à la ville.

La disparition des paysans représente, en effet, la fin de toute une classe sociale dont beaucoup de Français sont issus. Ils perdent/sont en train de perdre leurs racines/leur attache.

Your company is organising a careers conference for young people. You have received this item from an English careers project and you need to translate it for the conference programme.

Since the development of the first computer in 1946, the world of information technology has become an important part of everyday life. It also offers a wide range of new and exciting professions for those who wish to work with this new and ever-changing technology. For example: multimedia. A project director oversees the development of CD-Roms. A programmer develops them, using his knowledge of programmes and computer languages. Images are created by those with both a specialist knowledge of computer programmes and a creative talent.

And multimedia computers are now used in many traditional fields of work. For example, graphic designers spend hours in front of their screen, designing images. Journalists use computers to write their articles. Newspapers, leaflets and brochures are all created on screen. Information technology is also used in the world of music and videos, while all secretaries now use word processors.

It is important to understand that computers are now part of every area of our lives. Whatever your career choice, you need to know how to use them.

Depuis la mise au point du premier ordinateur en 1946, les technologies de l'information sont devenues une partie importante de notre vie quotidienne. Elles offrent, également, un éventail très large de professions nouvelles et passionantes pour ceux qui souhaitent travailler avec cette nouvelle technologie, qui évolue continuellement. Par exemple: le multimédia. Un directeur de projet supervise le développement des CD-Rom. Un programmateur les développe, utilisant ses connaissances des programmes et du langage informatique. Les images sont créées par ceux ayant à la fois une connaissance spécialisée en programmes et un talent créatif.

En plus, les ordinateurs multimédia sont désormais utilisés au travail dans beaucoup de métiers traditionnels. Par exemple, les graphistes passent des heures devant leur écran à créer des images. Les journalistes utilisent les ordinateurs pour d'écrire leurs articles. Les journaux, les dépliants et les brochures sont tous créés sur écran.

Les technologies nouvelles sont également utilisées dans le monde de la musique et de la vidéo. De même, toutes les secrétaires utilisent maintenant un traitement de textes.

Il est important de comprendre que les ordinateurs font désormais partie intégrante de notre vie dans tous les domaines. Quelle que soit la carrière que vous choisissez, vous devez savoir vous en servir.

You are preparing a dossier on differences in healthcare between rich and poor countries. You find this article and decide to include a translation of it in your dossier.

Most people consider that they live in an equal society, yet, in many wealthy countries, a lack of money is condemning a large section of the population to a life of ill health.

This section includes many who are unemployed, in part-time work, families with small children, and the elderly. Yet the consequences of rising levels of poverty affect everyone. The evidence shows that poverty is a factor in rising crime figures, poor educational achievement and a sense of social alienation.

Researchers are currently trying to identify the links between lack of wealth and lack of health. Recent research indicates that it seems likely that the anxiety associated with lack of employment, money and housing worries, sick children and lack of social support may also contribute to poor health.

Encouraging politicians to take an interest in the plight of the poor is not easy. Interventions cost money and those who have means are often content to let the poor remain out of sight. However, in the end, the price of poverty could prove to be too high for everybody.

La plupart des gens considèrent qu'ils vivent dans une société égalitaire, et pourtant, dans beaucoup de pays riches, un manque d'argent condamne une partie importante de la population à une vie en mauvaise santé.

Cette partie comprend bon nombre de sans-emplois, d'employés à temps partiel, de familles avec de jeunes enfants et de personnes âgées. Cependant, les conséquences de l'augmentation du niveau de pauvreté affectent tout le monde. Il a été démontré que la pauvreté est un facteur engendrant l'augmentation du taux de criminalité, un taux bas de réussite scolaire ainsi qu'un sens d'aliénation sociale.

Les chercheurs essaient à l'heure actuelle d'identifier les liens entre l'absence de ressources et l'absence de santé. Des recherches récentes indiquent qu'il est probable que l'anxiété associée à l'absence d'emploi et d'argent, aux problèmes de logement, aux maladies des enfants et à l'absence d'aide sociale contribue à une mauvaise santé.

Il est difficile d'inciter les politiciens à s'intéresser au sort des pauvres. Les interventions coûtent cher et ceux qui ont les moyens sont souvent bien contents de laisser les pauvres dans l'ombre. Quoiqu'il en soit, le prix à payer pour la pauvreté pourrait finalement s'avérer être trop élevé pour tout le monde.

A French friend is writing an essay on the ulterior motives of countries for getting involved in humanitarian aid. You find this short article in a newspaper and decide to translate it for him/her.

FRANCE, MOTHER OF HUMANITARIAN AID?

In the 19th century, the French colonized many African countries. They were, they said, on a humanitarian mission. Yet, wasn't their ultimate purpose to subjugate more than to assist?

They claimed that their main concern was to bring to these people the benefits of education, progress, medicine and science. Many army medical officers were indeed efficient in identifying and fighting tropical diseases (Alphonse Laveran identified the cause of malaria in 1880 in Algeria). Even if they were at the time in the service of a nation which believed itself to be superior, they have remained role models for today's aid workers.

However real the achievements in health care, France's mission in the colonies could not be considered "humanitarian" in any way: it always led to the political and cultural subjugation of the local people. The question remains: what are the ulterior motives of humanitarian aid nowadays?

LA FRANCE, MÈRE DE L'HUMANITAIRE?

Au 19ème siècle, la France colonisa/les Français colonisèrent de nombreux pays d'Afrique. Elle avait/Ils avaient, disait-elle/disaient-ils, une mission humanitaire à remplir. Son/Leur but n'était-il pas cependant/pourtant/toutefois de soumettre plus que d'aider ?

La préoccupation majeure, selon la France/eux, était d'apporter à ces peuples les bienfaits de l'éducation, du progrès, de la médecine et de la science. Effectivement/En effet, certains médecins militaires dépistèrent et soignèrent efficacement les maladies tropicales (Alphonse Laveran identifia l'origine du paludisme/de la malaria en 1880, en Algérie). Bien qu'ils fussent/Quoiqu'ils fussent/Même s'ils étaient à l'époque au service d'une nation convaincue de sa supériorité, ces médecins sont encore aujourd'hui des références pour les volontaires (du secteur) de l'humanitaire.

Malgré des progrès sanitaires bien réels, la mission de la France dans ses colonies n'avait rien d'humanitaire. Elle aboutissait/menait toujours à la soumission politique et culturelle des populations locales. La question reste posée : quelles sont les motivations profondes de l'aide humanitaire aujourd'hui?

You are working for a company that analyzes social trends. You have seen this article in a magazine about French people and their holidays and you need to translate it for your records.

This week sees the start of the great departure on holiday, for many French people. Six people out of ten go on holiday at least once a year, and the summer holiday remains by far and away the most popular: 58% of families who only go on holiday once a year do so in the summer, preferably during the first two weeks of August.

For the majority, going on holiday means going to the seaside, and, for those who choose to remain in France, Brittany and the Atlantic and Mediterranean coasts remain the most popular destinations.

Foreign destinations were popular during the sixties and seventies. But since the early nineties, due mainly to local conflicts in previously popular tourist areas such as Algeria and Egypt, these destinations have become less popular. More than two out of three holidays take place in Western Europe and Spain attracts the most French tourists, with just under 2 million visitors, that is 24% of all trips abroad.

And where do they stay? For almost one in ten families, French people stay in their own holiday home. When travelling abroad, they often choose to stay in a hotel, but when staying in France, this option is chosen by only 8% of holiday makers, with the majority preferring to rent. And in recent years, thanks to the recession, nearly 40% have chosen to stay with family or friends.

Cette semaine, c'est le grand départ pour beaucoup de Français. Six Français sur dix partent en vacances au moins une fois dans l'année et les vacances d'été restent, de très loin, la période favorite: 58% des familles qui ne partent qu'une fois par an le font en été, et de préférence pendant la première quinzaine/les deux premières semaines d'août.

Pour la majorité des vacanciers, partir en vacances veut dire aller au bord de la mer, et, pour ceux qui veulent rester en France, la Bretagne, la côte atlantique et la côte méditerranéenne sont les destinations les plus populaires.

L'étranger a beaucoup attiré les touristes français dans les années 1960-70. Mais depuis le début des années 1990, du fait des conflits dans des zones touristiques telles que l'Algérie et l'Egypte, ces destinations deviennent de moins en moins populaires. Plus de deux séjours sur trois se déroulent dans les pays d'Europe de l'ouest, et c'est l'Espagne qui accueille le plus grand nombre de touristes français, avec prés de deux millions de visiteurs, soit 24% des séjours à l'étranger.

Et où logent-ils? Dans près d'un cas sur dix, les Français vont dans leur résidence secondaire. Quand ils vont à l'étranger, ils choisissent souvent l'hôtel, mais quand ils restent en France, seulement 8% des vacanciers optent pour cette formule, la majorité préférant la location. Récemment, la récession aidant, près de 40% choisissent d'aller chez des parents ou des amis.

You are putting together a dossier of information about terrorist incidents in France and find this report in a national newspaper. You decide to translate it and include it in your dossier.

TAX OFFICE AND BANK SERIOUSLY DAMAGED

Last night a bomb placed outside the main branch of the BNP, which is next door to the Corsican central tax office in Ajaccio, went off causing extensive damage. Seven people are said to have been injured, three of them seriously. A coded message was received at the offices of the French Press Agency in the town.

It is thought that the bomb, about 5kg of explosives placed in a Peugeot 306 stolen a few days before, was a reprisal for the arrest of François Simeoni, the leader of the Corsican splinter group Front Rouge. Simeoni was arrested after a shoot-out with members of the GIGN, France's SAS equivalent.

Until now, no one has claimed responsibility.

BANQUE ET PERCEPTION GRAVEMENT ENDOMMAGÉES

Une bombe placée à l'extérieur de la principale succursale de la BNP, située à côté de la perception centrale de la Corse à Ajaccio, a explosé hier soir en entraînant d'importants dégâts matériels. Sept personnes auraient été blessées, dont trois grièvement. Un message codé avait été envoyé à l'agence locale de France-Presse.

On pense que l'engin, environ 5kg d'explosifs cachés dans une Peugeot 306 volée quelques jours auparavant, a été placé là en représailles après l'arrestation de François Simeoni, le leader du groupe dissident Front Rouge. Simeoni a été arrêté après une fusillade avec des membres du GIGN.

Cet attentat n'a pas encore été revendiqué.

You are working on a project exploring global issues and find an article about how the countries of Europe view their national flags. You decide to translate an extract to include in your project.

THE FLAG: SYMBOL OF A NATION

[...] The resurgence of nationalism across Europe has brought with it a new interest in the history and symbolism of flags. Every country takes its flag seriously. [...] The British are more relaxed about the use of their national flag than almost any other nation. [...] It is difficult to imagine a Frenchman or a Spaniard wearing underwear showing their national flag!

[...] Perhaps it is England's long history of freedom which explains the difference. The last conquest of England was in 1066. [...] Most other European countries have experienced invasion or loss of sovereignty at some point in the last century, which has occasionally entailed the replacement of the traditional flag with an alien symbol. [...]

In the last 50 years, the flags previously imposed by the colonial powers throughout the world were replaced by numerous new flags, as more and more countries in Asia and Africa gained their independence. The raising of a new flag was a symbol of independence and national pride.

LE DRAPEAU: SYMBOLE D'UNE NATION

La réapparition du nationalisme à travers l'Europe fait qu'on s'intéresse à nouveau à l'histoire et au symbolisme des drapeaux. Chaque pays prend son drapeau très au sérieux. Les Britanniques sont plus libéraux que la plupart des autres nations quant à l'usage qu'il est fait de leur drapeau national. On imagine mal un Français ou un Espagnol portant un slip représentant les couleurs nationales!

Le fait que l'Angleterre a un long passé de pays libre explique peut-être cette différence. La dernière conquête de l'Angleterre remonte à 1066. La plupart des autres pays européens ont été envahis ou ont perdu leur souveraineté au cours du siècle dernier, leur drapeau traditionnel étant parfois remplacé par un symbole étranger.

Au cours des cinquante dernières années, les drapeaux imposés par les puissances coloniales à travers le monde furent remplacés par de nouveaux, toujours plus nombreux au fur et à mesure que les pays d'Afrique et d'Asie accédaient à leur indépendance. Faire flotter un nouveau drapeau était un symbole d'indépendance et de fierté nationale.